Foundation Course in German

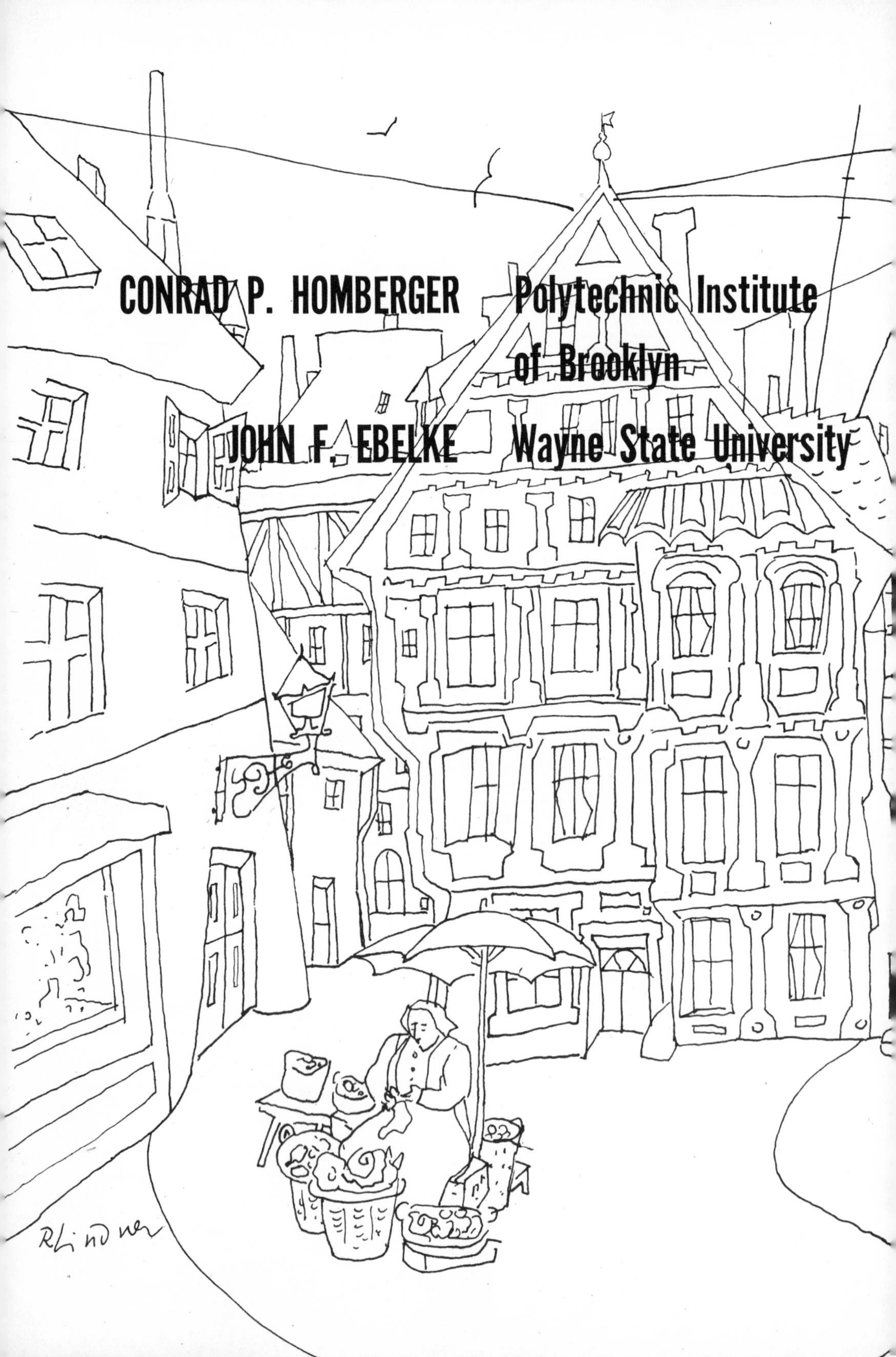

CONRAD P. HOMBERGER Polytechnic Institute of Brooklyn

JOHN F. EBELKE Wayne State University

FOUNDATION COURSE IN GERMAN

D. C. HEATH AND COMPANY Boston

ILLUSTRATIONS BY RICHARD LINDNER

Printed in the United States of America (6 B 2)

Library of Congress Catalog Card Number:
58–7051

FOREWORD

Foundation Course in German represents an attempt to bring some of the findings of recent years about the nature of language and the manner in which a language is acquired to bear upon the study of German. It is premised upon the concept of language learning as a process of growth in which the eye, the ear, and the speech organs all have a balanced share. Within this framework lexical, grammatical, and cultural materials are presented with continual reference to the student's own previous experience.

The entire text is arranged in four groups of lessons, each followed by a review lesson. Within the first group of seven lessons grammatical materials are held to a minimum so that the student has the opportunity to adjust to the foreign language experience. These early lessons also contain brief pronunciation exercises designed for contrast drill. After the student has become familiar with the new sounds, a good basic vocabulary, and the simpler structural patterns, the pace of introduction of new materials is gradually stepped up.

Each of the twenty-five lessons and the four review lessons is arranged in four main parts: the German text, the vocabulary, the grammatical commentary, and the exercises. The first section of each lesson intends to make the living language available to the student in both spoken and written form. These carefully graded selections contain colloquial and literary, conversational and narrative German in about the same admixture the student might be expected to encounter in Germany. The subject matter of the text attempts to convey some of the actual experience of study abroad through the comparison and contrast of ways of language, life, and thought in German-speaking Europe and the United States.

The second section of each lesson, the *Wortschatz*, is designed to help the student expand his familiarity with German words and phrases systematically beyond the scope of the text, or even of his immediate needs. In order to enlist the student's interest and imagination, the vocabulary is usually presented within a context, in associative patterns, or in logical groupings. In this way the chore of memorizing disconnected and heterogeneous lists of words is minimized, and the acquisition of a vocabulary becomes a natural and meaningful language experience. The vocabulary design also permits brief oral exercises based on each vocabulary unit immediately after it is taken up in the classroom.

Asterisks on individual words or with vocabulary units mark basic vocabulary which the student may reasonably be expected to acquire for active use in speaking or writing German at the beginning level. Approximately 1,000 words are starred, largely, but not exclusively, on the basis of frequency lists.

The third section, the *Erläuterungen*, explains in terms of usage and organic structure the facts of the German language as they appear to the native speaker of English. The rules given are intended to be clear statements of the significant language conventions which are generally followed and understood in the German-speaking area of Europe. The paradigms are intended as convenient and realistic surveys of the forms that will be encountered in German, and not as exercises in rote learning.

The *Übungen*, the fourth section of each lesson, are designed to provide the instructor with a wide choice of material from which to select and assign, and the student with abundant opportunity for practice. Although there are ample exercises which may be used to emphasize grammatical correctness, the primary objective is to develop a considerable familiarity with and control of the basic structural patterns of German. The questions, which form an integral part of the fourth section, are intended to train the student to express himself more and more freely, both orally and in writing.

We gratefully acknowledge our indebtedness to our colleagues, to the many modern scholars whose pioneer work has contributed to the concept and evolution of this text, to our editor, Dr. Vincenzo Cioffari, and his assistant, Mrs. Valentia B. Dermer. We hope that our efforts to open new linguistic roads to the teaching of German will prove stimulating and rewarding to student and instructor alike.

C. P. H. and J. F. E.

TABLE OF CONTENTS

Listed here are only the titles of the text and the principal items of the *Erläuterungen.* For a complete listing turn to the Index.

Foreword **v**

German Pronunciation and Spelling **3**

DIE ERSTE STUNDE

Deutsch und Englisch. *Articles and nouns; pronouns* **21**

DIE ZWEITE STUNDE

Deutschland und Europa. *The present tense of the verb;* **e**-*plural of nouns; the plural of articles* **31**

DIE DRITTE STUNDE

Von Kopf zu Fuß. *The accusative case; more noun plurals* **42**

DIE VIERTE STUNDE

Wir hören Schallplatten. *Verbs with separable prefixes; plural of* **die**-*nouns* **52**

DIE FÜNFTE STUNDE

Eine englische Stunde. *Irregular forms of verbs; modal auxiliaries in the present tense; the reflexive pronoun* **sich**; *noun plural in* **-er** **63**

DIE SECHSTE STUNDE

Straße am Sonntag. **Dieser-***adjectives; unpreceded descriptive adjectives* 73

DIE SIEBTE STUNDE

Mein Hund und ich. *Personal pronouns and their possessive adjectives* 83

ERSTE WIEDERHOLUNGSSTUNDE

Deutsche Schulen. *Nominative and accusative forms; noun plurals; the present tense* 94

DIE ACHTE STUNDE

Es war einmal . . . *The past tense of regular and irregular verbs* 108

DIE NEUNTE STUNDE

Städte und Häuser in Deutschland. *Endings on preceded descriptive adjectives; adjectives used as nouns* 119

DIE ZEHNTE STUNDE

Auf dem Fahrrad und im Auto. *The dative forms; uses of the dative case; prepositions with the dative case* 130

DIE ELFTE STUNDE

Ins Freie hinaus. *Nine prepositions with dative and accusative;* **wo** + *preposition;* **da** + *preposition* 142

DIE ZWÖLFTE STUNDE

Freuden der Liebe. *The genitive forms; uses of the genitive case* 153

DIE DREIZEHNTE STUNDE

Die schönste Jahreszeit. *The comparison of adjectives and adverbs* 164

ZWEITE WIEDERHOLUNGSSTUNDE

Sie kam, sah und siegte. *The pattern of the past tense; adjective endings and their functions; about prepositions* 174

DIE VIERZEHNTE STUNDE

Was man in Deutschland ißt und trinkt. *Conjunctions; dependent word order* 189

DIE FÜNFZEHNTE STUNDE

Ein Telefongespräch. *The pattern of the perfect tenses with* **haben;** *the perfect participle; past tense or present perfect?* 201

DIE SECHZEHNTE STUNDE

Ein Telegramm. *The pattern of the perfect tenses with* **sein** 212

DIE SIEBZEHNTE STUNDE

Wir werden tanzen. *The future tense, forms and usage; the infinitive with and without* **zu** 222

DIE ACHTZEHNTE STUNDE

Die Stadt, die Österreich ist. *The relative pronoun; interrogatives, direct and indirect* 233

DIE NEUNZEHNTE STUNDE

Vom Duzen. *The verb forms of familiar address; the familiar forms of the personal pronoun and the possessive adjective* 245

DRITTE WIEDERHOLUNGSSTUNDE

„Amerika, du hast es besser . . .” *The basic verb patterns; about German word order* 256

DIE ZWANZIGSTE STUNDE

Ein literarischer Brief aus Deutschland. *Ordinal numerals, fractions, etc.; adjectives from the infinitive; the perfect participle as an adjective* 269

DIE EINUNDZWANZIGSTE STUNDE

Ein Interview. *The forms of the subjunctive* 280

DIE ZWEIUNDZWANZIGSTE STUNDE

Wenn das Wörtchen „wenn" nicht wär' . . . *Uses of the subjunctive: contrary-to-fact conditions; the omission of* **wenn** 292

DIE DREIUNDZWANZIGSTE STUNDE

Besuch in der Schweiz. *The subjunctive of indirect discourse;* **als wenn, als ob;** *some uses of the present subjunctive* 303

DIE VIERUNDZWANZIGSTE STUNDE

Es wird musiziert. *Active and passive; the perfect participle with* **sein** 314

DIE FÜNFUNDZWANZIGSTE STUNDE

Ferien vom Ich. *Substitutes for the passive* 326

VIERTE WIEDERHOLUNGSSTUNDE

Deutsche Persönlichkeiten; ein Brief an den Leser. *The forms of the subjunctive; the forms of the passive; substitutes for the passive* 337

APPENDIX I. *Translation Exercises* 355

APPENDIX II. *A Summary of Forms* 365

GERMAN-ENGLISH VOCABULARY 385

ENGLISH-GERMAN VOCABULARY 412

INDEX 423

LIST OF PHOTOGRAPHS 429

Foundation Course in German

GERMAN PRONUNCIATION AND SPELLING

I. GENERAL COMMENTS

A. Language is primarily speech. Human beings have spoken ever since they emerged from the primeval forest. The beginnings of recorded speech, however, hardly go back more than a few thousand years, and printing is just five hundred years old. Children, too, learn to speak before they learn to read and write. Writing and printing, then, despite their enormous impact on modern civilization, are not the language itself, but only a means of recording it.

As a language student, you must always remember that you are dealing with the spoken word, the living language. Even if a reading knowledge is your only goal, familiarity with the spoken word is indispensable. For fluent and profitable reading requires at least some ability to interpret the letter symbols of printing or writing as silent speech.

B. Native speakers of German, in spite of their many dialects and personal idiosyncrasies, have in common certain sound features that by and large make their speech mutually intelligible and mark it off from other languages.

The following survey of German vowels and consonants will serve to point out to you the most important similarities and contrasts between the distinctive speech sounds, the phonemes, of German and English. You must familiarize yourself with them by listening carefully to your instructor, by imitating his pronunciation, and by using the exercises which follow for aural-oral study and periodic review.

Keep in mind, however, that people do not speak in individual sounds, nor do they read or write in individual letters or even words. As a rule, sounds come in bundles; letters and words reveal their meaning only in combinations. There is therefore little virtue in pronouncing individual sounds or words correctly: from the very beginning you must develop your ability to recognize and to produce groups of words which combine in larger meaningful units. Therefore you should practice with connected discourse at every opportunity.

C. If you keep in mind that language is primarily speech, you will readily appreciate the distinction between pronunciation and spelling. Pronunciation means the ability to produce the sounds that make up a language. Spelling refers to the way in which we use and arrange certain symbols to record these sounds in writing and printing. — Pronunciation and spelling have their counterparts at the receiving end of linguistic communication, of course, in the ability of the listener or reader to understand the sounds or letter symbols.

Both English and German record speech with the help of symbols, the letters of the alphabet, which stand for individual sounds. English spelling is far from being consistent, to be sure, for it has failed to keep up with the many and rapid changes which have taken place in its speech habits. Thus the same sound may be represented by various symbols: l*a*te, s*ai*l, d*ay*, br*ea*k, v*ei*l, h*ey*. Conversely, one symbol or group of symbols may represent various sounds: c*ough*, r*ough*, b*ough*, d*ough*, thr*ough*.

German spelling, on the other hand, is reasonably consistent: with but few exceptions, each sound in German is represented by a separate symbol, and each symbol represents one sound.

II. THE GERMAN VOWELS

A. There are no exact English equivalents for the German vowels, for the latter are pronounced with the tongue in a slightly higher position than for the corresponding English sounds. Moreover, the German vowels do not permit the common English diphthongal glide which is especially noticeable in such words as *day* and *low*.

In terms of the position of the tongue in the mouth we may diagram the German vowels as follows:

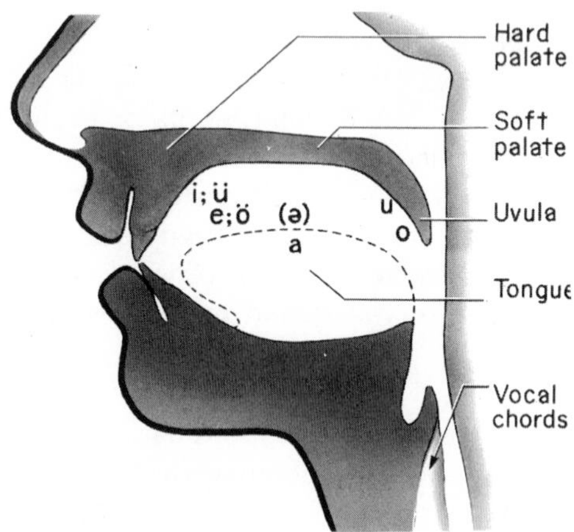

This diagram does not attempt to distinguish between the long and short variety of the same vowel since there is little, if any, difference between them in tongue position in German. Nonetheless the difference in length is a highly important phonemic distinction: just as we distinguish between the vowel sounds of *beet* and *bit* in English, a German will never confuse the sounds in **Staat** and **Stadt.** Briefly: short vowels are clipped as short as possible; long vowels are actually held about three times as long.

B. As you practice the following sampling of German vowels:

- ▶ keep the tongue higher than for the comparable English vowel!
- ▶ do not allow the tongue to slip out of its basic position: avoid any glide!
- ▶ remember that the English example given is not identical with the German example, but merely a point of orientation! — English examples in parentheses must be regarded with special caution.

1. The front vowels

GERMAN SPELLING	ENGLISH COMPARISON	GERMAN EXAMPLES
i, ie *long*	dee	die *the*
	sheen	schien *shone*
	ear	ihr *to her*
i *short*	kin	Kinn *chin*
	ding	Ding *thing*
e, ä [1] *long*	gate	geht *goes*
	labor	Leber *liver*
	bear	Bär *bear*
e, ä [1] *short*	bet	Bett *bed*
	lender	Länder *lands*

2. The rounded front vowels

There are two front vowels in German which do not exist in English: **ü** and **ö**. The **ü** is German **i** with the lips rounded; **ö** is German **e** with the lips rounded. Pronounce them with lips rounded as though you were going to whistle.[2]

[1] Practically, **ä** = **e**, although actors and singers are trained to differentiate. The stage pronunciation of **ä** requires the tongue to be in a slightly lower position than for **e**. [2] To drill the isolated **ü**-sound: round your lips and say German **u;** then stretch your lips and say German **i;** then round again for **u** and stretch for **i;** now round your lips again, but pronounce German **i** (u-i-u-i: **ü**). — Use a mirror! Drill the **ö** in the same way by rounding your lips and pronouncing German **o,** then stretching your lips and pronouncing German **e** (o-e-o-e: **ö**).

GERMAN SPELLING	ENGLISH COMPARISON	GERMAN EXAMPLES
ü *long*	(green)	grün *green*
	(keel)	kühl *cool*
	(free)	früh *early*
ü *short*	(fill)	füllen *to fill*
	(din)	dünn *thin*
ö *long*	(ale)	Öl *oil*
	(fain)	Föhn *storm wind*
	(Mabel)	Möbel *furniture*
ö *short*	(beck)	Böcke *bucks*
	(hell)	Hölle *hell*

3. The low center vowel

a *long*	yah!	ja *yes*
	calm	kam *came*
	far	fahren *to ride*
a *short*	(hot)	hat *has*
	park	Park *park*

4. The rounded back vowels

u *long*	do	du *thou*
	coo	Kuh *cow*
	moot	Mut *courage*
u *short*	footer	Futter *fodder*
	puts	Putz *finery*
o *long*	note	Not *need*
	loan	Lohn *pay*
	or	Ohr *ear*
o *short*	(come)	kommen *to come*
	(sun)	Sonne *sun*

5. The diphthongs

The three German diphthongs are pronounced with a far sharper glide than the corresponding English diphthongs.

GERMAN SPELLING	ENGLISH COMPARISON	GERMAN EXAMPLES
au	brown	braun *brown*
	fowl	faul *lazy*
	house	Haus *house*
ei, ai	by	bei *at*
	mine	mein *my*
	my	Mai *May*
eu, äu	Hoyle	heulen *to howl*
	oil	Eule *owl*
	soil	Säule *column*

6. *e* unstressed

The sound used in German for unstressed **e,** extremely common in prefixes and endings, is roughly comparable to the *e* in *the book.* Examples: schien*e*n, Kinn*e*; geh*e*n, Bett*e*n; grün*e*, füll*e*n; Möb*e*l, Böck*e*; kam*e*n, hatt*e*; Mut*e*, Futt*e*r; Ohr*e*n, komm*e*n; b*e*leb*e*n, *e*ntkomm*e*n.

There is a strong tendency in modern German to drop the **e** in unstressed end syllables whenever it is not a significant ending. Thus you have your choice between: zu Haus*e* / zu Haus; uns*e*re / unsre; ander*e*n / andern; geh*e*n / gehn; Buch*e*s / Buchs, *etc.*

III. THE GERMAN CONSONANTS

In most cases the German consonants have about the same sound as their English counterparts, except that they are enunciated more sharply. Each German sound is generally represented by one letter of the alphabet, and most letters represent only one sound. Note the following, however:

1.

GERMAN SPELLING	ENGLISH COMPARISON	GERMAN EXAMPLES
f;[1] **v**	f *in* far	fahren *to drive*
	feel	viel *much*
	fun	von *of, by*
h *before a vowel*	h *in* here	hier *here*
	house	Haus *house*

[1] The spelling **ph** for the **f**-sound occurs only in a few words of foreign origin: **Grammophon′** *Gramophone;* **Physik′** *physics;* **Telephon′ (Telefon′)** *telephone,* etc. Note that the **y** in such words represents the sound of either the German **i** or **ü: Physik′** *physics.*

GERMAN SPELLING	ENGLISH COMPARISON	GERMAN EXAMPLES
h *after a vowel* (*sign of length*)	e'en	ihn *him*
	coo	Kuh *cow*
	gait	geht *goes*
j	y *in* yea, *but more friction*	je *ever*
	yah!	ja *yes*
		Juni *June*
ng	ng *in* ring	Ring *ring*
	sing	singen *to sing*
		Finger [1] *finger*
t; [2] **tt; dt**	t *in* tune	tun *to do*
		Butter *butter*
		Stadt *city*
w [3]	v *in* vee	wie *how*
	vine	Wein *wine*
	vow	wau! (*dog's bark*)

2. Three special sounds

ch [4] German **ch** is a new sound for you unless you can pronounce Scottish *loch* or Spanish *rojo*. It is learned most easily by almost pronouncing the *k*-sound in English *key* or *coo* without allowing the tongue actually to stop the stream of air coming from the throat, for **ch** must be a continuous sound. (You may prefer to whisper *he* as harshly as possible.) The tongue is bunched high, either toward the front or the back of the mouth, depending on the vowel which accompanies the **ch**:

ich *I*	ach *alas*	Loch *hole*
Becher *goblet*	auch *also*	Buch *book*

[1] Caution: Do not pronounce like English fi*ng*er or li*ng*er! [2] The spelling **th** instead of **t** occurs in a very few words, but there is no *th*-sound in German. Pronounce as **t: Goethe (oe = ö); Thea'ter** *theater;* **Theorie'** *theory.* — Note that **tt** must also be pronounced **t,** and cannot be pronounced like the *tt* in English *lettuce, butter,* etc. [3] The English *w*-sound does not occur in standard German. The *v*-sound has the spelling **v** in a few foreign words only: **Universität'** *university;* **Verb** *verb;* **Violi'ne** *violin,* etc. [4] The letter combination **chs** usually represents the sounds **ch + s: du machst (machen** *to make*); **du lachst (lachen** *to laugh*); **des Buchs** *the book's.* In a few words, however, **chs** represents the **x**-sound: **Dachs** *badger;* **Fuchs** *fox;* **Lachs** *salmon;* **Ochs** *ox;* **sechs** *six.*

l In English, air is allowed to escape over the front of the tongue when *l* is pronounced. The German **l** is a more "liquid" sound; pronounce it with the tip of the tongue touching the gums just above the upper front teeth and the air escaping over the sides of the tongue:

viel *much*	bellen *to bark*	laufen *to run*
Milch *milk*	all *all*	holen *to fetch*

r German never uses the retroflex *r*, the General American *r* in which the tip of the tongue curves backward. The most common German **r**-sound is the uvular **r,** produced at the back of the mouth by a trill of the uvula, in effect a quick light gargle. On the stage and in public speaking the tongue-trill **r** is used, in which the tip of the tongue moves briefly and rapidly up and down; this is roughly the sound you may have made as a child in imitating a motorboat. — Either the tongue-trill **r** or the uvular **r** is acceptable.

hier *here*	lernen *to learn*	Rat *advice*
Herr *gentleman*	Arm *arm*	rot *red*
Haar *hair*	Dorf *village*	rufen *to call*

3. The sibilants

GERMAN SPELLING	ENGLISH COMPARISON	GERMAN EXAMPLES
s *before vowels*	z *in* zee laze	sie *they* lesen *to read*
s *at the end of a syllable*	s *in* best mouse	beste *best* Maus *mouse*
ss, **ß**[1] *always*	ss *or* s *in* mess, lease	messen *to measure* ließ *allowed*
sch	sh *in* fish shone	Fisch *fish* schon *already*
sp, st *at the beginning of a syllable*	"shpiel" "shpring" "shtein" "shtool"	Spiel *game* springen *to jump* Stein *stone* Stuhl *chair*

[1] The double letter **sz,** usually printed **ß,** is an alternate spelling for **ss.** It is used after a long vowel: **Füße** *feet;* at the end of a word: **Fluß** *river;* or before a consonant: **du mußt** *thou must.* — You may *write* **ß** as **ss** or as **sz,** but be sure you are consistent.

4. Two-way symbols

At the end of a syllable or word in German, **b, d, g** lose their voicing, that is, they are pronounced **p, t, k.** In the same position, **s** also becomes voiceless.

GERMAN SPELLING	ENGLISH COMPARISON	GERMAN EXAMPLES	ENGLISH COMPARISON	GERMAN (*in final position*)
b	b *in* beet	bieten *to offer*		
	labor	Leber *liver*		
		Liebe *love*	p *in* leap	lieb *dear*
		Diebe *thieves*	deep	Dieb *thief*
d	d *in* dame	dem *to the*		
	leader	Lieder *songs*		
		Tode *deaths*	t *in* tote	Tod *death*
		Felder *fields*	felt	Feld *field*
g	g *in* gay	gehen *to go*		
	league	liegen *to lie*		
		Kriege *wars*	k *in* creak	Krieg *war*
		Siege *victories*	seek	Sieg *victory*
		lustige *gay*	(*German* **ch**	lustig *gay*
		Könige *kings*	*in* ich [1])	König *king*
s *before vowels*	z *in* zee	sie *they*		
	zone	Sohn *son*		
		Häuser *houses*	s *in* house	Haus *house*
		lesen *to read*	laced	lest *read*

5. Consonant combinations

Be careful to pronounce both elements of the following consonant combinations in German, especially when they occur at the beginning of a word or syllable:

GERMAN SPELLING	ENGLISH COMPARISON	GERMAN EXAMPLES
gn	g + n (*pronounce both!*)	Gnade *grace*
		Vergnügen *pleasure*
kn	k + n (*pronounce both!*)	Knie *knee*
		Knabe *lad*
pf	p + f (*pronounce both!*)	Apfel *apple*
		Pfanne *pan*
		Pfeife *pipe*

[1] Although the final **g** in the suffix –**ig** is pronounced **k** in some areas, stage pronunciation requires the **ch**-sound.

GERMAN SPELLING	ENGLISH COMPARISON	GERMAN EXAMPLES
ps *in foreign words*	p + s (*pronounce both!*)	Psalm *psalm* Psychologie *psychology*
qu	k + v (*pronounce both!*)	Quelle *spring* bequem *comfortable*
z, tz, ts [1]	t + s *in* hoots rights blitz (tsetse, bits of, etc.)	Huts *hat's* Reiz *charm* Blitz *flash* zehn *ten* zahm *tame* Zone *zone* zwei *two*

6. The glottal stop

The glottal stop is a distinctive feature of German. It is a brief cloture of the vocal cords, in essence, a quick catch in the voice, which is regularly used before all syllables beginning with a vowel. In English it may occur as, for instance, the difference between *a nice man* and *an ˀice man*, or between *anneal* and *an ˀeel.*

ˀer ˀist ˀes *it is he*
ˀeine ˀalte ˀAdresse *an old address*
ˀich ˀarbeite ˀoft *I often work*
ˀin ˀeiner ˀOper *in an opera*

IV. ABOUT WORD ACCENT

1. German normally accents the first syllable of a word most heavily:

arbeiten *to work*
arbeitete *worked*
Übungen *exercises*
Schulaufgabe *schoolwork*
Vaterland *fatherland*
Klassenzimmer *classroom*

2. The so-called inseparable prefixes, all of which have the unstressed vowel **e (be–, emp–, ent–, er–, ge–, ver–, zer–)**, are never accented. (Compare English: *belittle, defeat, repeat.*) A few other prefixes are at times unaccented.

bekom′men *to receive*
geant′wortet *answered*
verges′sen *to forget*
Erläu′terungen *comments, commentary*
die Verei′nigten Staaten *the United States*
Überset′zungen *translations*

[1] Note the spelling **t** for the **ts**-combination in many words of foreign origin: **Nation′, Patient′, Revolution′;** also the initial spelling **c** for the **ts**-combination in a few others: **Celsius, Cent, Centigrad, Centimeter.**

3. In words of foreign origin, German tends to preserve the accent of the language from which the word is borrowed. As a result, in most words of Latin, Greek, or French origin the principal stress is on the last syllable, less frequently on the next to last syllable:

Automobil′ *automobile*	Physik′ *physics*	Euro′pa *Europe*
General′ *general*	Philosophie′ *philosophy*	Fami′lie *family*
Offizier′ *officer*	Student′ *student*	Profes′sor *professor*
Papier′ *paper*	Telefon′ *telephone*	studie′ren *to study*

4. In longer words, and in the German sentence generally, there is a strong tendency to distribute accented syllables in a rhythmical pattern over the entire word or sentence, that is, to alternate between stressed and unstressed syllables. As a result the individual vowels, whether stressed in any way or not, retain their full value, whereas in English an unstressed vowel tends to be pronounced as a rather non-distinctive sound, the schwa.

E-vo-lu-ti-on′ *evolution*	In-di-vi-du-a-li-tät′ *individuality*
U-ni-ver-si-tät′ *university*	Vier-wald-stät-ter-see *Lake Lucerne*

V. *"It's not what you say, it's the way you say it."*

One of the most interesting features of language is the way in which stress and intonation patterns convey meaning. The four stress levels of English are shown in the following well-known illustration, heaviest stress being indicated by 1 and lightest stress by 4:

1 3 2 4
lighthouse keeper = if you keep a lighthouse

3 1 3 4
light housekeeper = if you do light housekeeping

2 1 3 4
light housekeeper = if the housekeeper is not heavy

We further distinguish between four voice levels, or pitch levels, in the speech of the average English-speaking person, although these levels vary with sex, age, and voice. The most common pattern for simple factual statements may be illustrated thus, with either a drop between syllables of words which have more than one syllable or a downward glide through the vowel of one-syllable words:

He wrote on the black-
board. He wrote on the $^{w}a_{l_{l.}}$

Notice that stress and pitch do not necessarily coincide.

German, like English, employs four stress levels and four pitch levels. However, in German the stress and pitch levels tend strongly to coincide, that is, the voice tends to rise and fall at the same time that the stress is greater or less:

Ta-
hat schrie-
Er an die fel ge- ben. *He wrote on the blackboard.*

The total effect, especially since there is such a sharp contrast in length between long and short vowels in German, is a clearly defined rhythmical up-and-down pattern.

In brief: stress (accent), intonation (pitch patterns), and rhythm (spacing) are all important elements of a language. Therefore listen carefully to the German sound patterns of your instructor and try to imitate them at least as exactly as you imitate the individual sounds.

VI. ÜBUNGEN ZUR AUSSPRACHE

(*Exercises for Pronunciation*)

The exercises which follow will help you sharpen your perception of the German phonemes, or distinctive speech sounds. Use them for frequent reference and review.

A. The German vowels in contrast groups:

1. *a.* **High front, unrounded**

i LONG	: **i** SHORT
Biene *bee*	: bin *am*
bieten *to offer*	: bitten *to request*
ihn *him*	: in *in*
Ihnen *to you*	: innen *inside*
Wiesen *meadows*	: wissen *to know*

b. **High front, rounded**

ü LONG	: **ü** SHORT
fühlen *to feel*	: füllen *to fill*
Hüte *hats*	: Hütte *hut*
Füße *feet*	: Flüsse *rivers*
grüßen *to greet*	: Schlüssel *key*
für *for*	: fünf *five*

2. *a.* **High front, long**

i (UNROUNDED)	: ü (ROUNDED)
Biene *bee*	: Bühne *stage*
Stile *styles*	: Stühle *chairs*
viele *many*	: fühlen *to feel*
Tier *animal*	: Tür *door*
vier *four*	: für *for*

b. **High front, short**

i (UNROUNDED)	: ü (ROUNDED)
Kissen *pillow*	: küssen *to kiss*
Lifte *elevators*	: Lüfte *breezes*
missen *to miss*	: müssen *must*
bitte *please*	: Hütte *hut*
Kinn *chin*	: dünn *thin*

3. *a.* **Middle front, unrounded**

e LONG	: e SHORT
beten *to pray*	: Betten *beds*
den *him*	: denn *for*
käme *would come*	: Kämme *combs*
Väter *fathers*	: Vetter *cousin*
wählt *chooses*	: Welt *world*

b. **Middle front, rounded**

ö LONG	: ö SHORT
Höhle *cave*	: Hölle *hell*
Löwe *lion*	: Löffel *spoon*
Öfen *stoves*	: öffnen *to open*
mögen *to like*	: Röcke *skirts*
höflich *polite*	: öfter *more often*

4. *a.* **Middle front, long**

e (UNROUNDED)	: ö (ROUNDED)
Besen *broom*	: böse *angry*
sehnen *to long*	: Söhne *sons*
Esel *donkey*	: Vögel *birds*
eher *rather*	: höher *higher*
ehren *to honor*	: hören *to hear*

b. **Middle front, short**

e (UNROUNDED)	: ö (ROUNDED)
hell *bright*	: Hölle *hell*
kennen *to know*	: können *to be able*
stecken *to stick*	: Stöcke *sticks*
härter *harder*	: Wörter *words*
helfen *to help*	: zwölf *twelve*

5. *a.* **High back, rounded**

u LONG	: u SHORT
duzen *to say* "du"	: Dutzend *dozen*
Fuß *foot*	: Fluß *river*
Kuh *cow*	: Kuß *kiss*
Mut *courage*	: kaputt *broken*
tun *to do*	: unten *down below*

b. **Middle back, rounded**

o LONG	: o SHORT
Hof *yard*	: hoffen *to hope*
Ofen *stove*	: offen *open*
Sohn *son*	: Sonne *sun*
wohl *well*	: wollen *to want to*
rot *red*	: oft *often*

6. **Low center**

a LONG	: a SHORT
Bahn *path*	: Bann *ban*
Hasen *hares*	: hassen *to hate*
Kahn *rowboat*	: kann *can*
kam *came*	: Kamm *comb*
lahm *lame*	: Lamm *lamb*
Nase *nose*	: naß *wet*
raten *to advise*	: Ratten *rats*
Staat *state*	: Stadt *city*

7. The diphthongs

au	**eu, äu**	**ei, ai (ey, ay)**
Haus *house*	Häuser *houses*	bei *at*
Haut *skin*	heute *today*	ein *a*
kaufen *to buy*	Käufer *buyer*	Kaiser *kaiser*
laut *loud*	Leute *people*	leise *soft*
sauer *sour*	Säure *acid*	Meier, Meyer, Maier (*names*)
auch *also*	Deutsch *German*	Bayern *Bavaria*

B. The German consonants:

1. **f, v**	fallen *to fall*	Volk *folk*	vergessen *to forget*
	Vater *father*	von *by*	verstehen *to understand*
	viel *much*	vor *before*	brav *good*
	vier *four*	Vogel *bird*	elf *eleven*
2. **j**	ja *yes*	jeder *every*	Jugend *youth*
	Jahr *year*	Josef *Joseph*	Juni *June*
	Januar *January*	jung *young*	Juli *July*
3. **ng**	lang *long*	Ding *thing*	singen *to sing*
	länger *longer*	ging *went*	Frühling *spring*
	hängen *to hang*	Finger *finger*	Hunger *hunger*
4. **t, tt, dt**	bieten *to offer*	Stadt *city*	
	bitten *to request*	Vater *father*	
	Vetter *cousin*	Mutter *mother*	
5. **w (v)**	wann? *when?*	wo? *where?*	etwas *something*
	wer? *who?*	Wasser *water*	ewig *eternal*
	wem? *to whom?*	Wetter *weather*	schwarz *black*
	wen? *whom?*	wenig *little*	schwer *difficult*
	wie? *how?*	wieder *again*	Universität′ *university*
6. **ch, (i)g**	riechen *to smell*	sprechen *to speak*	Tuch *cloth*
	ich *I*	acht *eight*	mancher *many a*
	nicht *not*	Dach *roof*	Mädchen *girl*
	spricht *speaks*	machen *to make*	München *Munich*
	endlich *finally*	doch *nonetheless*	richtig *right*
	brechen *to break*	noch *yet*	ewig *eternal*
	Nächte *nights*	hoch *high*	lustig *gay*

7. **ch : k**	dich *thee*	: dick *thick*	Sache *thing*	: Sack *sack*
	glich *resembled*	: Glück *happiness*	stechen *to sting*	: stecken *to stick*
	Loch *hole*	: Stock *stick*	Zürich *Zurich*	: zurück *back*

8. **l**	lachen *to laugh*	all *all*	bald *soon*
	lang *long*	Keller *cellar*	voll *full*
	lieben *to love*	Kohle *coal*	wohl *well*
9. **r**	riet *advised*	Arm *arm*	Sturm *storm*
	reden *to talk*	Herren *gentlemen*	er *he*
	rot *red*	Lehrer *teacher*	bitter *bitter*
	rufen *to call*	lernen *to learn*	hier *here*
	groß *large*	Wort *word*	oder *or*

10.

s BEFORE VOWELS	FINAL **s**; **ss, ß**	**sch**; INITIAL **sp, st**
dieser *this*	dies *this*	Tasche *pocket*
sieht *sees*	liest *reads*	schauen *to see*
sitzen *to sit*	ißt *eats*	schön *beautiful*
sehr *very*	Vers *verse*	Spiel *game*
heiser *hoarse*	heißer *hotter*	spät *late*
Sand *sand*	anders *different*	sprechen *to speak*
lasen *read*	lassen *allow*	Stein *stone*
Mäuse *mice*	Maus *mouse*	stehen *to stand*
Suppe *soup*	Wurst *sausage*	Stück *piece*
besuchen *to visit*	Gruß *greeting*	Stunde *hour*

11. **The two-way consonants**

b : FINAL **b** (= **p**)		**d** : FINAL **d** (= **t**)	
aber *but*	: ab *off*	Hunde *dogs*	: und *and*
haben *to have*	: gehabt *had*	Stunde *hour*	: stand *stood*
bleiben *to stay*	: blieb *stayed*	Freunde *friends*	: Freund *friend*
geben *to give*	: gibt *gives*	Wälder *forests*	: Wald *forest*
Diebe *thieves*	: Dieb *thief*	Hände *hands*	: Hand *hand*
oben *up above*	: ob *whether*	finden *to find*	: fand *found*

g : FINAL **g** (= **k**)		**g** : FINAL **ig** (= **ich**)	
Tage *days*	: Tag *day*	richtige *correct*	: richtig *correct*
legen *to lay*	: legt *lays*	lustige *gay*	: lustig *gay*
liegen *to lie*	: liegt *lies*	Könige *kings*	: König *king*
trugen *carried*	: Zug *train*		

s BEFORE VOWELS	: FINAL **s**
Sie *you*	: Eis *ice*
lesen *to read*	: las *read*
Preise *prices*	: Preis *price*
Gase *gases*	: Gas *gas*
Sache *thing*	: Gast *guest*
sauer *sour*	: aus *out*

12. **kn**	Knoten *knot*	knipsen *to snap*	
	Knopf *button*	Knabe *lad*	
	Knie *knee*		
13. **pf**	Apfel *apple*	Pflanze *plant*	
	Pfad *path*	Pfeife *pipe*	
	Pfanne *pan*		
14. **z, ts, tz**	Ziel *goal*	Zucker *sugar*	Satz *sentence*
	Zimmer *room*	zu *to*	jetzt *now*
	zehn *ten*	zwanzig *twenty*	sitzt *sits*
	Zeit *time*	zwei *two*	nichts *nothing*
	zeichnen *to draw*	zwölf *twelve*	geht's *it goes*
	Zahn *tooth*	Münze *coin*	Kinds *child's*
	Zaun *fence*	Hitze *heat*	Wirtshaus *inn*
	Zone *zone*	kurz *short*	Huts *hat's*

C. The glottal stop:

auf einem Ofen *on a stove*	ohne Ende *without end*
er ißt einen Apfel *he is eating an apple*	um ein Uhr *at one o'clock*
ich erkläre es *I'll explain it*	eine andere Aufgabe *another task*

VII. ABOUT WRITTEN GERMAN

1. Capitalization

Haben Sie Ihr deutsches Buch?	*Do you have your German book?*
Nein, ich habe es nicht.	*No, I do not have it.*

▶ The first word in a sentence is capitalized in German.
▶ German capitalizes all nouns.
▶ All forms of **Sie** *you* and **Ihr** *your* are capitalized.
▶ The pronoun **ich** *I* is not capitalized.
▶ Adjectives denoting nationality are not capitalized in German.

2. Punctuation

German punctuation is quite similar to English. The most important differences are:

▶ All subordinate clauses are set off by commas.
▶ The exclamation point is always used after imperatives and is generally more common than in English.

- The apostrophe is used to show the omission of one or more letters, usually **e**: **er hat's = er hat es** *he has it.*
- Quotation marks are usually written as follows: **„Gut!" sagte er.**

3. Syllabication

Note the following divisions at the end of a line in German:

- A single consonant goes with the following syllable: **sa-gen** *to say.*
- The last of two or more consonants goes with the following syllable: **Ar-beit** *work;* **brann-ten** *burned.*
- The letter combinations **ch, sch,** and **ß,** likewise **st** and **sp,** when the latter begin a syllable, are treated like single letters, that is, they are not separated: **Dä-cher** *roofs;* **Bü-sche** *bushes;* **Grü-ße** *greetings;* **sech-ste** *sixth;* **ge-spielt** *played.*
- Compound words are divided between their component parts: **Klassen-zimmer** *classroom;* **Schul-haus** *schoolhouse;* **hin-aus** *out.*

4. About long and short vowels

The spelling usually represents the length of the vowel in German:

- Long vowels are usually followed by a single consonant (**Mut**), an **h** (**Lohn**), or are spelled with a double vowel (**Paar**); long **i** is often spelled **ie.**
- Short vowels are usually followed by two or more consonants (**binden**), often by a double consonant (**Kinn**).
- In verbs, if the vowel of the infinitive is long, it is normally long in all forms of the verb, even though consonantal endings are added (**sagen, sagte, gesagt**).

VIII. THE GERMAN ALPHABET

Until quite recently two styles of printing were used in Germany: *Antiqua,* or Roman type, and *Fraktur,* or German Text type. The coexistence of these two styles has long been considered an unnecessary expense and a hindrance to international communication. For these and other reasons the *Fraktur* has gradually given way to the *Antiqua* until today *Fraktur* is hardly ever used. German script has also been generally abandoned as a style of handwriting, and the so-called Latin script, a style similar to ours, has taken its place.

Since many older books are available only in *Fraktur,* it is presented here alongside *Antiqua* for convenient reference. To give you a chance to practice the reading of *Fraktur,* it will also be used in the Review Lessons of this book.

Antiqua		*Fraktur*		*Name of letter*	*Antiqua*		*Fraktur*		*Name of letter*
A	a	𝔄	𝔞	[ah]	S	s	𝔖	ſ 𝔰[1]	[ess]
B	b	𝔅	𝔟	[bay]	T	t	𝔗	𝔱	[tay]
C	c	ℭ	𝔠	[tsay]	U	u	𝔘	𝔲	[oo]
D	d	𝔇	𝔡	[day]	V	v	𝔙	𝔳	[fow]
E	e	𝔈	𝔢	[ay]	W	w	𝔚	𝔴	[vay]
F	f	𝔉	𝔣	[eff]	X	x	𝔛	𝔵	[ix]
G	g	𝔊	𝔤	[gay]	Y	y	𝔜	𝔶	[ipsilon]
H	h	ℌ	𝔥	[hah]	Z	z	ℨ	𝔷	[tset]
I	i	ℑ	𝔦	[ee]					
J	j	ℑ	𝔧	[yot]					
K	k	𝔎	𝔨	[kah]	Ä	ä	𝔄̈	𝔞̈	[ah-umlaut]
L	l	𝔏	𝔩	[ell]	Ö	ö	𝔒̈	𝔬̈	[oh-umlaut]
M	m	𝔐	𝔪	[em]	Ü	ü	𝔘̈	𝔲̈	[oo-umlaut]
N	n	𝔑	𝔫	[en]		ch		𝔠𝔥	[tsay-hah]
O	o	𝔒	𝔬	[oh]		ck		𝔠𝔨	[tsay-kah]
P	p	𝔓	𝔭	[pay]		ss		ſſ	[ess-ess]
Q	q	𝔔	𝔮	[koo]		sz; ß		ß	[ess-tset]
R	r	ℜ	𝔯	[air]		tz		𝔱𝔷	[tay-tset]

The last eight symbols, the three umlauts and the five consonant combinations, are not of the alphabet proper.

In alphabetical listings, **ä** usually is treated as **a; ö** as **o; ü** as **u.**

[1] The symbol 𝔰 is used at the end of a syllable or a word, the symbol ſ in all other situations.

DIE ERSTE STUNDE[1]

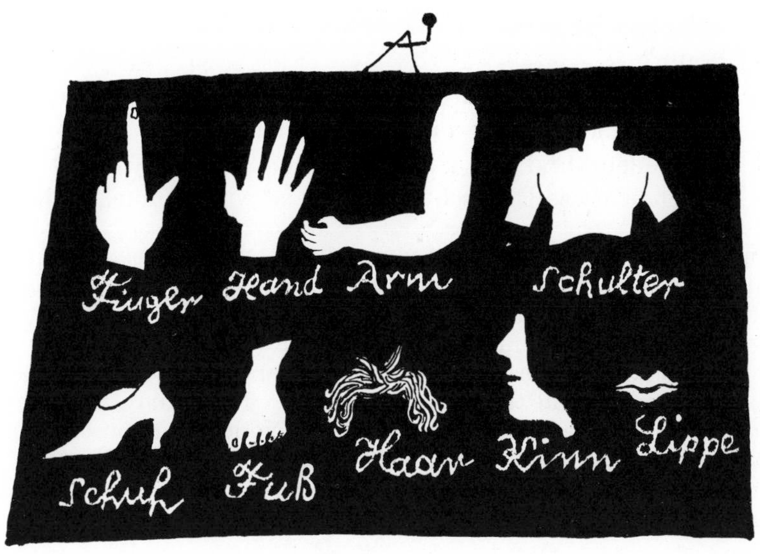

I. Deutsch und Englisch

Wir sind hier, um Deutsch zu lernen.[2] Ist Deutsch schwer? Nein, Deutsch ist nicht sehr schwer. Deutsch und Englisch sind oft sehr ähnlich. Zum Beispiel:

Das ist der Finger, das ist die Hand, das ist der Arm und das ist die Schulter. Und was ist das hier? Das ist der Schuh[3] und das ist der Fuß. Hier ist das Haar, hier ist das Kinn und hier ist die Lippe. Deutsch ist wirklich nicht sehr schwer.

Hören Sie weiter![4] Hier ist das Buch. Es ist rot. Hier ist der Bleistift. Er ist blau. Hier ist die Feder. Sie ist gelb. Die Wand dort ist grau. Die Tür ist grün, die Tafel ist schwarz, die Kreide ist weiß. Hier ist ein Tisch. Der Tisch ist braun. Das da ist ein Stuhl. Der Stuhl ist auch braun.

Das hier ist ein Bleistift. Das da ist kein Bleistift, das ist eine Feder. Der Bleistift ist lang, die Feder ist kurz. Das hier ist ein Heft. Das Heft

These footnotes will help you with words and phrases which are not listed in the Wortschatz *as yet.* [1] the first class (class hour; unit of instruction; lesson). [2] **um . . . zu lernen** in order to learn. [3] *words whose meaning you can guess easily will usually not be listed here.* [4] Keep on listening!

ist blau. Hier ist eine Zigarette und da ist eine Zigarre. Ist das ein Stück Kreide? Nein, das ist keine Kreide, das ist eine Zigarette. Ist das hier eine Feder oder eine Zigarre? Ist die Feder lang oder kurz? Ist die Zigarre weiß oder braun?

Hier ist auch eine Landkarte. Die Landkarte ist bunt: das Wasser ist blau und das Land ist grün, braun oder grau.

Ich bin Student und ich lerne Deutsch. Ich habe Deutsch gern.[1] Ich spreche[2] schon etwas Deutsch. Deutsch ist wirklich nicht sehr schwer.

- Your instructor will read the German passage above with you. Try to imitate the intonation and rhythm of the sentence as well as the pronunciation and grouping of words.
- Reread the passage aloud until you can do so easily.
- Study the next section, the *Wortschatz*, paying particular attention to the words you have not guessed in the German passage. Then study Section III, *Erläuterungen*, as assigned by your instructor. Notice that, on occasion, some vocabulary items are listed in the *Erläuterungen*.
- Now reread the German passage until you understand it in German, without translating.

II. WORTSCHATZ (*Vocabulary*)

First things first

No matter how many "rules" you know, you will never be able to express yourself in German or understand it if your vocabulary is weak. Therefore the first thing you must do is acquire what the Germans picturesquely call a **Wortschatz** or *word treasure*, that is, a good vocabulary.

This section groups vocabulary in convenient units and patterns, both for memorization and for enlarging your vocabulary beyond the range of the first section. — Starred (*) sections or starred words within a section indicate basic vocabulary.

*1. Muß ist eine harte Nuß

German states that "must is a hard nut" to crack. You should consider familiarity with the words listed under this heading a must.

[1] I like German. [2] speak.

auch also, too
etwas some; something
oder or
oft often
schon already
sehr very

ähnlich similar; similarly
wirklich real; really

ja : nein yes : no
kurz : lang short : long
leicht : schwer easy; light : difficult; heavy

(das) **Deutsch** : (das) **Englisch** German : English
auf deutsch : auf englisch in German : in English

hier : da : dort here : there : over there
das hier : das da : das dort this : that : that there

was? what?
wer? who?
wo? where?
wie? how?
wieviel? how much? how many?
wie viele? how many?

*2. Die Zahlen von null bis zehn (the numbers from zero to ten)

0 null	1 eins	2 zwei	3 drei	4 vier	5 fünf
6 sechs	7 sieben	8 acht	9 neun	10 zehn	

*3. Körperteile (parts of the body)

der Arm arm
der Finger finger
der Fuß foot
der Körper body

das Haar hair
das Kinn chin

die Hand hand
die Lippe lip
die Schulter shoulder

*4. Im Klassenzimmer (in the classroom)

a. **der Bleistift** pencil
der Stuhl chair
der Tisch table, desk

das Buch book
das Heft booklet, notebook
das Klassenzimmer classroom
das Land land
das Papier′ paper
das Stück piece
das Wasser water

die Farbe color
die Feder pen
die Klasse class
die Kreide chalk
die Landkarte map
die Stunde hour; class (hour), lesson
die Tafel blackboard
die Tinte ink
die Tür door
die Wand wall
die Zahl number

b. **der Lehrer** (*man*) teacher — **die Lehrerin** (*woman*) teacher
der Schüler schoolboy, pupil — **die Schülerin** schoolgirl, pupil
der Student' (*male*) student — **die Studen'tin** (*female*) student

***5. Farben** (colors)

rot red	**grün** green	**braun** brown	**schwarz** black
blau blue	**gelb** yellow	**grau** gray	**weiß** white

bunt many-colored

***6. Some important phrases**

Wie heißen Sie?	*What is your name?*
Ich heiße Müller.	*My name is Mueller.*
Wie heißt *book* auf deutsch?	*What is* book *in German?*
Book heißt auf deutsch **Buch.**	Book *in German is* **Buch.**
Ich bin Student, er ist Lehrer.	*I am* **a** *student, he is* **a** *teacher.*
Das ist ein Stück Kreide.	*That is a piece* **of** *chalk.*
das heißt (d.h.)	*that is* (*i.e.*)
und so weiter (usw.)	*and so on* (*etc.*)
zum Beispiel (z.B.)	*for example* (*e.g.*)

III. ERLÄUTERUNGEN (*Commentary*)

1. Articles and nouns

In English the definite article has only one form, *the*. In German the definite article has three basic forms, **der, das, die.** Accordingly we distinguish three types of nouns:

der-*nouns*	**das**-*nouns*	**die**-*nouns*
der Tisch	das Buch	die Tür
der Fuß	das Haar	die Lippe

The indefinite article *a* or *an* has only two basic forms in German, **ein** with **der**-nouns and **das**-nouns, **eine** with **die**-nouns:

ein Tisch	ein Buch	eine Tür

▶ Learn each noun with its definite article as if the noun and the article were one word. This is the way a German child learns nouns, and it is the most natural and efficient way of mastering them.
▶ Do not be afraid of making mistakes. Only practice leads to perfection.

2. Cases: the nominative forms

Case forms are the distinctive forms of nouns, pronouns, and adjectives, including the articles, which show the function of these words in a sentence. The forms listed in the vocabulary are *nominative.*

Der Tisch ist braun.	*The table is brown.*
Das Papier ist weiß.	*The paper is white.*
Die Übung ist schwer.	*The exercise is hard.*

The forms of the nominative case are used primarily to show the subject of the sentence. Notice that it is normally the article which has the distinctive form or ending that reveals the case, and not the noun.

3. Agreement of nouns and pronouns

a. Das ist **der** Tisch; **er** ist braun.	*That is the table;* ***it*** *is brown.*
Das ist **das** Buch; **es** ist rot.	*That is the book;* ***it*** *is red.*
Das ist **die** Tür; **sie** ist grün.	*That is the door;* ***it*** *is green.*

German regularly uses the pronoun **er** whenever the pronoun refers to a **der**-noun. Similarly, **es** refers to a **das**-noun and **sie** to a **die**-noun.

b. Das ist (der) Hans, **er** ist ein Schüler.
Das ist (die) Grete, **sie** ist eine Schülerin.

When referring to persons, **er** means *he* and **sie** means *she.*

4. The present tense forms of the verb *sein* (to be)

First Person Singular:

ich bin

Ich bin Student.	*I am a student.*
Bin ich der Lehrer?	*Am I the teacher?*

Third Person Singular:

er, es, sie ist

Der Bleistift ist lang.	*The pencil is long.*
Das Papier ist weiß.	*The paper is white.*
Ist die Feder gelb?	*Is the pen yellow?*

First and Third Person Plural and Polite Address:

wir, sie, Sie sind

Wir sind hier.	*We are here.*
Deutsch und Englisch sind ähnlich.	*German and English are similar.*
Sind sie ähnlich?	*Are they similar?*
Sind Sie Student?	*Are you a student?*

Notice that **sie** means *they* in the plural. The capitalized pronoun **Sie** is used for polite address; like English *you*, **Sie** is both singular and plural; **Sie** is used with the plural form of the verb.

*5. Nein, nicht, kein

Nein, das ist **kein** Buch.	***No,** that is **not a** book.*
Deutsch ist **nicht** schwer.	*German is **not** difficult.*

Nein means *no* in answer to a question. **Nicht** means *not.* **Kein** is the negative form of the article **ein. Kein Buch** therefore means *not a book, not any book,* or *no book,* depending on the context. The case endings of **kein** are the same as those of **ein.**

IV. ÜBUNGEN (*Exercises*)

Sprechübung (pronunciation exercise)

Read and reread the following contrasting pairs of phrases aloud until you are thoroughly familiar with the respective sound patterns:

ī : ĭ

Sie und wir	:	Lippe und Kinn
hier ist viel Papier	:	ich bin Studentin
dies zum Beispiel!	:	Tinte oder Bleistift

ē : ĕ

leicht und schwer	:	weiß und gelb
zehn Federn	:	sechs Hefte
wer ist er?	:	lernt sie gern?
ähnlich wie Lehrer	:	etwas nicht lernen

A. *Complete the following sentences with the appropriate definite article,* **der, das,** *or* **die:**

1. Das ist —— Finger, das ist —— Fuß, das ist —— Arm.
2. Da ist —— Buch, da ist —— Heft, da ist —— Papier.
3. Hier ist —— Feder, hier ist —— Tinte, hier ist —— Kreide.
4. —— Bleistift ist lang und —— Feder ist kurz.
5. —— Tisch, —— Stuhl, —— Wand und —— Tür sind braun.
6. —— Papier ist weiß, aber —— Tafel ist grün.

B. *Complete the following sentences with the appropriate indefinite article,* **ein** *or* **eine:**

1. Das ist —— Arm und das ist —— Finger.
2. Das ist —— Hand und das da ist —— Fuß.
3. Dort ist —— Landkarte.
4. —— Tafel ist oft schwarz und —— Tisch ist oft braun.
5. Ich bin —— Schüler, aber sie ist —— Schülerin.
6. Sind Sie auch —— Schülerin?

C. *Complete with the proper forms of* **ein** *or* **kein,** *as required:*

1. Ist das —— (*a*) Finger? Das ist —— (*not a*) Finger, das ist —— (*a*) Arm.
2. Ist das hier —— (*a*) Buch? Das ist —— (*not a*) Buch, das ist —— (*a*) Heft.
3. Ist das da —— (*a*) Feder? Das ist —— (*not a*) Feder, das ist —— (*a*) Stück Kreide.
4. Ist das —— (*a*) Tafel? Das ist —— (*not a*) Tafel, das ist —— (*a*) Tisch.
5. Sind Sie —— (*a*) Schüler? Ich bin —— (*not a*) Schüler, ich bin —— (*a*) Schülerin.

Frankfurt am Main: Eschenheim Tower

Munich: Karls Gate

Bonn: Beethoven House

Rothenburg ob der Tauber

D. *Fill in the appropriate forms of the verb* **sein** (to be):

1. Ich —— Student. 2. Der Lehrer —— schon hier. 3. Wir —— alle hier. 4. —— Sie Student? 5. Nein, ich —— Studentin. 6. Wo —— der Lehrer? 7. Deutsch und Englisch —— ähnlich. 8. Eine Zigarette —— weiß, aber die Tinte und die Feder —— schwarz.

E. *Replace all nouns with the corresponding pronouns:*

z.B.: *Die Lippe* ist rot: **Sie** ist rot.

1. *Der Tisch* ist braun. 2. *Das Heft* ist blau. 3. *Das Papier* ist weiß. 4. *Der Arm* ist lang. 5. *Die Tinte* ist schwarz. 6. Ist *der Stuhl* auch braun? 7. *Deutsch und Englisch* sind ähnlich. 8. *Die Zahlen* sind sehr leicht.

F. *Be sure you can give the numbers from zero to ten forward, backward, by even numbers, and by odd numbers!*

Wieviel ist eins und eins? zwei und vier? usw.

G. *Ask yourself and others questions like the following and answer them in German:*

a. z.B.: Was ist das? Das ist der Tisch. Das ist ein Tisch.

Was ist das? (Buch, Feder, Arm, Haar, Hand usw.)
Was ist das hier? (Finger, Kinn, Lippe, Schulter usw.)
Was ist das da? (Stuhl, Heft, Tür usw.)

b. z.B.: Ist das ein Buch? Ja, das ist ein Buch. Nein, das ist kein Buch, das ist eine Feder.

Ist das ein Tisch? (Stuhl, Buch, Tür, Finger, Kinn, Arm usw.)

c. Ist die Feder blau? Ist eine Tafel oft schwarz? Ist das Buch da blau? Ist der Stuhl da braun oder schwarz? Ist Deutsch wirklich sehr schwer? Ist die Stunde kurz oder lang? Ist die Landkarte bunt? Wie ist das Wasser? usw.

d. Wie heißen Sie? Was sind Sie? Sind Sie ein Schüler? Sind Sie Student? Sind Sie Studentin? Wie heiße ich? Bin ich der Lehrer? Wer bin ich? Was bin ich? Bin ich Lehrer oder Lehrerin?

„Aller Anfang ist schwer."

DIE ZWEITE STUNDE

I. Deutschland und Europa

Der Lehrer kommt gewöhnlich um neun Uhr. Er beginnt die Stunde sofort. Er sagt: „Guten Morgen!“ Wir antworten: „Guten Morgen, Herr Professor!“ [1]

Der Lehrer beginnt sofort zu fragen. Er fragt zum Beispiel: „Herr Müller, ist das ein Tisch?“ Der Student Müller antwortet: „Nein, Herr Professor, das ist kein Tisch, sondern ein Stuhl.“ Der Lehrer fragt dann weiter: [2] „Fräulein Schmidt, ist der Stuhl groß?“ Die Studentin Schmidt antwortet schnell: „Ja, Herr Professor, er ist groß.“ Dann fragt der Lehrer weiter: „Ist das ein Bleistift?“ Der nächste Student antwortet richtig: „Nein, Herr Professor, das ist eine Feder.“ „Ist die Feder blau?“ „Nein, sie ist rot.“

Der Lehrer hängt dann eine Landkarte an die Wand. Die Landkarte ist bunt. Sie zeigt Europa. Oben liegt England und unten liegen Italien, Spanien und der Balkan. Links liegt Frankreich und rechts liegt Rußland. Deutschland liegt in der Mitte.[3] Zwischen [4] Deutschland und Italien liegen

[1] *Teachers beyond grade school level are commonly addressed with* **Herr Profes'sor.**
[2] **fragt . . . weiter** goes on asking questions. [3] in the middle. [4] between.

Österreich [1] und die Schweiz.[2] Das ist das Land. Es ist grün, grau oder braun. Die Landkarte zeigt aber auch viel Wasser. Es ist blau. Oben sind die Nordsee [3] und die Ostsee,[4] links ist der Atlantische Ozean, und unten liegt das Mittelmeer.[5]

Der Lehrer erklärt die Landkarte. Er sagt: „Sehen Sie die Linie hier? Das ist ein Fluß, die Elbe. Die Elbe trennt [6] Westdeutschland und Ostdeutschland. Man spricht [7] natürlich Deutsch in Westdeutschland und Ostdeutschland. Auch viele Schweizer und alle Österreicher sprechen Deutsch.

Die Hauptstadt von [8] Westdeutschland ist Bonn. Die Hauptstadt von Ostdeutschland ist Ost-Berlin. Die Hauptstadt von Österreich ist Wien. Bonn ist keine große Stadt, aber Wien ist groß. Es ist auch sehr alt und schön."

Um zehn Uhr läutet die Glocke und die Stunde ist aus. Der Lehrer sagt: „Danke, das ist genug für heute.[9] Guten Tag, auf Wiedersehen!"

- Read the German selection over aloud until you can do so easily. Remember that you are not reading words, but connected discourse.
- Study the *Wortschatz*, paying particular attention to the new words you have encountered in the German passage. Then study the *Erläuterungen*.
- Now reread the passage until you can understand it without translating.

II. WORTSCHATZ

*1. Muß ist eine harte Nuß

a. **dann** then
gewöhnlich usual(ly)
natür'lich natural(ly), of course
sofort immediately, at once

b. **erklären** to explain
klar clear
sprechen to speak
zeigen to show

beginnen : enden to begin : to end
das Ende, -n end
zu Ende at an end; over
fragen : antworten to ask (*a question*) : to answer
die Frage, -n : die Antwort, -en question : answer
hören : sagen to hear : to say

c. (**das**) **Deutschland** Germany
(**das**) **Euro'pa** Europe

[1] Austria. [2] Switzerland. [3] North Sea. [4] Baltic Sea. [5] Mediterranean Sea. [6] separates. [7] one speaks, people speak. [8] capital of. [9] for today.

*2. Shape and size

breit : schmal broad, wide : narrow
groß : klein large, great, big, tall : small, little
hoch : nieder, niedrig high : low
rund : eckig round : angular

*3. Qualität und Quantität

alt : neu old : new
gut : schlecht good : bad, poor
richtig : falsch right, correct : wrong, false
schnell : langsam fast, quick : slow
schön : häßlich beautiful : ugly

genug enough
viel : wenig : all much : little : all
viele : wenige : alle many : few : all
einige a few; some

*4. Location

oben : unten on top, up above : on the bottom, down below
rechts : links to (at) the right : to (at) the left

kommen : gehen to come : to go; walk
stehen : liegen to stand (to be) : to lie (to be)
hängen to hang

*5. Das Buch, ⸚er

der Buchstabe, –n letter (*of the alphabet*)
das Wort, –e word (*in context*)
das Wort, ⸚er (*isolated*) word
die Zeile, –n line
der Satz, ⸚e sentence
die Seite, –n side; page

*6. A few important expressions

a. Guten Morgen! Guten Tag!	*Good morning. Good day.*
Auf Wiedersehen!	*Good-by. (Au revoir.)*
Die Glocke läutet **um** acht **Uhr.**	*The bell rings **at** eight **o'clock.***
Die Stunde ist **aus.**	*Class is **over** (**out**).*

b. **Der Mann** ist **Herr** Schmidt. — ***The man** is **Mr.** Smith.*
Die Frau ist **Frau** Schmidt. — ***The woman** is **Mrs.** Smith.*
Das Mädchen ist **Fräulein** Schmidt. — ***The girl** is **Miss** Smith.*

c. **lehren : lernen : studie'ren**

Ein Lehrer **lehrt,** ein Schüler **lernt** und ein Student **studiert.** — *A teacher **teaches,** a pupil **learns,** and a student **studies.***

d. bitte! — *please!* (often: *yes, please!*)
danke! danke schön! — *thanks! thank you!* (often: *no, thanks!*)

e. Ich frage, **aber** er antwortet nicht.
Das ist kein Bleistift, **sondern** eine Feder.

Aber means *but.* **Sondern** means *but* only in the sense of *but on the contrary.*

f. Das ist ein Bleistift, **nicht wahr?** — *. . . isn't it?*
Die Glocke läutet um zehn, **nicht wahr?** — *. . . doesn't it?*
Wir beginnen dann sofort, **nicht wahr?** — *. . . don't we?*

The question phrase **nicht wahr?** (literally: *not true?*) anticipates an affirmative answer. In colloquial German just **nicht?** is common; in southern Germany the colloquial forms **gelt** or **gel'** are customary. — Caution: Do not overwork these words!

III. ERLÄUTERUNGEN

1. The present tense

First Person Singular:

ich komm**e** sofort
ich antwort**e** wenig

Third Person Singular:

er steh**t** dort (der Tisch steht dort)
es lieg**t** da (das Buch liegt da)
sie läut**et** (die Glocke läutet)

First and Third Person Plural and Polite Address:

wir komm**en** sofort
wir antwort**en** schnell

sie frag**en** viel
Sie antwort**en** wenig

- The form of the verb listed in vocabularies is the *infinitive.*
- In the present tense the first person singular of most German verbs shows the ending **–e.**
- The third person singular usually ends in **–t;** sometimes an **–e–** is inserted, as after a **t,** for the sake of pronunciation, e.g. **er antwortet.**
- The first and third person plural and the polite form of address are almost always identical with the infinitive.

2. A note on usage

Er antwortet richtig.	*He answers / he is answering / he does answer correctly.*
Antwortet er richtig?	*Does he answer / is he answering correctly?*

German does not distinguish between three aspects of the present tense as English does. *I say, I do say,* and *I am saying* are all stated as **ich sage.** *Do I say?* and *am I saying?* are both **sage ich?**

3. The position of the subject

a. **Der Lehrer** fragt dann weiter.
Dann fragt **der Lehrer** weiter. } *Then the teacher goes on asking questions.*

If the subject does not begin the sentence, it normally follows the verb. (Cf. sentences like "Then came the dawn" or older English: "Long stay'd he so," *Hamlet* II, 1.)

b. Ist **das** eine Feder? Antworten **Sie** schnell? Wo liegt **das Buch?**

In questions the subject normally stands after the verb.

4. The position of *nicht*

Der Lehrer kommt heute nicht.	*The teacher is not coming today.*
Der Student ist noch nicht hier.	*The student is not here yet.*
Nicht Hans, sondern Gretl kommt.	*Not Hans, but Gretl is coming.*

When **nicht** negates the verb or the entire sentence, it normally stands at the end of the sentence. Otherwise **nicht** precedes that particular word or phrase which it negates.

NORDSEE
ENGLAND
NIEDERLANDE
London
Amsterdam
Rotterdam
Bremen
WESER
Essen
Dortmund
Düsseldorf
Kassel
Calais
Brüssel
BELGIEN
Köln
Aachen
Bonn
RHEIN
Koblenz
TAUNUS
Amiens
MOSEL
MAIN
Mainz
Luxemburg
Trier
Rouen
Reims
Worms
Paris
NECKAR
SAAR
FRANKREICH
Stuttgart
SCHWARZWALD
SCHWÄBISCHE ALB
Freiburg
GERMANY
and
CENTRAL EUROPE
Bern
RHEIN
SCHWEIZ
Genf
Maßstab
0 50 100 KM.
palacios

DÄNEMARK
OSTSEE
Königsberg
Danzig
Lübeck
Stettin
ODER
ELBE
WEICHSEL
POLEN
Berlin
Potsdam
Magdeburg
Leipzig
Breslau
ODER
Weimar
Dresden
Chemnitz
Jena
ERZGEBIRGE
FICHTELGEBIRGE
Prag
Bayreuth
TSCHECHOSLOWAKEI
BÖHMER WALD
DONAU
ISAR
INN
Wien
Salzburg
ALPEN
ÖSTERREICH
UNGARN
DONAU

*5. The plural of nouns: *e*-plurals

Most English nouns form their plurals by adding an *s*– or *z*– sound: book*s*, table*s*, ladie*s*, etc. Some change their internal vowels: m*e*n, *gee*se. Still others show such endings as *–en, –ren, –a* or no ending at all: ox*en*, child*ren*, phenomen*a*, sheep, fish.

In German there are four very common ways of indicating the plural of nouns. Almost all **der**-nouns and the majority of **das**-nouns of one syllable have the plural ending –**e: der Tisch, die Tische; das Haar, die Haare.** Almost all **die**-nouns have the plural ending –(**e**)**n: die Feder, die Federn; die Frau, die Frauen.** Some nouns show no plural ending: **das Zimmer, die Zimmer.** A few nouns end in –**er** in the plural: **das Buch, die Bücher.** Many nouns also show an umlaut in the plural: **die Bücher, die Flüsse.**

It will help you to master noun plurals if you try to group nouns of the same type. For instance, here are some of the nouns you have had which add –**e** to show the plural:

der Arm, –**e** [1] arm	**das Beispiel,** –**e** example
der Bleistift, –**e** pencil	**das Haar,** –**e** hair
der Fluß, Flüsse [2] river	**das Heft,** –**e** notebook
der Fuß, ⁼**e** [2] foot	**das Papier′,** –**e** paper
der Schuh, –**e** shoe	
der Stuhl, ⁼**e** chair	**die Hand,** ⁼**e** hand
der Tag, –**e** day	**die Stadt,** ⁼**e** city
der Tisch, –**e** table	**die Wand,** ⁼**e** wall

▶ Note that about half the **der**-nouns in the **e**-plural group modify their internal vowels; *none* of the **das**-nouns do so.

▶ Only a few **die**-nouns form their plurals with –**e**. They are, however, all common one-syllable nouns, and they all show an umlaut in the plural, if possible.

6. The plural of the articles

a. **Der** Stuhl ist braun, **das** Papier ist weiß, **die** Wand ist gelb.	*The chair is brown, the paper is white, the wall is yellow.*
Die Stühle sind braun, **die** Papiere sind weiß, **die** Wände sind gelb.	*The chairs are brown, the papers are white, the walls are yellow.*

The nominative plural of the definite article is **die** with all nouns.

[1] The listing **der Arm,** –**e** indicates that the plural of **der Arm** is **die Arme.**
[2] See page 9 with reference to the spelling **ß** vs. **ss** in such words as **Fluß** and **Fuß.** — Note how the umlaut for the plural of **Fuß** (**Füße**) is indicated!

b. **Ein** Lehrer fragt, **ein** Schüler antwortet.	*A teacher asks questions, a pupil answers.*
Lehrer fragen, Schüler antworten.	*Teachers ask questions, pupils answer.*
Kein Schüler antwortet.	*Not a pupil answers.*
Keine Schüler antworten.	*No pupils answer.*

The indefinite article **ein,** like English *a, an,* would not be used in the plural. — The nominative plural of **kein** is **keine** with all nouns.

IV. ÜBUNGEN

Sprechübung

Read and reread aloud:

ā : ă

da ist die Tafel : Wasser und Land
da ist die Zahl : schwarz ist die Wand
die Frage ist klar : die Stadt ist alt

ō : ŏ

ist er blau oder rot? : nicht da, sondern dort!
er ist so hoch oben : er kommt sofort

ū : ŭ

Fuß oder Stuhl : Nuß oder Null
die Schule ist gut : die Stunde ist kurz

A. *Complete the following sentences with* **der, das,** *or* **die,** *as required. Then answer in German, replacing the noun with the appropriate pronoun.*

z.B.: Ist **der** Tisch braun? Ja, **er** ist braun.

1. Beginnt —— Stunde? 2. Kommt —— Lehrer? 3. Fragt —— Lehrerin viel? 4. Ist —— Tisch hier groß? 5. Ist —— Stuhl dort klein? 6. Ist —— Tafel groß oder klein? 7. Ist —— Stunde lang? 8. Lernt —— Student viel oder wenig? 9. Ist —— Hand breit oder schmal? 10. Ist —— Wort *Westdeutschland* lang oder kurz? 11. Liegt —— Stadt Wien in Deutschland?

12. Sind —— Sätze leicht oder schwer? 13. Antworten —— Schüler falsch oder richtig?

B. *Complete with the proper forms of* **ein** *or* **kein,** *as indicated:*

1. Ist das —— (*a*) Tisch? Nein, Herr Professor, das ist —— (*not a*) Tisch, sondern —— (*a*) Stuhl.
2. Ist das hier —— (*a*) Stück Kreide? Nein, das ist —— (*not a*) Stück Kreide, das ist —— (*a*) Stück Papier.
3. Ist das da —— (*a*) Buch? Nein, das ist —— (*not a*) Buch, das ist —— (*a*) Heft.
4. Hier liegen auch —— (*a*) Feder und —— (*a*) Bleistift.
5. Das dort ist —— (*not a*) Landkarte, sondern —— (*a*) Tafel.
6. —— (*A*) Buch ist gut oder schlecht, —— (*a*) Satz ist lang oder kurz, —— (*a*) Buchstabe ist groß oder klein.
7. —— (*A*) Lehrer fragt oft schnell, —— (*a*) Schüler oder —— (*a*) Schülerin antwortet oft langsam.

C. *Read the following sentences in the plural:*

z.B.: Das Papier ist weiß: **Die Papiere sind** weiß. Ein Fluß ist oft breit: **Flüsse sind** oft breit.

1. Der Tisch ist groß, der Stuhl ist klein. 2. Das Heft ist blau, die Wand ist grau. 3. Der Satz ist lang, das Beispiel ist schwer. 4. Der Fuß ist unten, aber das Haar ist oben. 5. Der Tag ist lang. 6. Ein Tisch ist oft braun, auch ein Stuhl ist oft braun. 7. Hier liegt ein Bleistift, da liegt ein Heft. 8. Eine Wand ist oft grau.

D. *Supply the proper forms of the verbs in parentheses:*

1. Die Stunde —— (beginnen). 2. Der Lehrer —— (kommen) herein und ich —— (sagen): „Guten Tag, Herr Professor.“ 3. Er —— (antworten): „Guten Morgen.“ 4. Wir —— (beginnen) sofort. 5. Der Lehrer —— (erklären) die Landkarte. 6. Er —— (sagen): „Hier oben —— (liegen) England und dort —— (liegen) Deutschland.“ 7. Die Landkarte —— (zeigen) Europa. 8. Hier —— (stehen) ein Tisch und dort —— (stehen) Stühle. 9. Dann —— (sein) die Stunde aus.

E. *Start the following sentences with the italicized word or words, changing the position of the subject accordingly:*

z.B.: Wir lernen *hier* Deutsch: *Hier* lernen wir Deutsch.

1. Die Schüler kommen *langsam.* 2. Die Glocke läutet *dann.* 3. Die Stunde beginnt *um zehn Uhr.* 4. Ein Tisch steht *rechts.* 5. Eine Landkarte hängt *dort.* 6. Der Lehrer sagt: „*England liegt oben.*“ 7. Ein Student studiert *gewöhnlich* viel.

F. *Ask yourself and others questions like the following and answer them in German:*

a. Kommt der Lehrer gewöhnlich um acht Uhr? Kommt er um neun Uhr? Beginnt die Stunde sofort? Was sagt der Lehrer? Fragt er auch? Was fragt er zum Beispiel? Hängt hier eine Landkarte? Ist sie bunt? Was zeigt sie? Liegt England oben oder unten? Zeigt die Landkarte auch viel Wasser? Ist die Nordsee oben? Ist Bonn eine große Stadt? Ist Wien groß?

b. Stehen hier Tische und Stühle? Sind sie alle braun? Sind sie neu oder alt? Ist der Tisch dort rund oder eckig? Ist eine Feder gewöhnlich rund? Ist eine Zigarette gewöhnlich weiß? Ist eine Zigarre weiß? Ist eine Studentin eine Frau? Ist ein Student eine Frau?

c. Sprechen Sie Deutsch? Sprechen Sie es gut? Ist Deutsch schwer? Fragt der Lehrer viel? Fragt er schnell? Fragt er richtig? Antworten Sie gewöhnlich richtig? Antworten Sie gewöhnlich schnell? Sprechen alle Schweizer Deutsch? Ist Berlin oder Bonn die Hauptstadt von Westdeutschland? Ist Berlin eine große Stadt?

d. Was ist das? Das ist eine Landkarte, nicht wahr (gelt)? Ist sie groß? Sie ist groß und bunt, nicht wahr? Sind Sie Student? Ein Student ist ein Mann, nicht wahr? Ist New York groß? New York ist eine große Stadt, nicht wahr? usw.

„*Übung macht den Meister.*“

DIE DRITTE STUNDE

I. Von Kopf zu Fuß

Unser Schulzimmer ist groß und hell. Es hat eine Tür und vier Fenster. Es hat natürlich auch eine Decke [1] und einen Boden. Wir sehen vor uns [2] die Tafel, die Wand und die Landkarte. Aber den Lehrer sehen wir nicht. Er ist noch nicht da. Es ist noch zu früh.

Jetzt kommt der Lehrer herein.[3] Er geht sofort an die Tafel. Er lacht und sagt: „Keine Angst! [4] Wir schreiben heute nicht. Wir zeichnen heute. Wir zeichnen einen Mann. Wir zeichnen ihn von oben nach unten. Wir beginnen oben. Passen Sie auf:

Wir zeichnen zuerst den Hut; er ist groß und rund. Dann zeichnen wir den Kopf; er ist auch groß und rund. Zwischen Hut und Kopf machen wir einige Striche; das ist das Haar. Sehen Sie es? Nun kommen zwei Punkte: das sind die Augen. Und dann ein Kreis: das ist die Nase. Und hier ist ein Strich: das ist der Mund. Und noch ein Strich: das ist eine Zigarette, sie brennt [5] sogar. Sehen Sie diese Schlangenlinie? [6] Das ist der Rauch.[7] Und hier haben Sie die Ohren: ein Ohr rechts und ein Ohr links.

[1] ceiling. [2] in front of us. [3] **kommt . . . herein** comes in. [4] "Don't worry!" [5] is burning. [6] **die Schlange** (serpent) + **die Linie** = curling line. [7] smoke.

Dann kommt der Hals; er ist lang und dünn. Und jetzt kommt der Körper: die Brust, die Arme und der Bauch.[1] Endlich kommen die Beine und Füße.

Nun ist der Mann fertig. Aber er hat noch keine Kleider.[2] Er friert.[3] Wir müssen ihn anziehen.[4] Daher zeichnen wir schnell einen Kragen,[5] eine Krawatte, eine Jacke, eine Hose [6] und ein Paar Schuhe. Wir zeichnen auch Handschuhe über die Hände und eine Brille [7] über die Augen. Zum Schluß [8] hängen wir noch einen Regenschirm [9] über den linken Arm.

Nun, wie gefällt Ihnen unser Freund?" [10]

- Read the above selection aloud in German until you can do so easily. Read sentences, not words.
- Study the *Wortschatz*, especially the words used above. Then study the *Erläuterungen.*
- Now reread this passage until you understand it readily without translating.

II. WORTSCHATZ

*1. Muß ist eine harte Nuß

a. **an** [11] to
  an die Tafel to (onto) the blackboard
nach toward
  nach unten toward the bottom; downward
über over
  über den Arm over the arm
von from
  von oben from the top; from above
vor in front of
  vor uns in front of us
zwischen between
  zwischen Hut und Kopf between (the) hat and head

b. **bereit** ready
  bereits already
daher therefore, thence
endlich finally
fertig finished, done
noch still, yet (*in a time sense*)
  noch ein one more
  noch nicht not yet
sogar even

dick : dünn thick, fat : thin, slender
dunkel : hell dark : light, bright

lachen to laugh
schreiben to write
sehen to see
zeichnen to draw, sketch

[1] belly. [2] clothes. [3] is freezing. [4] dress. [5] collar. [6] pair of pants. [7] pair of glasses. [8] in conclusion. [9] umbrella. [10] "Well, how do you like our friend?" [11] *Since prepositions state relationships, they cover a wide range of meaning. For the present you need only be familiar with the meanings given here; additional meanings and the case forms used after these prepositions will be taken up later on.*

***2. Noch einige Körperteile** (a few more parts of the body)

der Hals, ¨e neck
der Kopf, ¨e head
der Mund, ¨er mouth

das Auge, –n eye
das Bein, –e leg
das Gesicht, –er face
das Ohr, –en ear

die Brust, ¨e breast, chest
die Nase, –n nose

***3. Time expressions**

früh : spät early : late
heute : morgen today : tomorrow
jetzt (nun) : dann now : then

sofort, sogleich, gleich at once, right away
zuerst : zuletzt (at) first : last(ly)

***4. Die Zahlen von 11 bis 20**

11 elf	12 zwölf	13 dreizehn	14 vierzehn	15 fünfzehn
16 sechzehn	17 siebzehn	18 achtzehn	19 neunzehn	20 zwanzig

5. Diminutives

The German endings –**chen** and –**lein** on a noun indicate small size or that you are fond of the object mentioned, often both. (In English: booklet, lambkin, etc.)

der Mann: das Männchen, das Männlein
das Haus: das Häuschen, das Häuslein
die Frau: *das Fräulein (*miss; Miss*)
(die Maid): *das Mädchen (*girl, young lady*)

These diminutives are always **das**-nouns, and they always have an umlaut, if possible. The plural of these nouns is always identical with the singular: **das Mädchen, die Mädchen.**

***6. A few important phrases**

a. Wie geht es Ihnen? (Wie geht's?) — *How are you?*
Es geht mir gut. — *I am fine.*
Danke, gut, und Ihnen? — *Thanks, fine, and you?*

Er **hat** Deutsch **gern.**	*He likes German.*
Er zeichnet **gern.**	*He likes to draw.*
Passen Sie auf!	*Pay attention!*
b. **Dies ist** ein Stuhl, **das ist** ein Tisch.	***This is** a chair, **that is** a table.*
Dies sind Tische, **das sind** Stühle.	***These are** tables, **those are** chairs.*

III. ERLÄUTERUNGEN

1. The accusative case

Der Lehrer zeichnet **den** Mann; er zeichnet **einen** Mann; er zeichnet **ihn.**	*The teacher is drawing the man; he is drawing a man; he is drawing him.*
Jetzt zeichnet er **das** Ohr; er zeichnet **ein** Ohr; er zeichnet **es.**	*Now he is drawing the ear; he is drawing an ear; he is drawing it.*
Er zeichnet auch **die** Nase; er zeichnet **eine** Nase; er zeichnet **sie.**	*He also draws the nose; he draws a nose; he draws it.*
Wir sehen **die** Füße noch nicht; wir sehen **keine** Füße; wir sehen **sie** noch nicht.	*We do not see the feet yet; we do not see any feet; we do not see them yet.*
Er kommt **ohne einen** Hut; er kommt **ohne ihn.**	*He comes without a hat; he comes without it.*

In English practically all significant case forms have disappeared, so that we have to rely largely on word order to determine the function of a word in a sentence. For instance, "The dog bites the man" and "The man bites the dog" are identical as far as the words and forms are concerned; only the position of the words in these sentences tells us that it is the second sentence, and not the first, which has news value.

In German, case forms are still highly significant, although word order and common sense will also help you determine how words are being used. For instance, "Der Hund beißt den Mann" and "Den Mann beißt der Hund" both say the same thing. The shift in word order only indicates a shift in emphasis.

Only **der**-nouns in the singular have articles with specific case forms for the accusative in German, however. **Das**-nouns and **die**-nouns have the same articles in the accusative function as in the nominative. The nouns themselves do not change.

The accusative case forms are most frequently used for the direct object. They are also used after a few prepositions such as **für** *for* and **ohne** *without.*

2. Nominative and accusative forms

	SINGULAR			*PLURAL*
	WITH **der**-NOUNS	WITH **das**-NOUNS	WITH **die**-NOUNS	WITH ALL NOUNS
NOM.	*der* Stuhl *ein* Stuhl *er*	*das* Heft *ein* Heft *es*	*die* Hand *eine* Hand *sie*	*die* Stühle / Hefte / Hände *keine* Stühle / Hefte / Hände *sie*
ACC.	*den* Stuhl *einen* Stuhl *ihn*			

The accusative of **wer?** is **wen?**

Note also that the accusative of **ich** is **mich**; of **wir** it is **uns**. **Sie** *you* is both nominative and accusative.

3. *Haben* (to have) in the present tense

ich **habe** ein Buch
er, es, sie **hat** ein Buch
wir, sie, Sie **haben** ein Buch

4. About adverbs

a. Die Antwort ist **richtig.** Der Student antwortet **richtig.** — *The answer is* **correct.** *The student answers* **correctly.**

English frequently distinguishes between adjectives and adverbs, especially in formal speech or writing; often *-ly* is added to the adjective in order to form the adverb. In German such a distinction is rare: the adjective without an ending is also the adverb. — Note also that adjectives do not have any ending when they stand alone.

b. Der Lehrer ist **jetzt hier.** Er geht **sofort an die Tafel.** Er geht **schnell an die Tafel.**

The teacher is here now. He goes to the blackboard at once. He walks to the blackboard quickly.

Adverbs of time in German regularly precede other adverbs. Adverbs of place regularly follow other adverbs.

5. More noun plurals

a.* The following nouns do not add any ending to form their plural. However, many of them change the internal vowel to an umlaut. All **der-nouns and **das**-nouns ending in **–er, –en, –el** form their plural in this way.

der Boden, ¨ floor; soil
der Finger, – finger
der Lehrer, – teacher
der Mantel, ¨ overcoat

der Schüler, – schoolboy; pupil

das Fenster, – window
das Zimmer, – room

b. **e**-plurals:

***der Freund, –e** friend
der Handschuh, –e glove
***der Hut, ¨e** hat
der Kreis, –e circle

***der Punkt, –e** point, dot; period
der Strich, –e short line

***das Paar, –e** pair

IV. ÜBUNGEN

Sprechübung

Read aloud repeatedly:

ǖ : ü̆

das sind Füße : da sind Flüsse
wie heißt der Schüler? : Sie heißen Müller
diese Stühle sind grün : diese Stücke sind dünn

ȫ : ö̆

Boden und Böden : Rock und Röcke
hören Sie weiter! : Wörter und Sätze
gewöhnlich in Österreich : zwölf kleine Köpfe

Aachen: Institute of Technology

„Unser Schulzimmer ist groß und hell."

A. *Complete the following sentences with* **den, das,** *or* **die,** *as required:*

1. Sehen Sie —— Tisch? 2. Sehen Sie —— (*sing.*) Fenster und —— Tür? 3. Sehen Sie auch —— (*sing.*) Lehrer? 4. Sehen Sie —— Stühle? 5. Wir zeichnen zuerst —— Hut, —— Kopf und —— Körper. 6. Dann zeichnen wir —— Arme und —— Beine. 7. Endlich zeichnen wir —— Regenschirm und —— Handschuhe. 8. Haben Sie —— Mann gern?

B. *Complete the following sentences with the proper forms of* **ein** *or* **kein,** *as indicated:*

1. Habe ich —— (*a*) Mantel? Ja, Sie haben —— (*a*) Mantel. Nein, Sie haben —— (*no*) Mantel.
2. Sehen Sie —— (*a*) Buch? Ja, ich sehe —— (*a*) Buch. Nein, ich sehe —— (*no*) Buch.
3. Haben wir jetzt —— (*a*) Stunde? Ja, wir haben jetzt —— (*a*) Stunde.
4. Zeichnet der Lehrer —— (*a*) Mann? —— (*a*) Haus? —— (*a*) Mädchen? Nein, er zeichnet —— (*not a*) Mann, —— (*not a*) Haus und auch —— (*not a*) Mädchen.
5. Sehen Sie —— (*a*) Fenster? —— (*a*) Tür? —— (*a*) Landkarte?

C. *Replace the italicized nouns with the corresponding pronouns:*

z.B.: *Der Hut* ist braun: **Er** ist braun.

1. Was zeigt *die Landkarte?* 2. Sehen Sie *den Mann* und *die Frau?* 3. *Die Studentin* hat *das Buch.* 4. Wer erklärt *den Satz?* Wer erklärt *die Zeile?* 5. Ich höre *den Lehrer* gut. 6. Er zeichnet *ein Gesicht.* Jetzt sehen wir *die Ohren.* 7. *Die Stunde* ist nicht sehr lang.

D. *Change all italicized words to the corresponding plural forms:*

z.B.: *Ein Kreis ist* rund: **Kreise sind** rund.

1. *Das Klassenzimmer ist* nicht sehr groß. 2. *Das Mädchen kommt* in das Schulzimmer. 3. Er schreibt *einen Satz* an die Tafel. 4. *Ich spreche* und *schreibe* Deutsch gern. 5. Sehen Sie *mich?* Sehen Sie *ihn?* 6. *Er hat keinen Freund.* 7. *Der Schüler hat einen Mantel und einen Hut.*

E. *Ask yourself and others questions like the following and answer them in German:*

a. Wie heißen Sie? Wie geht es Ihnen? Sind Sie der Lehrer? Sind Sie eine Schülerin? Haben Sie jetzt eine deutsche Stunde? Haben Sie auch morgen eine?

b. Haben Sie den (einen) Bleistift? Haben Sie eine Feder? eine Brille? einen Mantel? einen Regenschirm? Haben Sie viele Freunde?

c. Wieviel ist zwei und sechs? Wieviel ist vier und sieben? zwölf und vier? fünfzehn und drei? siebzehn und zwei? usw.

d. Zeichnen Sie gern? Was zeichnen Sie? Zeichnen Sie ein Haus oder einen Mann? Zeichnen Sie auch eine Frau? Ist sie schön? Hat sie einen Hut? Hat sie auch Handschuhe? Wie zeichnen Sie die Augen? die Ohren? das Haar? den Mund?

e. Was sehen Sie hier? Sehen Sie die Wände und die Fenster? Ist das Zimmer hell oder dunkel? Ist die Tür breit oder schmal? Sehen Sie eine Landkarte? Sehen Sie Deutschland? Welche Farbe hat das Land? Welche Farbe hat das Wasser?

f. Sehen Sie den Lehrer? Was macht er? Wen fragt er? Antworten die Schüler schnell? Frage ich Sie oft, Herr Schmidt? Antworten Sie immer richtig, Fräulein Graf? Schreibe ich jetzt an die Tafel? Zeichne ich? Was zeichne ich? Ist der Mann dick oder dünn? Lachen Sie? Haben Sie den Mann gern?

g. Kommt der Lehrer um neun Uhr in das Zimmer? Wann kommt er? Geht er sofort an die Tafel? Passen Sie immer auf? Ist die Stunde jetzt aus? Sind wir jetzt fertig?

„Was Hänschen nicht lernt, lernt Hans nimmermehr."

DIE VIERTE STUNDE

I. Wir hören Schallplatten

Heute bringt der Lehrer einen Kasten in die deutsche Stunde. Er stellt den Kasten auf den Tisch und sagt: „Nun raten Sie,[1] was das ist!" Ein Schüler meint, es ist ein Koffer; ein anderer [2] fragt: „Ist es vielleicht eine Zigarrenkiste?" [3] Aber der Lehrer antwortet: „Nein, nein, ganz falsch!" Dann macht er den Kasten auf und sagt: „Sehen Sie jetzt, was es ist? — Es ist ein Grammophon und hier sind einige Schallplatten."

Schallplatten sind sehr nützlich,[4] wenn man eine Sprache lernt. Nicht alle Deutschen [5] sprechen gleich. Es gibt [6] viele verschiedene Dialekte. Norddeutsche, zum Beispiel, sprechen anders als [7] Süddeutsche. Auch die Stimme macht einen Unterschied.[8] Männer, zum Beispiel, sprechen anders als Frauen. Es ist nicht gut, wenn wir nur den Lehrer hören. Die Hauptsache [9] aber ist: man kann eine Schallplatte so oft wiederholen, wie man will.

„Nun hören Sie zu!" sagt der Lehrer, „ich spiele jetzt eine Platte für Sie. Es ist eine Sprechplatte. Passen Sie auf!" Die Platte beginnt:

[1] guess. [2] another. [3] **die Kiste** box. [4] useful. [5] **der Deutsche** the German. [6] there are. [7] than. [8] difference. [9] **das Haupt** (head, chief) + **die Sache** (thing) = main thing.

Hier ist ein Wohnzimmer. Ein Mann kommt herein. Es ist der Vater. Er sagt: „Guten Abend, Marie.“ Eine Frau antwortet: „Guten Abend, Karl.“ Es ist die Mutter. Sie heißt Marie. Es sind auch Kinder da, ein Junge,[1] Hans, und ein Mädchen, Gretl. Was tun Hans und Gretl? Sie lernen. Sie sind fleißig. Sie machen Schulaufgaben. Hans schreibt und Gretl zeichnet.

Das ist leicht. Wir verstehen den Sprecher gut.

Es ist nicht so leicht für uns, Gesangsplatten zu verstehen. Trotzdem [2] haben wir sie gern. Wir hören natürlich zuerst ganz einfache [3] Lieder und wir verstehen oft nur ein paar Worte oder eine Zeile. Aber das ist genug für den Anfang. Heute zum Beispiel hören wir das schöne Wiegenlied von Brahms, das so beginnt:

> Guten Abend, gute Nacht!
> Mit Rosen bedacht [4] . . .

Zum Schluß spielt der Lehrer dann das Kinderlied:

> Ein Männlein steht im Walde
> Ganz still und stumm [5] . . .

Wenn um zehn Uhr die Glocke läutet, hören wir sie nicht, denn [6] wir singen so laut und eifrig.[7]

- Read the text over aloud in German until you can do so easily. Remember that you are reading sentences, not unconnected words.
- Study the *Wortschatz*, paying special attention to the new words that occur in this passage. Then study the *Erläuterungen*.
- Now read *Wir hören Schallplatten* again until you understand it in German.

II. WORTSCHATZ

*1. Muß ist eine harte Nuß

a. **auf** on
auf den Tisch on (onto) the table

in in
in das Zimmer in (into) the room

zu to
zu uns to us

[1] boy. [2] nonetheless. [3] simple. [4] "with roses bedight." [5] "A little man stands in the woods, very quiet and still." [6] for. [7] zealously, enthusiastically.

b. **man** one; people; "you"
nur only
so (oft) wie as (often) as
vielleicht perhaps

sprechen to speak
der Sprecher, – speaker
die Sprache, –n language; speech

ein Paar : ein paar a pair (of) : a couple of, a few
einige some, a few

c. **fleißig : faul** hard-working, diligent : lazy
gleich : verschieden same, alike; equal : different(ly)
anders different(ly)
laut : leise loud, aloud : soft, quiet
still silent, still

***2. Wie man grüßt** (simple greetings)

Guten Morgen!	*Good morning!*	(Both *Hello!* and *Good-by!*)
Guten Tag!	*Good day!*	(Both *Hello!* and *Good-by!*)
Guten Abend!	*Good evening!*	(Both *Hello!* and *Good-by!*)
Gute Nacht!	*Good night!*	(*Good-by!* only)
Grüß Gott!	*God greet you!*	(Both *Hello!* and *Good-by!* in southern Germany)

When you say "Good morning," you are in effect saying, "I wish you a good morning." That is why German uses accusative forms here.

***3. A few basic verbs**

a. **arbeiten : spielen** to work : to play
bringen to bring
machen to make, do
meinen to say, suggest, "opine"
singen to sing
stellen to put, place

tun to do
ich tue; er, es, sie tut
wir, sie, Sie tun
verstehen to understand
wiederholen to repeat
wohnen to live, dwell

b. **können** can, to be able to
ich, er, es, sie kann
wir, sie, Sie können

müssen must, to have to
ich, er, es, sie muß
wir, sie, Sie müssen

wollen to want to, wish to, intend to
ich, er, es, sie will
wir, sie, Sie wollen

***4. Mann oder Frau?**

der Freund : die Freundin the (*male*) friend : the (*female*) friend
der Lehrer : die Lehrerin the (*man*) teacher : the (*woman*) teacher
der Amerika'ner : die Amerika'nerin usw.

Nouns referring to men or males are usually **der**-nouns. Nouns referring to women or females are usually **die**-nouns. When **der**-nouns such as those given above refer to women or females, German changes the article from **der** to **die** and also adds the ending **-in** to the noun.

5. Compound nouns

*die **Aufgabe, -n** task, assignment
die Hausaufgabe, -n homework
die Schulaufgabe, -n schoolwork
***das Lied, -er** song
das Kinderlied, -er children's song
das Wiegenlied, -er cradle song, lullaby

die Platte, -n plate, platter
die Schallplatte, -n phonograph record
die Gesangsplatte, -n record with singing
die Sprechplatte, -n record with speaking

***das Zimmer, -** room
das Klassenzimmer, - classroom
das Schulzimmer, - schoolroom
das Wohnzimmer, - living room

Compound nouns are very common in German. You can almost always determine their meaning from the meaning of their component parts. (In English: icebox, highway, etc.) — Notice that the article of the compound noun is always the article of its last component.

III. ERLÄUTERUNGEN

***1. Verbs with separable prefixes**

a. **auf-machen : zu-machen** to open : to close
(hören) : zu-hören (to hear) : to listen
weiter-fragen : weiter-hören to go on asking : to go on listening
auf-passen to pay attention
spazieren-gehen to go for a stroll

There are many important German verbs which consist of a simple verb in combination with a preposition or another part of speech. These verbs are entered in the vocabulary with a hyphen between the prefix and the verb to indicate that the prefix normally stands *separated* from the verb in the simple tenses. However, German spelling does not use such a hyphen. — Note that the prefix of "separable" verbs is heavily accented. (Compare the English: Come on! Speak up! Look the lesson over again!)

b. The present tense of verbs with separable prefixes:

auf-passen *to pay attention*

ich passe immer auf	*I always pay attention*
er, es, sie paßt immer auf	*he, it, she always pays attention*
wir, sie, Sie passen immer auf	*we, they, you always pay attention*

The prefix of separable verbs normally stands at the end of the sentence or clause in the present tense.

2. The position of the infinitive

Man kann eine Schallplatte oft **spielen.**	*One can play a record often.*
Wir müssen immer gut **aufpassen.**	*We must always pay close attention.*

The infinitive normally stands at the end of a clause or simple sentence. — Notice that the infinitive of a verb with a separable prefix is written as one word: **aufpassen, zuhören.**

3. Polite command

Seien Sie so gut!	*Be so good!*
Kommen Sie! Antworten Sie!	*Come! Answer!*
Machen Sie die Tür nicht auf!	*Do not open the door!*

The polite imperative is the form generally used to give an order directly to another person. Except for **sein** *to be,* the form of the verb is identical with the polite form of address. Notice, however, that German uses the pronoun **Sie** after the verb, while English does not ordinarily use a pronoun. — The exclamation point is obligatory with the imperative in German.

4. More noun plurals

a. Most **die**-nouns form their plurals by adding **–en**; if the noun ends in **–e, –er,** or **–el,** just **–n** is used. In this group the internal vowel is never changed to an umlaut. Here are some of the **die**-nouns you have had which form their plurals with **–en** or **–n**:

***die Feder, –n** pen; feather
***die Frau, –en** woman, Mrs.
***die Karte, –n** card; map
***die Lippe, –n** lip
***die Schule, –n** school
***die Stimme, –n** voice
***die Stunde, –n** hour, lesson, class hour
***die Tür, –en** door
***die Übung, –en** exercise
die Zahl, –en number
die Zeile, –n line (*of text*)
die Zigaret'te, –n cigarette

Note that **die**-nouns ending in **–in** are spelled with a double–**n** in the plural: **die Freundin, die Freund*inn*en; die Studentin, die Student*inn*en usw.**

b. Other plurals:

***der Kasten,** – box, chest
***der Koffer,** – trunk
***die Mutter,** ⁻̈ mother
***die Tochter,** ⁻̈ daughter
***der Vater,** ⁻̈ father

IV. ÜBUNGEN

Sprechübung

Read aloud several times:

ī : ǖ

da sind vier Zigaretten : das ist für Zigaretten
heute friert es schon : er ist früh daran
sie lesen nur dies dort : Süddeutsche sagen „Grüß Gott!"
wir schreiben Beispiele auf Papier : man hängt Hüte über die Tür

ĭ : ǚ

das ist das Kinn : es ist sehr dünn
meinen Sie das wirklich? : er sagt, es ist nützlich
wir vermissen es : sie und er müssen es
bitte, kommen Sie! : Mütter kommen hier

„Hier ist ein Wohnzimmer."

A. *Read the following sentences as commands:*

z.B.: Sie kommen: **Kommen Sie!**

1. Sie machen die Tür auf. 2. Sie kommen herein. 3. Sie machen die Tür zu. 4. Sie sprechen Deutsch. 5. Sie antworten sofort. 6. Sie schreiben die Übung. 7. Sie spielen eine Platte. 8. Sie hören zu. 9. Sie gehen jetzt.

B. *Complete the following sentences as indicated:*

1. Ich —— (*am coming*) sogleich. 2. Der Lehrer —— (*asks*) viel. 3. Der Schüler —— (*answers*) richtig. 4. Der Tisch —— (*is, stands*) hier; dort —— (*are, lie*) die Federn. 5. Hier —— (*is, stands*) ein Buch; dort —— (*is, lies*) ein Bleistift.

6. Was —— (*are we doing*) jetzt? 7. Wir —— (*are learning*) Deutsch. 8. Wir —— (*are hearing*) eine Schallplatte. 9. Wir —— —— (*are listening*). 10. Wir —— (*draw*) auch; wir —— (*can*) gut zeichnen. 11. Wir —— (*pay attention*) gut ——. 12. Wir —— (*open*) ein Buch ——. 13. Dann —— (*close*) wir es wieder ——.

C. *Read the following passage in the plural:*

z.B.: Eine Zigarette ist weiß: **Zigaretten sind** weiß. Ich verstehe das Lied nicht: **Wir verstehen die Lieder** nicht.

1. Eine Schülerin kommt herein. 2. Sie kommt spät, sie ist nicht sehr fleißig. 3. Jetzt hört sie eine Schallplatte. 4. Sie hat die Platte gern. 5. Daher hört sie gut zu. 6. Aber sie kann die Platte nicht gut verstehen. 7. Sie muß die Platte noch oft hören. 8. Die Übung ist kurz, aber sie ist nicht leicht. 9. Ich mache eine Aufgabe. 10. Ich will sie richtig machen. 11. Ich will den Satz richtig schreiben. 12. Daher schreibe ich langsam.

D. *Read the following passage in the singular:*

z.B.: Hier liegen einige Hefte: Hier **liegt ein Heft.**

1. Die Schulzimmer sind groß. 2. Die Fenster sind hoch und breit. 3. Wir machen sie immer auf. 4. Hier liegen einige Federn und dort liegen einige

Bleistifte. 5. Dort kommen einige Schüler. 6. Sie wollen Deutsch lernen. 7. Wir sind auch Schüler. 8. Wir arbeiten fleißig. 9. Wir schreiben Sätze. 10. Wir hören auch ein paar Schallplatten. 11. Wir haben sie gern und wiederholen sie oft. 12. Aber wir verstehen sie nicht immer richtig. 13. Jetzt hören wir Stimmen. 14. Dort kommen zwei Lehrer. 15. Wir können nicht verstehen, was sie sagen.

E. *Ask yourself and others questions like the following and answer them in German:*

a. Guten Morgen! Was machen wir heute? Was tun Sie jetzt? Lernen Sie hier Englisch? Was lernen Sie hier? Antworten Sie immer auf deutsch? Wollen Sie Deutsch lernen? Haben Sie den Lehrer (die Lehrerin) gern? Antworten Sie immer richtig? Sprechen Sie schnell oder langsam? Sprechen Sie laut? Sprechen Sie laut genug? Ist Englisch schwer für Sie? Ist Deutsch so leicht für Sie wie Englisch? Sprechen Sie Deutsch so gut wie Englisch? Sind Sprachen schwer?

b. Sind Sie immer fleißig? Machen Sie alle Übungen? Müssen Sie viele machen? Arbeiten Sie viel? Arbeiten Sie genug? Müssen Sie viel arbeiten? zu viel? Spielen Sie auch viel? Lernen Sie alles? Schreiben Sie auch viel? Können Sie Deutsch gut schreiben? Haben Sie Schallplatten gern? Verstehen Sie den Sprecher? Können Sie ihn immer gut verstehen?

c. Was tun wir jetzt? Was habe ich hier? Habe ich einen Bleistift? Habe ich ein paar Bleistifte? Was hat der Student da? Was hat die Studentin dort? Liegt hier ein Buch? Steht dort ein Tisch? Ist das Zimmer hell oder dunkel? Ist es klein oder groß? Ist es hoch oder nieder? Ist es ein Wohnzimmer oder ein Klassenzimmer? Haben Sie einen Lehrer oder eine Lehrerin? Haben Sie morgen eine Stunde? Haben Sie eine Hausaufgabe für morgen? Was müssen Sie tun?

d. Wie viele Fenster hat das Zimmer? Machen wir die Fenster auf? Machen wir nur e i n[1] Fenster auf? Wer macht die Tür zu? Hören Sie immer gut zu? Wer muß aufpassen? Muß der Lehrer auch aufpassen? Wer will jetzt weiterfragen? Hören Sie weiter!

[1] In German, s p a c i n g is commonly used instead of *italics*. Thus "e i n" here means "one" rather than "a."

e. Verstehen Sie, was ich sage? Spreche ich schnell oder langsam? Was meinen Sie, Herr Müller? Spreche ich zu schnell? Spreche ich langsam genug? Ist meine Stimme laut genug? Ist sie vielleicht zu leise? Was meinen Sie, Fräulein Schmidt? Hören Sie mich jetzt? Können Sie mich gut hören? Hören Sie gut zu? immer? Sind Sie ein Schüler? Sind Sie eine Schülerin? Sind Sie Student? Ist das genug für heute? Ist die Stunde aus? Wollen Sie jetzt spazierengehen?

„Morgenstund' hat Gold im Mund."

DIE FÜNFTE STUNDE

I. Eine englische Stunde

Wir besuchen heute eine Schule in Deutschland. Es ist ein Gymnasium.[1] Dort lernt man viele Sprachen, z.B. Englisch, Französisch und Lateinisch. Dort beginnt man sehr früh, Sprachen zu studieren.

Wir besuchen also eine englische Stunde. Das Klassenzimmer ist ähnlich wie in Amerika, aber es hat nur e i n e Wandtafel und die [2] ist nicht sehr groß. Auch hat jeder [3] Schüler einen Tisch oder ein Pult.[4]

Der Lehrer spricht gerade über das englische Zeitwort oder Verb. Er sagt: „Das deutsche und das englische Zeitwort sind recht ähnlich. Nur hat das englische Zeitwort kein *t*, sondern ein *s* für die dritte Person Singular. ‚Der Lehrer kommt' heißt daher auf englisch ‚the teacher comes,' und ‚der Student lernt' heißt auf englisch ‚the student learns.' Sonst hat das englische Zeitwort gar keine Endungen."

„Wunderbar!" rufen da einige Schüler, „das ist aber leicht! Warum [5] ist denn das deutsche Zeitwort so kompliziert?" [6]

[1] *German intermediate school which prepares students primarily for the university.* [2] **die** = *an emphatic* **sie**. [3] every. [4] desk. [5] why. [6] complicated.

„Warten Sie erst, bis [1] ich zu Ende bin!“ antwortet der Lehrer. „Das englische Zeitwort ist gar nicht immer so leicht; es hat nämlich noch eine Menge andere Formen.[2] Anstatt [3] ‚I come, he comes‘ usw. sagt man sehr oft ‚I am coming, he is coming‘ usw. Und manchmal sagt man sogar ‚I do come, he does come‘ usw. Alles das gibt es auf deutsch nicht.[4] Nein, nein, das englische Zeitwort ist gar nicht so leicht.“

Da hebt [5] ein kluger Student den Finger und sagt: „Dafür [6] hat aber das englische Zeitwort nicht den Lautwechsel, wie wir ihn so oft haben. Zum Beispiel: ich spr*e*che, er spr*i*cht; ich l*e*se, er l*ie*st; ich tr*a*ge, er tr*ä*gt.“

„Ja,“ sagt der Lehrer, „da haben Sie auch wieder recht.[7] Und vergessen Sie auch das Zeitwort ‚werden‘ nicht, es ist sehr wichtig und man hört es immer wieder. Zum Beispiel: Ich werde nie reich, er wird alt, Sie werden alle klug.“

Nun, welche Sprache ist leichter,[8] Deutsch oder Englisch?

- Read the German passage over aloud until you can do so fluently.
- Study the *Wortschatz* and the *Erläuterungen* for help in understanding the passage.
- Reread until you understand the passage readily.

II. WORTSCHATZ

*1. Muß ist eine harte Nuß

a.

besuchen to visit; attend
rufen to call, call out
warten to wait

alt : jung old : young
arm : reich poor : rich
dumm : klug stupid, dumb : smart, wise
weise wise, sage

b. **Einige wichtige Wörtchen** (some important little words)

also so, thus
da there; then
gar “at all”
gar nicht not at all
gar nichts nothing at all
gar keine (Zeit) no (time) at all
gerade just, just now

nämlich namely, that is, “you see”
nun now; well
nun also well then
recht right; quite
recht gut quite good (“right good”)
sonst otherwise

[1] just wait until. [2] “a number of other forms besides.” [3] instead of. [4] **gibt es . . . nicht** does not exist. [5] raises. [6] for that, in return for that, instead. [7] **recht haben** to be right. [8] easier.

*2. Die Zahlen von 0 bis 100

0 null	10 zehn	20 zwanzig	30 dreißig	40 vierzig	50 fünfzig
60 sechzig	70 siebzig	80 achtzig	90 neunzig	100 hundert	

einundzwanzig, zweiundzwanzig, dreiundzwanzig usw.
vierunddreißig, fünfunddreißig, sechsunddreißig usw.

3. Die Zeit (time)

*a. **Wieviel Uhr** ist es? (**Wie spät** ist es?)	***What time** is it? (**How late** is it?)*
Es ist zwei **Uhr.**	. . . ***o'clock.***
Es ist zehn Minuten **vor** drei (Uhr).	. . . ***to** (**of**) three (o'clock).*
Es ist zehn Minuten **nach** vier (Uhr).	. . . ***past** (**after**) four (o'clock).*
Um wieviel Uhr essen Sie? **Wann** essen Sie?	***At what time** do you eat? **When** do you eat?*
Ich esse **um** zwölf (Uhr).	. . . ***at** twelve (o'clock).*

*b. Eine Minute hat sechzig Sekunden; eine Stunde hat sechzig Minuten. Wie viele Stunden hat der Tag?

die Minu'te, -n **die Sekun'de, -n** **die Stunde, -n**

c. Ich habe eine Taschenuhr. Sie geht selten richtig. Meistens geht sie vier oder fünf Minuten vor. Oft aber geht sie auch nach.

***die Uhr, -en** clock, watch	**nach-gehen** to be slow
die Armbanduhr, -en wrist watch	**vor-gehen** to be fast
die Taschenuhr, -en pocket watch	

*d. **Wie oft?**

manchmal often; sometimes	**oft : selten** often : seldom
meist (meistens) usually	**wieder** again
immer : nie always : never	**immer wieder** again and again

4. More compound nouns

die Armbanduhr: der Arm + das Band + die Uhr = wrist watch
das Zeitwort: die Zeit + das Wort = verb
der Regenschirm: der Regen (rain) + **der Schirm** (shield) = umbrella
der Lautwechsel: der Laut (sound) + **der Wechsel** (change) = vowel variation

„Wieviel Uhr ist es?"

Heilbronn: astronomical clock

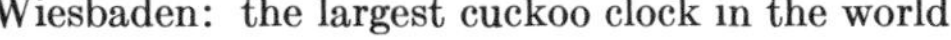

Wiesbaden: the largest cuckoo clock in the world

Both English and German modify nouns with the help of other nouns placed in front of them. German, however, writes such modified nouns as one word; English usually does not. Compare **der Autoklub** with *the auto club;* **die Feuerversicherungsgesellschaft** with *the fire insurance company.*

III. ERLÄUTERUNGEN

1. Irregular forms in the present tense

***sprechen** *to speak*

ich spreche
er, es, sie spr**i**cht
wir, sie, Sie sprechen

***lesen** *to read*

ich lese
er, es, sie l**ie**st
wir, sie, Sie lesen

***tragen** *to carry; wear*

ich trage
er, es, sie tr**ä**gt
wir, sie, Sie tragen

***laufen** *to run*

ich laufe
er, es, sie l**äu**ft
wir, sie, Sie laufen

Some very common German verbs with the stem vowel **e, a,** or **au** show an irregularity in the third person singular which is known as **Lautwechsel** *vowel variation:* **e** becomes **i** or **ie; a** becomes **ä; au** becomes **äu.** The verbs which have this change must be memorized. Note the following:

***essen (ißt)** to eat
***geben (gibt)** to give
***nehmen (nimmt)** to take
***sehen (sieht)** to see
***vergessen (vergißt)** to forget
***werden (wird)** to become
***fahren (fährt)** to drive; ride
***fallen (fällt)** to fall
***gefallen (gefällt)** to please
***raten (rät)** to guess; advise

*2. The modal auxiliaries in the present tense

		SINGULAR		PLURAL
dürfen *to be permitted to*	ich, er, es, sie	darf	wir, sie, Sie	dürfen
mögen *to like (to); may*	ich, er, es, sie	mag	wir, sie, Sie	mögen
sollen *to be supposed to; should*	ich, er, es, sie	soll	wir, sie, Sie	sollen

The three verbs given here and **können, müssen, wollen** are the so-called modal auxiliaries. — Note the irregularity of their singular forms.

3. The reflexive pronoun *sich*

***setzen** *to set, put, place*

Das Kind setzt die Katze auf den Tisch; es setzt **sie** auf den Tisch.	*The child puts the cat on the table; he puts **it** on the table.*

***sich setzen** *to seat oneself, sit down*

Ich setze **mich.**	*I seat myself / sit down.*
Wir setzen **uns.**	*We seat ourselves / sit down.*
Der Student setzt **sich.**	*The student seats himself / sits down.*
Das Mädchen setzt **sich.**	*The girl seats herself / sits down.*
Die Frau setzt **sich.**	*The woman seats herself / sits down.*
Die Schüler setzen **sich.**	*The schoolchildren seat themselves / sit down.*
Setzen Sie **sich,** bitte!	*Seat yourself (yourselves) / sit down, please!*

Reflexive pronouns are special forms of the pronoun which refer back to the subject. English has a whole set of reflexive pronouns: *myself, yourself, himself, themselves,* etc. German only has a distinctive reflexive pronoun in the third person: **sich**; in the first person the normal accusative forms **mich** and **uns** are used.

From the examples given above you will see that **sich** is the reflexive form for all third person pronouns, singular and plural, and also for the polite form of address.

*4. More noun plurals

A few **der**-nouns and many **das**-nouns of one syllable form their plural with the ending **-er**; these nouns also change their internal vowel to an umlaut, if possible. For instance:

der Mann, ¨er man	**das Kind, -er** child
das Buch, ¨er book	**das Kleid, -er** dress; *pl.* clothes
das Haus, ¨er house	**das Lied, -er** song

IV. ÜBUNGEN

Sprechübung

Read aloud several times:

ē : ō̈

man lehrt hier Deutsch	:	man hört hier Deutsch
den Satz versteht er gleich	:	die Stadt ist in Österreich
wir geben wenig Regeln	:	wir mögen schöne Röslein
es ist nämlich ganz ähnlich	:	er spricht gewöhnlich Französisch

ĕ : ŏ̈

rechter Fuß	:	Töchtergruß
elf Fenster	:	zwölf Körper
das kennen wir	:	das können wir

A. *Read the following sentences in the plural:*

1. Das Kind dort ist noch klein. 2. Es spricht noch nicht viel. 3. Es kann noch gar nicht schreiben. 4. Es liest auch noch nicht. 5. Es ist noch kein Schüler. 6. Es läuft schon recht gut, aber es fällt auch manchmal hin. 7. Singt es vielleicht schon ein Kinderlied? 8. Nein, es ist viel zu jung.

B. *Supply the proper German verb forms for the English verbs in parentheses:*

1. Eine Studentin (*comes*) herein und (*sits down*). 2. Sie (*is carrying*) Bücher. 3. Sie (*is studying*) Deutsch. 4. Sie (*speaks*) Deutsch. 5. Sie (*has to*) viel arbeiten. 6. So (*learns*) sie viel. 7. Aber jetzt (*wants to*) sie essen. 8. Sie (*eats*) immer um zwölf Uhr.

C. *Read the following sentences in the singular:*

1. Die Schüler nehmen deutsche Stunden. 2. Sie sprechen schon ein wenig Deutsch. 3. Sie sprechen noch nicht sehr schnell. 4. Sie lesen ganz gut. 5. Sie müssen auch ein wenig schreiben.

6. Laufen die Schüler in die Schule? 7. Nein, natürlich laufen sie nicht. 8. Aber sie gehen gewöhnlich schnell. 9. Sie wollen nicht zu spät kommen.

10. Was tragen sie? 11. Sie tragen Bücher. 12. Gewöhnlich tragen sie auch Hefte, Federn und Bleistifte. 13. Die Lehrer fragen die Schüler auf deutsch. 14. Sie verstehen meistens ganz gut und sie antworten schnell. 15. Aber manchmal raten sie falsch. 16. Dann geben sie falsche Antworten. 17. Die Lehrer antworten natürlich nie falsch.

D. *Read in German:*

a. at 7 (8, 9, 10) o'clock
at 10 minutes past 11 (12, 1, 2) o'clock
at 7 minutes to 3 (4, 5, 6) o'clock

Die Stunde beginnt um 10:05 (11:10, 12:12) Uhr.
Sie ist um 11 (11:55, 12:50, 2:40) Uhr aus.
Wir essen gewöhnlich um 12 (1:12, 6:10) Uhr.
Es ist schon 6 (7, 8, 9:20) Uhr.

b.

0, 10, 20, 30 usw. bis 100	30 und 50 ist 80
22, 32, 42, 52 usw. bis 92	19 und 17 ist 36
25, 35, 45, 55 usw. bis 95	33 und 66 ist 99
21, 32, 43, 54 usw. bis 98	77 und 8 ist 85
90, 80, 70, 60 usw. bis 10	24 und 12 ist 36

E. *Ask yourself and others questions like the following and answer them in German:*

a. Wann beginnt die Schule? Um wieviel Uhr essen Sie? Wann beginnt die Stunde? Um wieviel Uhr sind Sie da? Um wieviel Uhr kommt der Lehrer? Geht er schnell? Läuft er? Spricht er Deutsch oder Englisch? Ist er alt oder jung? Ist er groß oder klein? Spricht er laut oder leise? Setzt er sich auf einen Stuhl? Setzen Sie sich auch? Wieviel Uhr ist es jetzt? Wann ist die Stunde aus?

b. Wie lernt man eine Sprache? Muß man viel sprechen? Soll man viel lesen? Was muß man sonst tun? Vergißt man Wörter leicht? Soll man sie immer wieder wiederholen?

c. Lesen Sie viel? Sprechen Sie viel? Sprechen Sie auch Deutsch? Nehmen Sie deutsche Stunden? Sind Sie fleißig? Sind Sie alt oder jung? Sind Sie reich? Werden Sie alt? Wollen Sie alt werden? Wollen Sie reich werden? Wird ein Lehrer reich?

d. Was lesen Sie jetzt? Ist das Buch leicht oder schwer? Sind die Übungen leicht oder schwer? Ist diese Übung kurz oder lang? Ist sie zu lang? Verstehen Sie alle Wörter? Verstehen Sie alle Sätze? Vergessen Sie oft ein Wort? Was sollen Sie für morgen tun?

e. Was tragen Sie in die Schule? Tragen Sie einen Mantel? Tragen Sie heute einen Hut? Trage ich jetzt einen Mantel? Wie viele Hüte haben Sie? Wie viele Hände haben Sie? wie viele Köpfe? Wie viele Sekunden hat eine Minute? Wie viele Minuten hat eine Stunde? Wie viele Stunden hat der Tag?

f. Tragen Sie eine Armbanduhr? Tragen Sie keine? Trägt Herr Meyer eine? Haben Sie eine Uhr? Habe ich eine? Geht die Wanduhr vor? Geht sie nach? Geht sie richtig? Wieviel Uhr ist es jetzt? Ist die Stunde aus? Wollen Sie jetzt gehen? Dürfen Sie schon gehen?

„Der Faule wird am Abend fleißig.“

DIE SECHSTE STUNDE

I. Straße am Sonntag

Den ganzen Abend spiele ich alte Schallplatten. Erst [1] spät gehe ich zu Bett. Noch lange geht mir die schöne Musik durch den Kopf.[2] Schließlich [3] aber schlafe ich fest ein.

Ich wache auf. Die Sonne scheint durch das Fenster. Es ist schon heller Tag. Wieviel Uhr ist es denn? Lieber Gott,[4] ich komme ja zu spät in die Schule! Schnell in die Kleider, adieu gutes Frühstück! [5] Die Bücher in die Mappe [6] und hinaus auf die Straße!

Die Straße ist leer. Wie ist denn das möglich? Ich sehe keinen Menschen und nur wenige Automobile. Warum kommt dieser Autobus nicht? Wo steckt er denn? [7] Jeden Tag fährt er pünktlich dort um diese Ecke. Nur heute ist er nicht da! Wann kommt er denn endlich? Manche Tage sind wirklich wie verhext.[8]

Aber dort sehe ich jemand kommen. Wer ist es? Kenne ich ihn? Ist es vielleicht ein Schulkamerad? Nein, ich kenne ihn nicht, es ist ein wildfremder [9] Mensch. Aber dort kommen noch einige Leute, eine ganze

[1] not until. [2] **mir . . . durch den Kopf** through my head. [3] = **endlich.**
[4] "Good heavens!" [5] breakfast. [6] briefcase. [7] Where is it? [8] jinxed.
[9] utterly strange.

Familie, Vater, Mutter und drei Kinder, ein dicker Junge und zwei kleine Mädchen. Und hier um diese Ecke kommt wieder eine Familie, und da kommen zwei junge Leute. Alle sind sie sehr elegant. Sie tragen Hüte und Handschuhe, ihre Schuhe glänzen.[1] Jeder hat ein Buch in der Hand.

Endlich erscheint ein bekanntes Gesicht: unsere Nachbarin Fräulein Maier. „Liebes Fräulein Maier," frage ich sie, „was ist denn heute los? Warum kommt denn kein Autobus?" „Aber lieber Junge," antwortet sie, „wissen Sie denn nicht, welcher Tag heute ist? Heute ist doch [2] Sonntag, und da fährt der Autobus nicht."

Ja freilich, es ist Sonntag und ich habe keine Schule! All diese Leute gehen in die Kirche, und der Autobus fährt ja heute gar nicht. Welche Dummheit, den Sonntag zu vergessen!

Ich gehe langsam wieder nach Hause und denke an [3] das alte Sprichwort: „Was man nicht im Kopf hat, muß man in den Beinen haben." Mein Frühstück ist jetzt natürlich auch kalt. Aber das hat auch sein Gutes,[4] denn ein anderes Sprichwort sagt: „Kalter Kaffee macht schön."

- Lesen Sie zuerst *Straße am Sonntag* auf deutsch!
- Studieren Sie dann den *Wortschatz* und die *Erläuterungen!*
- Lesen Sie jetzt *Straße am Sonntag* immer wieder, bis Sie alles gut verstehen!

II. WORTSCHATZ

*1. Muß ist eine harte Nuß

a. **fest** firm, solid, sound
freilich to be sure; of course
lieb dear

kalt : warm : heiß cold : warm : hot
voll : leer full : empty

möglich : unmöglich possible : impossible
pünktlich : unpünktlich punctual : not punctual

b. **die Leute** (*pl. only*) people
die Musik' music
die Sonne, -n sun

das Sprichwort, ⸗er proverb, saying

jemand : niemand someone : no one

scheinen to shine; seem
erscheinen to appear, put in an appearance
schlafen (schläft) : wachen to sleep : to be awake
ein-schlafen (schläft ein) : auf-wachen to fall asleep : to wake up

[1] gleam. [2] after all. [3] think of. [4] "its good side."

c. Prepositions always followed by the accusative:

durch through
  durch den Wald through the woods
für for
  für seinen Freund for his friend
gegen against
  gegen ihn against him
ohne without
  ohne einen Hut without a hat
um around
  um die Ecke around the corner

***2. Die Straße, –n** (street)

***das Auto, –s** auto
  das Automobil′, –e automobile
der Autobus, –busse omnibus, bus
***die Ecke, –n** corner
die Straßenbahn, –en streetcar
***der Wagen, –** car; wagon

***3. Die Fami′lie, –n** (family)

die Großeltern (*pl. only*) grandparents
der Großvater, ¨ grandfather : **die Großmutter, ¨** grandmother
die Eltern (*pl. only*) parents
der Vater, ¨ father : **die Mutter, ¨** mother
der Mann, ¨er husband : **die Frau, –en** wife
das Kind, –er child
der Sohn, ¨e son : **die Tochter, ¨** daughter
der Bruder, ¨ brother : **die Schwester, –n** sister

der Onkel, – uncle : **die Tante, –n** aunt
der Neffe, –n nephew : **die Nichte, –n** niece
der Vetter, –n (*male*) cousin : **die Kusi′ne, –n** (*female*) cousin

***4. Wie die Tage und Monate heißen**

der Tag, –e day
die Woche, –n week
der Monat, –e month
das Jahr, –e year

Der Tag hat vierundzwanzig Stunden, die Woche hat sieben Tage. Die sieben Tage heißen:

(der) Montag Monday
(der) Dienstag Tuesday
(der) Mittwoch Wednesday
(der) Donnerstag Thursday
(der) Freitag Friday
(der) Samstag (Sonnabend) Saturday
(der) Sonntag Sunday
  am Sonntag on Sunday

Der Monat hat gewöhnlich dreißig oder einunddreißig Tage. Das Jahr hat immer zwölf Monate. Sie heißen:

(der) **Januar** January
(der) **Februar** February
(der) **März** March
(der) **April'** April
(der) **Mai** May
(der) **Juni** June
(der) **Juli** July
(der) **August'** August
(der) **Septem'ber** September
(der) **Okto'ber** October
(der) **Novem'ber** November
(der) **Dezem'ber** December

*5. Words to watch

a. **wissen** to know (*a fact*)
ich, er, es, sie weiß
wir, sie, Sie wissen
Wissen Sie das? Wer weiß? Do you know that? Who knows?

kennen to know, be familiar with
Kennen Sie den Mann da? Do you know that man?
bekannt : fremd familiar, well known : strange, foreign

b. Wir gehen **in die Schule.** . . . *to school.*
Wir gehen **in die Kirche.** . . . *to church.*
Er geht jetzt **nach Hause.** . . . *home.*
Er ist heute **zu Hause.** . . . *at home.*

c. **Was für** ein Mann sitzt hier? *What sort of . . .*
Was für einen Bleistift haben Sie da? *What sort of . . .*
Was ist **los?** *What is going on? What is the matter?*
Warum antworten Sie nicht? ***Why** don't you answer?*
Darum! *For that reason! "Because!"*

III. ERLÄUTERUNGEN

*1. *Dieser*-adjectives

	SINGULAR			*PLURAL*
	WITH **der**-NOUNS	WITH **das**-NOUNS	WITH **die**-NOUNS	WITH ALL NOUNS
NOM.	*der* Tag dies*er* Tag welch*er* Tag?	*das* Haus dies*es* Haus welch*es* Haus?	*die* Stadt dies*e* Stadt welch*e* Stadt?	*die* Tage / Häuser / Städte dies*e* Tage / Häuser / Städte welch*e* Tage / Häuser / Städte?
ACC.	*den* Tag dies*en* Tag welch*en* Tag?			

The limiting adjectives **dieser** *this;* **jener** *that over there;* **jeder** *every;* **mancher** *many a;* pl. *many, some;* **solcher** *such a, such;* **welcher?** *which?* **alle** *all* follow the same pattern of endings as **der, das, die.** — For convenience we may call them **dieser**-adjectives.

2. Unpreceded descriptive adjectives

	SINGULAR			*PLURAL*
	WITH **der**-NOUNS	WITH **das**-NOUNS	WITH **die**-NOUNS	WITH ALL NOUNS
NOM.	gut*er* Freund lieb*er* Vater gut*er* alt*er* Wein	heiß*es* Wasser lang*es* Haar lang*es* rot*es* Haar	schön*e* Musik lieb*e* Freundin lieb*e* gut*e* Mutter	gut*e* Freunde lang*e* Haare lieb*e* Freundinnen gut*e* alt*e* Weine
ACC.	gut*en* Morgen gut*en* Abend gut*en* alt*en* Wein			

Descriptive adjectives which stand alone with a noun, that is, which are *not preceded* by an article or a similar word, have the same endings as **dieser** in the nominative and accusative cases. — Notice that *all* descriptive adjectives standing with the same noun have the same ending.

*3. *Viele* usw.

Er hat viel**e** gut**e** Freunde. *He has many good friends.*

Andere *other;* **einige** *a few, some;* **mehrere** *several;* **viele** *many;* **wenige** *few* generally follow the same pattern of adjective endings as the descriptive adjectives.

*4. A few nouns which require special attention

Nominative Singular Only:	All Other Cases, Singular and Plural:
der Herr *man, gentleman*	Herrn (*in sing.*), Herren (*in pl.*)
der Junge *boy*	Jungen
der Kamerad′ *comrade*	Kamera′den
der Mensch *human being, man*	Menschen
der Student′ *student*	Studen′ten

Nominative and Accusative Singular:	All Plural Forms:
das Auge *eye*	Augen
das Ohr *ear*	Ohren
das Herz *heart*	Herzen

IV. ÜBUNGEN

Sprechübung

Read aloud several times:

d : *final* **d** (=**t**)

gute Abende	: guten Abend!
ein Männlein steht im Walde	: ein Männlein steht im Wald
fremde Kinderlieder dort	: fremd sind ja Lied und Wort

b: *final* **b** (=**p**)

welche Verben?	: welches Verb?
gute Liebe	: gut und lieb
sie heben den Finger und geben Antwort	: sie hebt den Finger und gibt Antwort

g : *final* **g** (=**k**)

gute Tage	: guten Tag!
sie hat kluge Augen	: wie so klug ist das Aug!
wir sagen und fragen viel	: wer sagt und fragt so viel?

A. *Supply endings wherever they are needed:*

1. Nicht jed– Mensch ist ein– Mann, aber all– Männer sind Menschen. 2. Nicht jed– Lied ist ein– Wiegenlied, aber all– Wiegenlieder sind Lieder. 3. Nicht jed– Aufgabe ist ein– Schulaufgabe, aber all– Schulaufgaben sind Aufgaben.

4. Welch– Hut ist rot? Dies– Hut ist rot. 5. Sehen Sie dies– Hut? 6. Viel– Hüte sind braun, aber einig– sind grau. 7. Kalt– Wasser ist gut. Dies– Wasser ist kalt. Ich trinke kalt– Wasser gern. 8. Viel– Studenten meinen,

blau– oder schwarz– Tinte ist schön, rot– Tinte ist häßlich. 9. Ist jed– Stunde lang? Nein, nicht all– Stunden sind lang, denn deutsch– Stunden sind nie lang. 10. Einig– Übungen sind kurz, ander– sind lang. 11. Alt– Menschen hören oft schwer, jung– Menschen haben meistens gut– Ohren und auch gut– Augen.

B. *Supply endings as needed in the following passage:*

1. Kennen Sie dies– (*sing.*) Studenten? Er heißt Paul. 2. Mein Freund Paul hat kurz– rot– Haar, lang– dünn– Beine und groß– Füße. 3. Er sagt, er hat auch kalt– Hände, denn auf deutsch sagt man: „kalt– Hände, warm– Herz."

4. Paul hört gut– Musik gern und er spielt oft sehr schön– Schallplatten für sich und für lieb– alt– Freunde. 5. Er hat lang– elegant– Zigaretten gern. 6. Er liest viel– englisch– und auch deutsch– Bücher. 7. Man sieht ihn selten ohne mehrer– Bücher.

8. Manch– Leute meinen, klug– Menschen sind selten gut und gut– Menschen selten klug, aber das kann nicht richtig sein, denn Paul ist klug und auch gut.

C. *Ask yourself and others questions like the following and answer them in German:*

a. Haben Sie einen Bruder? Wie heißt er? Wie alt ist er? Geht er schon in die Schule? Wie viele Brüder haben Sie? Haben Sie eine Schwester? Wie heißt sie? Wie alt ist sie? Ist sie Studentin? Trägt sie schon lange Kleider? Haben Sie noch Großeltern? Haben Sie einen Onkel? Besucht er Sie oft? Haben Sie viele Tanten? Haben Sie schon Neffen und Nichten? usw.

b. Ist kalter Kaffee gut? Trinken Sie kalten Kaffee gern? Ist kaltes Wasser gut für Sie? Sind braune Augen schön? Haben Sie blaue Augen? Haben Sie schönes Haar? Haben Sie einen guten Freund? Hat er blaue Augen? Hat er kurzes braunes Haar? Haben Sie eine gute Freundin? Hat sie schwarzes Haar? Was für Haar hat sie? was für Augen? usw.

c. Ist es heute heiß? Scheint die Sonne hell? Welcher Tag ist heute? Welcher Tag ist morgen? Ist heute Sonntag? Montag? Wie viele Tage hat eine Woche? Wie heißen sie? Wie heißen die Monate? Wie viele Tage hat der Monat Januar? Wie viele Tage hat der Monat Februar meistens? usw.

„Alle ſind ſie ſehr elegant."

Der Großvater

Das Kind und die Schwester

d. Welche Sprache lernen wir hier? Welche Sprache sprechen Sie zu Hause? Sprechen alle Menschen nur e i n e Sprache? Kennen Sie einige deutsche Sprichwörter? Welche kennen Sie?

e. Kennen Sie diesen Studenten hier? Wie heißt er? Wissen Sie das nicht? Wer weiß es? Kommt er immer pünktlich in die Schule? Sind Sie immer pünktlich? Warum nicht? Kennen Sie diese Studentin? Wie heißt sie? Was für Augen hat sie? usw.

f. Gehen Sie jetzt nach Hause? Fahren Sie? Haben Sie ein Auto? Um wieviel Uhr gehen Sie nach Hause? Wann sind Sie dann zu Hause? Gehen Sie dann gleich zu Bett? Was tun Sie zuerst? Schlafen Sie immer sofort ein? Schlafen Sie fest? Um wieviel Uhr wachen Sie wieder auf?

„*Kleider machen Leute.*“

DIE SIEBTE STUNDE

I. Mein Hund und ich

Ich habe natürlich keine Verabredung [1] für diesen Sonntag. Nach dem Frühstück gehe ich in die Kirche. Aber was tue ich dann? Alle meine Freunde sind ja schon aufs Land gefahren.[2] Sie schwimmen oder sie fischen, sie wandern über Land oder sie steigen auf einen Berg. Vielleicht essen sie jetzt schon zu Mittag. Zu dumm, daß [3] ich nicht dabei [4] sein kann!

Meine Eltern sind heute auch keine gute Gesellschaft.[5] Mein Vater hat seine Sonntagszeitung; [6] die ist so dick wie ein Buch. Meine Mutter hört Radio. Es bringt heute nachmittag klassische Musik; die kann sie natürlich nicht versäumen.[7]

Aber ich bin doch nicht allein. Ich habe ja meinen Hund. Mein Hund ist zwar noch recht jung, er ist nämlich erst ein Jahr alt. Er ist auch nicht sehr schön. Meine Freunde finden ihn sogar häßlich. Das ist aber nicht wahr. Er ist eben ein echter deutscher Dachshund. Diese Hunde haben einen langen Körper und kurze O-Beine.[8] Aber sie haben auch große kluge Augen und schönes braunes Haar.

[1] date. [2] "have gone to the country." [3] that. [4] "along," "with them." [5] company. [6] **die Zeitung, -en** newspaper. [7] miss. [8] bowlegs (cf. **X-Beine!**).

Mein Hund heißt Hans. Er und ich sind gute Freunde. Unsere Unterhaltung [1] ist zwar nicht sehr wortreich,[2] denn Hans hat keinen großen Wortschatz. Aber er kann seine Gefühle deutlich genug erklären. Wenn er lustig ist, bewegt er seinen Schwanz hin und her; [3] wenn er traurig ist, läßt er seinen Kopf hängen, und wenn er zornig ist, bellt er.

Ich gehe also mit Hans spazieren. Wir gehen durch die leeren Straßen hinunter [4] zum Fluß. Den Fluß entlang führt ein schmaler Fußweg. Schöne alte Bäume geben Schatten.[5] Ich werfe manchmal ein Stück Holz ins Wasser. Hans schwimmt danach [6] und bringt es zurück. Er hat das sehr gern. Dann findet er andere Hunde und sie spielen. Ich setze mich auf eine Bank. Ich habe ein Buch mitgebracht [7] und beginne zu lesen.

Bevor ich es merke, wird es dunkel. Ich rufe Hans. Recht zufrieden gehen wir beide nach Hause zum Abendessen. So wurde [8] dieser Sonntag doch noch ein recht gemütlicher Tag.

Sie wissen schon, was Sie jetzt tun müssen. Sie müssen zuerst *Mein Hund und ich* auf deutsch lesen. Dann studieren Sie den *Wortschatz* und die *Erläuterungen.* Zuletzt lesen Sie den Text so oft, bis Sie alles verstehen.

II. WORTSCHATZ

*1. Muß ist eine harte Nuß

a. **die Bank, ⸚e** bench
der Baum, ⸚e tree
der Berg, –e mountain
das Blatt, ⸚er leaf; page
das Holz, ⸚er wood
der Weg, –e path, way
der Fußweg, –e footpath

b. **allein : zusammen** alone : together
brav : böse good, well-behaved : bad, evil, naughty
deutlich : undeutlich clear : not clear
echt : unecht genuine : not genuine

[1] conversation. [2] "rich in words." [3] "he moves his tail back and forth." [4] down. [5] shade. [6] after it. [7] **habe . . . mitgebracht** have brought along. [8] became, "turned into."

c. **bringen** to bring
  mit-bringen to bring along
  zurück-bringen to bring back
finden to find
führen to lead
lassen (läßt) to let
merken to notice, note
steigen to climb
werfen (wirft) to throw

d. **entlang** (*prep. /acc.*) along
  den Fluß entlang along the river (*Note position!*)

2. Divisions of time

*__der Tag, –e__ day
*__der Morgen, –__ morning
der Vormittag, –e forenoon
*__der Mittag, –e__ noon
der Nachmittag, –e afternoon
*__der Abend, –e__ evening
*__die Nacht, ⸚e__ night

vorgestern day before yesterday
*__gestern__ yesterday
*__heute__ today
*__morgen__ tomorrow
übermorgen day after tomorrow

Er kommt heute morgen, heute vormittag, heute abend usw.	*He is coming this morning, this forenoon, this evening, etc.*
Er kommt heute früh, morgen früh usw.	*He is coming this morning (early today), tomorrow morning, etc.*
Er studiert den ganzen Tag, den ganzen Morgen, den ganzen Abend, die ganze Nacht usw.	*He studies all day (the entire day), all morning, all evening, all night, etc.*

3. Die Hauptmahlzeiten (principal meals)

die Mahlzeit, –en meal
das Essen, – meal, food
das Frühstück, –e breakfast
das Mittagessen, – noon meal (*often the main meal,* "dinner")
das Abendessen, – evening meal, supper

In Deutschland sagt man meistens „Guten Appetit′!“, bevor man ißt. Nach dem Essen sagt man „Mahlzeit!“ oder auch „Gesegnete Mahlzeit!“ (*blessed meal*).

4. Das Gefühl, –e (feeling)

lieben : hassen to love : to hate
lachen : weinen to laugh : to cry
  lächeln to smile

lustig : traurig happy, gay; funny : sad
zufrieden : unzufrieden contented, happy : discontented, unhappy
froh happy, glad
gemütlich cozy, comfortable; pleasant
zornig angry

*5. Meine Tiere

Ich habe einen kleinen Tiergarten. Ich habe zwar keine Löwen und keine Tiger, aber ich habe einen braven Hund, einige kleine weiße Mäuse und eine böse Katze; die fängt manchmal einen Vogel. Fische frißt sie auch sehr gern.

der Garten, ⸚ garden
der Tiergarten, ⸚ zoo
der Fisch, –e fish
der Hund, –e dog
der Dachshund, –e dachshund
der Löwe, –n lion
der Tiger, – tiger
der Vogel, ⸚ bird

das Tier, –e animal
die Katze, –n cat
die Maus, ⸚e mouse
wild : zahm wild : tame
bellen to bark
fangen (fängt) to catch
fressen (frißt) to eat, devour

*6. Wichtige Wörtchen (important little words)

doch nonetheless, just the same, after all; still, yet (*in a causal sense*)
noch still, yet (*in a time sense*); *often:* in addition
denn for (*as a conjunction*); then (*often without any time sense:* cf. "What is it *then?*")
eben, gerade just; just now; exactly
ja yes; indeed, certainly (*often merely strengthens the sentence:* „Ich habe es **ja.**" "*I do have it.*")
zwar to be sure

Little words such as these give the German sentence a slant or add a certain flavor which is sometimes difficult to express in translation. Study the meanings given here and pay special attention to them as you reread the German text.

III. ERLÄUTERUNGEN

1. Personal pronouns and their possessive adjectives

PERSONAL PRONOUNS	POSSESSIVE ADJECTIVES	EXAMPLES
ich	**mein, meine**	ich und mein Hund / meine Stimme
er, es	**sein, seine**	er und sein Freund / seine Übung es und sein Papier / seine Zahl
(der Fluß) (das Zimmer)		der Fluß und sein Wasser / seine Farbe das Zimmer und sein Fenster / seine Tür
sie (die Katze)	**ihr, ihre**	sie und ihr Auto / ihre Feder die Katze und ihr Fisch / ihre Maus
wir	**unser, uns(e)re**	wir und unser Onkel / uns(e)re Aufgabe
sie (die Studenten)	**ihr, ihre**	sie und ihr Haus / ihre Stadt die Studenten und ihr Lehrer / ihre Lehrerin
Sie	**Ihr, Ihre**	Sie und Ihr Garten / Ihre Katze

The possessive adjective **sein** refers to **der**-nouns or **das**-nouns. The possessive adjective **ihr** refers to **die**-nouns; it also refers to all plural nouns (*their*). The capitalized possessive adjective **Ihr** refers to **Sie** *you*, and thus it means *your*. — Note that you can not know whether **sein** and **ihr** correspond to *its, his, her*, or *their* in English until you determine the noun to which the possessive adjective refers!

2. The case forms of the *ein*-adjectives

	SINGULAR			*PLURAL*
	WITH **der**-NOUNS	WITH **das**-NOUNS	WITH **die**-NOUNS	WITH ALL NOUNS
NOM.	*ein* Hut *mein* Hut *unser* Hut	*ein* Haus *mein* Haus *unser* Haus	ein*e* Stadt mein*e* Stadt uns(e)r*e* Stadt	kein*e* Hüte / Häuser / Städte mein*e* Hüte / Häuser / Städte uns(e)r*e* Hüte / Häuser / Städte
ACC.	ein*en* Hut mein*en* Hut uns(e)r*en* Hut			

Ein, kein, and the possessive adjectives do not have any ending when they stand with **der**-nouns or **das**-nouns in the nominative singular. (Remember that **das**-nouns do not have a distinct accusative form!) At all other times they have the same case endings as **dieser**-adjectives.

3. *Ein*-adjectives standing alone

Sie kennt **ein** Wiegenlied. Kennen Sie auch **ein(e)s?**	*She knows* ***a*** *cradle song. Do you know* ***one*** *too?*
Kein Mensch weiß das. **Keiner** weiß es.	***No*** *man knows that.* ***No one*** *knows it.*
Das ist **mein** Buch. Es ist **mein(e)s,** nicht **Ihres.**	*That is* ***my*** *book. It is* ***mine,*** *not* ***yours.***
Seine Uhr geht vor, **ihre** geht nach.	***His*** *watch is fast,* ***hers*** *is slow.*

Ein, kein, and the possessive adjectives regularly have the same endings as the **dieser**-adjectives in all cases when they stand alone, i.e., when they are used as pronouns.

4. Emphatic *der, das, die*

der ist es; **das** ist es; **die** ist es	***he*** *is the one, etc.*
den habe ich; **das** habe ich; **die** habe ich	*I have* ***it*** (***that; that one***)

Forms of **der, das, die** are frequently used instead of **er, es, sie,** mainly when emphasis is desired.

IV. ÜBUNGEN

Sprechübung

Read aloud several times:

s : *final* **s; ss; ß**

Verse lesen	: Wurst essen
sie sagen leise	: das ist fleißig
er sieht seine Leute	: wer liest es erst heute?
Mäuse im Hause	: Füße und Flüsse

st : *initial* **st** (=**scht**)

Würste sehen wir gern : wir stehen sehr gern
die ersten und besten : hier stehen die Stühle

ch

nicht mich : doch noch
die Nachtwache : das Buch suchen
sechs echte Österreicher : die Mädchen lächeln auch

A. *Supply the appropriate possessive adjectives and endings in the following phrases:*

z.B.: der Hund und **seine** Ohren

der Mann und —— Bruder	diese Frau und —— Mann
der Baum und —— Blätter	dieser Mann und —— Frau
das Kind und —— Vater	das Kind und —— Mutter
das Zimmer und —— Tür	der Vater und —— Kind
die Stadt und —— Häuser	mein Freund und —— Hut
die Mutter und —— Kind	meine Freundin und —— Hut
die Eltern und —— Kinder	der Garten und —— Bäume

B. *Supply the endings required in the following passages, but be careful not to add an ending where none is required:*

a. 1. Hans bringt ein Foto in die Stunde und sagt: „Sehen Sie dieses Familienfoto? Unser- Familie ist sehr groß. 2. In der Mitte stehen mein- Eltern, links mein- Vater und rechts mein- Mutter; sie lächelt. 3. Die drei Männer sind mein- Onkel. 4. Dort können Sie auch einig- Tanten sehen. 5. Da bin ich und dort sehen Sie auch mein- Schwester und mein- zwei Brüder. 6. Können Sie auch unser- Großeltern sehen? 7. Sie haben zwar kein- Köpfe, aber sie tragen ihr- Sonntagskleider. Warum lachen Sie? So ein Familienfoto ist ja doch schön!"

b. 1. Unser- Haus ist nicht sehr groß, aber sein- Zimmer sind alle hell und gemütlich. 2. Unser- Garten ist auch sehr schön. 3. Daher kommen unser- Freunde gern zu uns. 4. Hans ist mein- Freund; er und sein- Freundin Gretl kommen oft zu uns. 5. Dann singen wir unser- Lieder. 6. Die Gretl hat ein- schöne Stimme.

„Schöne alte Bäume geben Schatten."

„Den Fluß entlang führt ein schmaler Fußweg."

„Sie steigen auf einen Berg."

C. *Ask yourself and others questions like the following and answer them in German, using appropriate forms of* **ein, kein,** *or the possessive adjectives:*

a. z.B.: Ist das ein Tisch? : Ja, das ist **ein** Tisch. Nein, das ist **kein** Tisch. — Ist das mein Tisch? : Ja, das ist **Ihr** Tisch. Nein, das ist nicht **Ihr** Tisch, es ist **seiner.**

1. Ist das ein (mein, sein, Ihr) Mantel? (Handschuh, Hund)
2. Ist das hier ein (sein, unser, ihr) Zimmer? (Haus, Buch)
3. Ist das meine (seine, ihre) Katze? (Feder, Stimme)
4. Sind das meine (seine, Ihre, unsre) Schuhe? (Kleider, Eltern)
5. Habe ich meinen (seinen, Ihren) Hut? (Mantel, Bleistift)
6. Hat er mein (sein, Ihr) Buch? (Bild, Heft)
7. Haben Sie Ihre (meine, seine) Feder? (Kreide, Tinte)

b. z.B.: Wen sehen Sie?: Ich sehe **meinen** Freund Hans.

1. Was zeichne ich? Was zeichnet er? (Haus, Katze, Hund)
2. Wen sieht er? Wen sehen Sie? (Freund, Freundin, Lehrer)
3. Was haben Sie da? Was habe ich hier? (Hut, Brille, Taschenuhr)
4. Was lesen wir heute? Was liest der Student? (Buch, Übung)
5. Was fängt die Katze? (Maus, Vogel, Fisch)
6. Wen ruft das Kind? (Vater, Mutter, Bruder, Schwester)
7. Was trägt die Studentin? Was tragen Sie? (Mantel, Hut, Bücher)
8. Was vergißt der Schüler? (Bücher, Bleistift, Kopf)

D. *Ask yourself and others questions like the following and answer them in German:*

a. Ist es heute morgen heiß? Ist es warm? Wird es kalt? Sind Sie heute lustig oder traurig? Müssen Sie viel arbeiten? Müssen Sie zuviel arbeiten? Arbeiten Sie den ganzen Tag? Sind Sie dann zufrieden? Müssen Sie auch morgen arbeiten? Ist der Tag lang? Ist er lang genug?

b. Was sieht man in einem Tiergarten? Welche Tiere sieht man dort? Welche Tiere haben Sie gern? Haben Sie Hunde gern?

c. Haben Sie einen Hund? Wie heißt er? Was für ein Hund ist es? Ist er immer lustig? Hat er langes oder kurzes Haar? Hat er kleine oder große Augen? Was für Beine hat er, kurze oder lange? Was tut er den ganzen Tag? Schläft er viel? Haßt er Katzen? Wird er wild, wenn er eine sieht?

d. Haben Sie auch eine Katze? Wie heißt sie? Ist sie groß oder klein? Hat sie grüne Augen? Ist sie böse oder brav? Was macht sie den ganzen Tag? Was frißt eine Katze gern? Was frißt Ihre Katze? — Haben Sie auch einen Vogel zu Hause?

e. Wie heißen die Hauptmahlzeiten auf deutsch? Wie heißen die Wochentage? Wie heißen die Monate? Wie heißen Sie? Wie heißt Ihr Vater? Lacht er oft? Lächelt er, wenn Sie Deutsch sprechen? Spricht er auch etwas Deutsch? Lieben Sie Ihren Vater? Wird er zornig, wenn Sie nicht studieren? Lieben Sie Ihre Mutter? Wird sie zornig, wenn Sie nicht pünktlich nach Haus kommen? usw.

„Ein Mann, ein Wort."

ERSTE WIEDERHOLUNGSSTUNDE

I. Deutsche Schulen *

Sind die jungen Leute in dieser Klasse *Schüler* oder *Studenten?* Wie heißt „college" oder „university" auf deutsch? Auf diese und ähnliche Fragen zu antworten, ist gar nicht leicht. Das deutsche und das amerikanische Schulsystem sind nämlich recht verschieden. Unsere „high school," zum Beispiel, kann man nicht mit [1] *Hochschule* übersetzen, denn in Deutschland bedeutet [2] Hochschule soviel wie Universität. Die „public school" heißt auf deutsch *Volksschule;* ihre ersten vier Jahre sind die

I. Deutsche Schulen *

Sind die jungen Leute in dieser Klasse **Schüler** oder **Studenten?** Wie heißt „college" oder „university" auf deutsch? Auf diese und ähnliche Fragen zu antworten, ist gar nicht leicht. Das deutsche und das amerikanische Schulsystem sind nämlich recht verschieden. Unsere „high school," zum Beispiel, kann man nicht mit [1] **Hochschule** übersetzen, denn in Deutschland bedeutet [2] Hochschule soviel wie Universität. Die „public school" heißt auf deutsch **Volksschule;** ihre ersten vier Jahre sind die **Grundschule.** Später geht man dann auf das **Gymnasium**

* *After you are familiar with the text as printed in* Antiqua, *read the passage in* Fraktur *carefully in order to familiarize yourself with this type too. A comparison of both types will show you their basic similarity.* [1] with. [2] means.

Grundschule. Später geht man dann auf das *Gymnasium* oder in eine *Mittelschule.* Das ist eigentlich ganz logisch, nicht wahr?

Wie unsere Kinder, beginnen auch die deutschen Jungen und Mädchen ihre Schulzeit, wenn sie sechs Jahre alt sind. Da treten sie in die Grundschule ein. Dort lernen sie Lesen, Schreiben und Rechnen, auch ein wenig deutsche Grammatik, Heimatkunde,[1] Zeichnen, Singen und Turnen.

Die ersten vier Jahre, die Grundschule, sind für alle deutschen Kinder gleich. Dann aber trennen sich die Wege.[2] Wer [3] Beamter, Arzt, Professor oder dergleichen [4] werden will, geht in ein Gymnasium. Das tut etwa der siebte Teil, oder 15 Prozent, aller Kinder.[5] Etwa 10 Prozent gehen in eine sechsjährige Mittelschule. Die anderen besuchen noch vier oder fünf Jahre die Volksschule und treten dann in eine Lehre [6] ein. Als Lehrlinge [7] müssen sie noch zwei Tage wöchentlich eine Handels- [8] oder Gewerbeschule besuchen.

Das Gymnasium bereitet seine Schüler für die Hochschule vor, d.h. für eine Universität oder eine andere Hochschule, z.B. eine Technische Hochschule. Ein Schüler geht gewöhnlich neun Jahre aufs Gymnasium, oder, wie man in Deutschland sagt, das Gymnasium hat neun Klassen.

In Deutschland bleibt dieselbe Schülergruppe [9] — eben eine Klasse — das

oder in eine **Mittelſchule.** Das iſt eigentlich ganz logiſch, nicht wahr?

Wie unſere Kinder, beginnen auch die deutſchen Jungen und Mädchen ihre Schulzeit, wenn ſie ſechs Jahre alt ſind. Da treten ſie in die Grundſchule ein. Dort lernen ſie Leſen, Schreiben und Rechnen, auch ein wenig deutſche Grammatik, Heimatkunde,[1] Zeichnen, Singen und Turnen.

Die erſten vier Jahre, die Grundſchule, ſind für alle deutſchen Kinder gleich. Dann aber trennen ſich die Wege.[2] Wer [3] Beamter, Arzt, Profeſſor oder dergleichen [4] werden will, geht in ein Gymnaſium. Das tut etwa der ſiebte Teil, oder 15 Prozent, aller Kinder.[5] Etwa 10 Prozent gehen in eine ſechsjährige Mittelſchule. Die anderen beſuchen noch vier oder fünf Jahre die Volksſchule und treten dann in eine Lehre [6] ein. Als Lehrlinge [7] müſſen ſie noch zwei Tage wöchentlich eine Handels- [8] oder Gewerbeſchule beſuchen.

Das Gymnaſium bereitet ſeine Schüler für die Hochſchule vor, d.h. für eine Univerſität oder eine andere Hochſchule, z.B. eine Techniſche Hochſchule. Ein Schüler geht gewöhnlich neun Jahre aufs Gymnaſium, oder, wie man in Deutſchland ſagt, das Gymnaſium hat neun Klaſſen.

In Deutſchland bleibt dieſelbe Schülergruppe [9] — eben eine Klaſſe — das ganze

[1] **die Heimat** (native land) + **die Kunde** (knowledge, information) = *here, roughly:* German geography (*in its broadest sense*). [2] "they part company." [3] whoever, he who. [4] or the like. [5] of all children. [6] apprenticeship. [7] apprentices. [8] *The hyphen after* **Handels-** *shows that the last part of the next compound noun must be supplied:* **Handelsschule.** [9] the same group of pupils.

ganze Jahr zusammen. Sie hat den gleichen Stundenplan und das gleiche Klassenzimmer, während [1] die Lehrer kommen und gehen. Eine solche Klasse hat wöchentlich vier Stunden Deutsch. Man lernt auch zwei oder mehr Fremdsprachen — besonders Englisch, sehr oft auch Lateinisch —, Geschichte, Geographie, Mathematik und die Naturwissenschaften. Wenn die Schulzeit zu Ende ist, muß der Schüler eine Schlußprüfung [2] machen, das sogenannte *Abitur* oder die *Reifeprüfung*.[3] Wenn er dieses Examen besteht, ist er *reif* für die Universität oder jede andere Hochschule. Der *Schüler* wird nun ein *Student*.

Die oberen [4] Klassen des Gymnasiums [5] sind für die Deutschen ungefähr, was für uns das „junior college" ist; die Universitäten und die anderen Hochschulen sind, was wir „senior college" und besonders „graduate school" nennen. Sie bereiten nämlich die Studenten für die akademischen Berufe [6] vor. Man studiert dort gewöhnlich vier bis fünf Jahre und muß dann wieder eine schwere Prüfung bestehen.

Wenn der Student es will, kann er auch den Doktor machen.[7] Dann heißt er „Dr. Müller" oder „Dr. Schneider"; man begrüßt ihn dann mit „Guten Morgen, Herr Doktor!" Wenn es eine Studentin ist, sagt man natürlich „Frau Doktor" oder „Fräulein Doktor." — So ein Doktortitel zeigt den Mitmenschen,[8] daß man die Universität besucht hat,[9] also ein „Aka-

Jahr zusammen. Sie hat den gleichen Stundenplan und das gleiche Klassenzimmer, während [1] die Lehrer kommen und gehen. Eine solche Klasse hat wöchentlich vier Stunden Deutsch. Man lernt auch zwei oder mehr Fremdsprachen — besonders Englisch, sehr oft auch Lateinisch —, Geschichte, Geographie, Mathematik und die Naturwissenschaften. Wenn die Schulzeit zu Ende ist, muß der Schüler eine Schlußprüfung [2] machen, das sogenannte **Abitur** oder die **Reifeprüfung**.[3] Wenn er dieses Examen besteht, ist er **reif** für die Universität oder jede andere Hochschule. Der **Schüler** wird nun ein **Student**.

Die oberen [4] Klassen des Gymnasiums [5] sind für die Deutschen ungefähr, was für uns das „junior college" ist; die Universitäten und die anderen Hochschulen sind, was wir „senior college" und besonders „graduate school" nennen. Sie bereiten nämlich die Studenten für die akademischen Berufe [6] vor. Man studiert dort gewöhnlich vier bis fünf Jahre und muß dann wieder eine schwere Prüfung bestehen.

Wenn der Student es will, kann er auch den Doktor machen.[7] Dann heißt er „Dr. Müller" oder „Dr. Schneider"; man begrüßt ihn dann mit „Guten Morgen, Herr Doktor!" Wenn es eine Studentin ist, sagt man natürlich „Frau Doktor" oder „Fräulein Doktor." — So ein Doktortitel zeigt den Mitmenschen,[8] daß man die Universität besucht hat,[9] also ein „Akademiker" ist, und die Mitmenschen haben gewöhnlich großen

[1] while. [2] final examination. [3] "maturity examination," comprehensive examination at end of the **Gymnasium.** [4] upper. [5] of the **Gymnasium.** [6] professions requiring academic training. [7] "take his doctorate." [8] fellow men. [9] has attended.

demiker" ist, und die Mitmenschen haben gewöhnlich großen Respekt vor dem „Herrn Doktor."

Respekt vor dem „Herrn Doktor."

Sie wissen schon, was Sie jetzt zu tun haben. Lesen Sie den Text; studieren Sie den *Wortschatz* und die *Erläuterungen;* dann bereiten Sie die Übungen vor!

II. WORTSCHATZ

*1. Muß ist eine harte Nuß

besonders especially
eigentlich real(ly), actual(ly)
etwa; ungefähr approximately, about

stündlich, täglich, wöchentlich, monatlich, jährlich hourly, daily, weekly, monthly, yearly

reif : unreif ripe, mature : unripe, green; immature

2. Schule und Leben (school and [real] life)

a. **die Grundschule, -n** basic school (*first four years of public school*)
*__der Grund, ⸚e__ basis; ground; reason
die Volksschule, -n public school, grade school
*__das Volk, ⸚er__ people, folk
die Mittelschule, -n intermediate school
die Hochschule, -n school for higher education and/or specialization; university

*__die Universität', -en__ university
*__die Klasse, -n__ class (*as a group*); grade (*of school*)
*__das Studium, Studien__ study, course of study
der Stundenplan, ⸚e schedule of classes

ein-treten (tritt ein) to enter
vor-bereiten to prepare

b. *__das Fach, ⸚er__ subject
*__(das) Lesen__ reading
*__(das) Rechnen__ reckoning, arithmetic
*__(das) Schreiben__ writing
(das) Turnen gymnastics
*__(das) Zeichnen__ drawing

*__die Fremdsprache, -n__ foreign language
*__die Geschichte, -n__ history; story
die Gramma'tik, -en grammar
die Mathematik' mathematics
die Physik' physics

*__die Wissenschaft, –en__ knowledge; field of knowledge, science (*in a broad sense*)
__die Naturwissenschaft, –en__ natural science

die Biologie′ biology
die Chemie′ chemistry
die Geographie′ geography
die Philosophie′ philosophy

c. **das Exa′men, –** examination

durch-fallen (fällt durch) to fail, "flunk"

*__prüfen__ to test
__die Prüfung, –en__ examination, test
__eine Prüfung bestehen__ to pass an examination

d. *__der Beruf, –e__ profession, calling, occupation
*__der Arzt, ⸚e__ physician, doctor of medicine
__der Beamte__ (*adj. noun*) civil servant; official

der Doktor, Dokto′ren doctor
*__der Profes′sor, Professo′ren__ professor

das Gewerbe, – trade, craft
der Handel commerce, trade

*3. Einige wichtige Zeitwörter

eine Frage stellen : auf (*acc.*) **eine Frage antworten** to put a question : to reply to a question

bleiben to remain, stay
erinnern (an/*acc.*) to remind (of)
sich (*acc.*) **erinnern** to remember
Ich erinnere mich an ihn. I remember him.
die Erinnerung, –en remembrance; recollection
nennen to name, call
sogenannt so-called

teilen to part, share, divide
der Teil, –e part, share
übersetzen to translate
die Übersetzung, –en translation
wiederholen to repeat
die Wiederholung, –en repetition; review

III. DAS WICHTIGSTE AUS DEN ERLÄUTERUNGEN

1. Nominative and accusative forms summarized

	SINGULAR				*PLURAL*
	WITH **der**-NOUNS		WITH **das**-NOUNS	WITH **die**-NOUNS	WITH ALL NOUNS
	NOM. (–**r**)	: ACC. –**n**	NOM. & ACC. (–**s**)	NOM. & ACC. –**e**	NOM. & ACC. –**e**
dieser-adjectives	de*r* Hut	: de*n* Hut	da*s* Auto	di*e* Schule	di*e* Hüte / Autos / Schulen
	dies*er* Stuhl	: dies*en* Stuhl	dies*es* Buch	dies*e* Straße	dies*e* / Stühle / Bücher / Straßen
unpreceded descriptive adjectives	lieb*er* Freund	: gut*en* Tag	kalt*es* Wasser	schön*e* Musik	schön*e* Bäume / Bücher / Nächte
					viel*e* Bäume / Bücher / Nächte
ein-adjectives	ein Berg	: ein*en* Berg	kein Blatt	kein*e* Katze	kein*e* Fische / Häuser / Kirchen
	sein Wagen	: sein*en* Wagen	mein Essen	uns(e)r*e* Kirche	mein*e* Hunde / Gefühle / Hände
third person pronouns	e*r*	: ih*n*	e*s*	si*e*	si*e*
	we*r*?	: we*n*?			

Remember: It is the *adjective* ending which reveals the case, and thus the function of the noun phrase.

2. A tabular survey of noun plurals

PLURAL ENDING	WHICH NOUNS?	INTERNAL VOWEL CHANGE (¨)?	**zum Beispiel:**
NONE	*all* **der**-*nouns and* **das**-*nouns ending in* –**el**, –**en**, –**er**	a few show ¨	der Mantel, die M*ä*ntel; der Garten, die G*ä*rten; das Zimmer, die Zimmer
	all **das**-nouns ending in –**chen** or –**lein**	no change	das Mädchen, die Mädchen; das Fräulein, die Fräulein
	only two **die**-nouns	¨	die Mutter, die M*ü*tter; die Tochter, die T*ö*chter
–**e**	*most one-syllable* **der**-*nouns*	about half show ¨	der Arm, die Arm*e*; der Satz, die S*ä*tz*e*
	the majority of one-syllable **das**-*nouns*	no change	das Haar, die Haar*e*
	a few common one-syllable **die**-nouns	¨ if possible	die Nacht, die N*ä*cht*e*
	a few miscellaneous **der**-nouns and **das**-nouns of more than one syllable	¨ rare	der Abend, die Abend*e*; das Papier, die Papier*e*
–**er**	a few **der**-nouns of one syllable	¨ if possible	der Wald, die W*ä*ld*er*
	many **das**-*nouns of one syllable*	¨ if possible	das Buch, die B*ü*ch*er*
–**en** (–**n**, –**nen**)	*most* **die**-*nouns*	no change	die Frau, die Frau*en*; die Frage, die Frage*n*; die Schülerin, die Schülerin*nen*
	a few common **der**-nouns	no change	der Doktor, die Doktor*en*; der Professor, die Professor*en*
	some common **der**-nouns with –**en** in all cases except nominative singular	no change	der Mensch, die Mensch*en*; der Student, die Student*en*

Attention: This table is not meant for memorization. Use it for reference to get better acquainted with the pattern of noun plurals.

3. The pattern of the present tense

INFINITIVE & MEANING	1ST SING.	3RD SING.	PLURAL
	ich	er, es, sie	wir, sie, Sie
sein, haben, werden			
sein to be	bin	ist	sind
haben to have	habe	hat	haben
werden to become	werde	wird	werden
"Regular" forms			
lieben to love	liebe	liebt	lieben
arbeiten to work	arbeite	arbeitet	arbeiten
übersetzen to translate	übersetze	übersetzt	übersetzen
Verbs with a vowel change			
lassen to let	lasse	läßt	lassen
sehen to see	sehe	sieht	sehen
Verbs with a separable prefix			
ein-schlafen to fall asleep	schlafe ein	schläft ein	schlafen ein
Verbs with **sich** *in the infinitive*			
sich setzen to sit down	setze mich	setzt sich	wir setzen uns sie, Sie setzen sich
Modal auxiliaries & **wissen**			
können to be able, can	ich, er, es, sie kann		können
wissen to know	ich, er, es, sie weiß		wissen

- ▶ Most verbs end in –**e** in the first person singular, in –**t** in the third person singular, in –**en** in the first and third person plural.
- ▶ Some irregular verbs show a vowel change in the third person singular: **lassen, läßt; lesen, liest.**
- ▶ The modal auxiliaries and **wissen** have no ending in the first and third person singular.
- ▶ The prefix of verbs with separable prefixes stands at the end of the sentence or clause.

Deutsche Hochschulen

University of Munich

Student recreation building in Frankfurt am Main

University town of Heidelberg

4. Some sound advice

Learn how to use the index in order to look up specific items you wish to review!

IV. WIEDERHOLUNGSÜBUNGEN

A. *Complete the following sentences as indicated:*

1. Das ist —— (*the*) Bleistift, das ist —— (*the*) Buch, das ist —— (*the*) Feder.
2. Hier sehen wir —— (*the*) Tisch; dort sehen Sie —— (*the*) Stuhl, —— (*the*) Tafel und —— (*the*) Fenster.
3. —— (*The*) Lehrer fragt: Haben Sie —— (*a*) Bleistift? —— (*A*) Schüler antwortet: Nein, Herr Professor, ich habe —— (*no*) Bleistift, aber ich habe —— (*a*) Feder und —— (*a*) Stück Papier.
4. Ich habe —— (*a*) Vater, —— (*a*) Mutter und —— (*two*) Brüder, aber —— (*no*) Schwester.
5. Das hier ist —— (*my*) Arm; hier ist —— (*my*) Hand und hier sind —— (*my*) Finger.
6. Sehen Sie —— (*my*) Hut dort? Ja, natürlich sehe ich —— (*your*) Hut.
7. Bitte, machen Sie jetzt —— (*your*) Buch auf! Wir wollen jetzt —— (*the*) Sätze und —— (*the*) Zahlen auf Seite einundsiebzig lesen.

B. *Supply the appropriate possessive adjectives:*

z.B.: Ich und **mein** Hund.

1. Er und —— Uhr. Sie (*she*) und —— Schwester.
2. Wir und —— Freund. Sie (*you*) und —— Kinder.
3. Der Vater und —— Tochter. Die Mutter und —— Sohn.
4. Der Mann und —— Hut. Der Hund und —— Gefühle.
5. Der Satz und —— Wörter. Das Buch und —— Seiten.
6. Die Stadt und —— Straßen. Die Häuser und —— Türen.

C. *Check your control of adjective endings by reading the following sentences and supplying endings where they are needed:*

1. Nicht jed– Kind geht in die Schule, aber all– Kinder sollen in die Schule gehen.

2. Dies– Mantel hat ein– Kragen.
3. Dies– Landkarte ist bunt; welch– Farben sehen Sie?
4. Heute machen wir mehrer– schwer– Übungen, nicht wahr?
5. Das ist ein– Dachshund. Er hat sehr kurz– Beine.
6. Dies– Schülerin ist jung, aber sie trägt schon ein– Brille.
7. Unser– Lehrer spricht gerade über unser– Aufgabe für morgen.
8. Ist rot– Haar so schön wie braun– Haar?
9. Deutschland hat viel– schön– Wälder und hoh– Berge.

D. *a. Check on your efficiency in using noun plurals by changing the following sentences to the plural:*

z.B.: Hier kommt ein Kind: Hier **kommen Kinder.**

1. Hier liegt der Bleistift; die Feder; das Heft.
2. Hier steht ein Stuhl; ein Lehrer.
3. Hier sitzt ein Mann; ein Mädchen; kein Schüler; ein Student; eine Schülerin.
4. Hier sieht man eine Stadt; eine Straße; keinen Baum; ein Tier; sein Haus.

b. Read the following sentences in the singular:

z.B.: Hier sind Zeitungen: Hier **ist eine Zeitung.**

1. Hier sind die Söhne; seine Brüder.
2. Wir zeichnen Tiere; z.B. Katzen, Mäuse, Löwen, aber keine Fische.
3. Hier hört man Lieder; Fragen, aber keine Antworten.
4. Hier schreibt man Wörter; Sätze; seine Schulaufgaben; Prüfungen.

E. *Read the following passage with* **er** *as the subject. Then read it again with* **wir** *as the subject.*

z.B.: Ich bin ein Schüler: **Er ist** ein Schüler. **Wir sind** Schüler.

1. Ich bin Student. 2. Ich komme um 10 Minuten vor 9 Uhr in die Schule. 3. Ich gehe in das Klassenzimmer. 4. Ich mache ein Fenster auf. 5. Dann setze ich mich. 6. Ich sehe den Lehrer kommen. 7. Ich frage den Lehrer etwas. 8. Ich verstehe seine Antwort. 9. Ich lese einen Satz. 10. Ich kann den Satz auch übersetzen. 11. Jetzt muß ich an die Tafel schreiben. Auf Wiedersehen!

F. *Replace all nouns with the corresponding pronouns:*

z.B.: Der Lehrer ist hier: **Er** ist hier.

1. Der Tisch ist braun; das Heft ist blau; die Wand ist grau. Die Tafeln sind schwarz.
2. Diese Fenster sind alle offen. Bitte, machen Sie die Fenster zu!
3. Wir lesen den Satz; wir schreiben ein Wort; wir machen eine Übung. Wir verstehen die Fragen gut.
4. Der Kasten steht dort. Die Lehrerin macht den Kasten auf.
5. Der Lehrer spielt einige deutsche Schallplatten. Wir hören diese Schallplatten immer gern.

G. *a. Start the following sentences with the italicized words, changing the position of the subject accordingly:*

1. Unser Schulzimmer hat *natürlich* eine Decke und einen Boden.
2. Wir verstehen *oft* nur ein paar Worte oder eine Zeile.
3. Mein Hund ist *zwar* noch recht jung.
4. Ich werde *nie* reich.
5. Man geht dann *später* auf das Gymnasium.

b. Read the following sentences (*a*) *as commands,* (*b*) *as questions:*

z.B.: Sie kommen: Kommen Sie! Kommen Sie?

1. Sie lesen diesen Satz auf deutsch.
2. Sie singen ein Wiegenlied.
3. Sie bringen Ihren Freund mit.
4. Sie tun es für mich.
5. Sie wachen sofort auf; Sie schlafen nicht wieder ein.

H. *Ask yourself and others questions like the following and answer them in German:*

a. Wer stellt Fragen? Wer antwortet auf die Fragen?

b. Wie heißen Sie? Sind Sie Amerikaner? Sind Sie Student? Was studieren Sie? Studieren Sie Deutsch? Chemie? Philosophie? usw. Was lernt ein Schüler? Lernt er Lesen? Schreiben? Rechnen? Was lernt er noch?

c. Wissen Sie jetzt etwas über die deutschen Schulen? In welche Schule geht ein Kind in Deutschland? Was ist ein Gymnasium? Was lernt man dort? Welche Schulen gibt es noch in Deutschland? Wer geht in Deutschland auf die Universität? Was kann man dort studieren? Ist Ihr Vater Akademiker? Welchen Beruf hat er?

d. Welche Farben kennen Sie? Wie heißen die Hauptmahlzeiten auf deutsch? Erinnern Sie sich noch daran? Wie heißen die Wochentage? Wie heißen die Monate? Können Sie von null bis hundert zählen? Bitte, zählen Sie von 31 bis 40! Können Sie rechnen? Wieviel ist 11 und 17? Wie alt sind Sie? Wann beginnt diese Stunde?

e. An welche deutschen Sprichwörter können Sie sich erinnern? — Hier ist noch eins:

„Andere Länder, andere Sitten.“

DIE ACHTE STUNDE

I. Es war einmal[1] . . .

Gestern lernte ich eine neue Bedeutung für die Wörter *stark* und *schwach*. Bis gestern waren Boxer und Löwen stark für mich, kleine Kinder und Mäuse waren schwach. Ich kannte auch starken und schwachen Kaffee, Tee und Tabak. Daß[2] aber Zeitwörter stark und schwach sein können, lernte ich erst gestern in der deutschen Stunde.

Es war der große Jakob Grimm, der[3] für die Zeitwörter diese Namen erfand. Er nannte die Zeitwörter schwach, die[4] eine Stütze,[5] nämlich eine Endung, brauchen, um die Vergangenheit zu bilden, also: lehre — lehrte, antworte — antwortete. Viele Zeitwörter können ihre Vergangenheit ohne eine solche Stütze bilden; diese Zeitwörter nannte Grimm stark, also: komme — kam, singe — sang.

Wir übten diese Formen ein wenig, dann sprach der Lehrer mit uns über die Brüder Grimm. Jakob Grimm und sein Bruder Wilhelm lebten und arbeiteten fast immer zusammen. Die beiden machten viele wichtige Studien und schrieben viele bedeutende Bücher über die deutsche Sprache,

[1] "Once upon a time there was . . ." [2] that, the fact that. *Note that the verb stands at the end in subordinate clauses!* [3] who. [4] which. [5] support, prop.

ihre Geschichte, ihre Grammatik und ihren Wortschatz. Zusammen sammelten die beiden die berühmten Märchen, die heute die ganze Welt kennt.

Beide waren große Gelehrte,[1] sie waren aber auch bedeutende Menschen und Bürger, die [2] die Freiheit liebten und für sie eintraten.[3] Noch als alter Mann, so erzählt uns sein Neffe, verfolgte [4] Jakob Grimm die politischen Dinge mit Aufmerksamkeit.[5] Wenn die Zeitung kam, legte er oft sogleich die Feder nieder und las sie genau durch.

Das war im Jahr 1860 oder ungefähr fünfzig Jahre, nachdem [6] die Kinder der [7] ganzen Welt zuerst vom Rotkäppchen, vom Schneewittchen und vom Aschenbrödel [8] hörten und von den vielen anderen Geschichten mit dem heute so vertrauten Anfang: [9] „Es war einmal . . .“

Studieren Sie diese Stunde genau so wie die vorigen! [10]

II. WORTSCHATZ

***1. Vergessen Sie nicht:**

beide both
  die beiden both, the two
berühmt famous
fast almost
genau exact
stark : schwach strong : weak

das Ding, -e thing
das Märchen, - fairy tale

der Kaffee *or* **Kaffee′** coffee
der Tee tea
die Sahne cream
der Tabak *or* **Tabak′** tobacco
  rauchen to smoke

bedeuten to mean; be significant
  bedeutend significant, important
  die Bedeutung, -en significance, meaning
brauchen to need; use
  ich brauche lange, eine Stunde usw. I need a long while, an hour, etc. *or* it takes me a long while, an hour, etc.
  gebrauchen to use
erzählen to tell, relate
  die Erzählung, -en story, narrative
nieder-legen to put (lay) down
sammeln to collect
  zusammen together

[1] scholars. [2] who. [3] "stood up." [4] pursued, kept up with. [5] attention. [6] after. [7] of the. [8] *These are three famous fairy tale characters; see if you can name them!* [9] "with the beginning which is so familiar today." [10] the previous ones.

2. Grammatik

*__bilden__ to form
__enden__ to end
__die Endung, –en__ ending
*__üben__ to practice
__die Übung, –en__ exercise; practice

*__die Person', –en__ person
*__die Regel, –n__ rule
__die Zahl, –en__ number
__die Einzahl__ singular
__die Mehrzahl__ plural; majority

*__die Form, –en__ form
*__die Gegenwart__ present; present tense
*__die Vergangenheit__ past; past tense

3. Die Politik' (politics)

*__der Bürger, –__ citizen
__die Freiheit, –en__ freedom

*__die Welt, –en__ world
*__die Zeitung, –en__ newspaper

__poli'tisch__ political

*4. Einige Vergangenheitsformen (some past tense forms)

INFINITIVE (3RD SING. PRESENT), MEANING	1ST & 3RD SING. PAST
lesen (liest) to read	**las**
durch-lesen (liest . . . durch) to read through	**las . . . durch** [1]
sehen (sieht) to see	**sah**
vergessen (vergißt) to forget	**vergaß**
fahren (fährt) to drive; ride	**fuhr**
tragen (trägt) to carry; wear	**trug**
fangen (fängt) to catch	**fing**
an-fangen (fängt . . . an) to begin	**fing . . . an**
schlafen (schläft) to sleep	**schlief**
ein-schlafen (schläft . . . ein) to fall asleep	**schlief . . . ein**
heißen to be called	**hieß**
rufen to call; shout	**rief**
kommen to come	**kam**
scheinen to shine; seem	**schien**
erscheinen to appear	**erschien**

[1] Notice that compound verbs almost always have the same vowel changes as their simple verbs.

INFINITIVE (3RD SING. PRESENT), MEANING	1ST & 3RD SING. PAST
schreiben to write	**schrieb**
beschreiben to describe	**beschrieb**
schweigen to be silent	**schwieg**
stehen to stand	**stand**
verstehen to understand	**verstand**
finden to find	**fand**
erfinden to invent	**erfand**
singen to sing	**sang**
trinken to drink	**trank**
beginnen to begin	**begann**
nehmen (nimmt) to take	**nahm**
sprechen (spricht) to speak	**sprach**
liegen to lie	**lag**
gehen to go	**ging**
fortgehen to go away	**ging . . . fort**

III. ERLÄUTERUNGEN

1. The past tense

There are two major types of verbs in English, regular and irregular verbs. Regular verbs are those which add a *d*– or *t*– sound to indicate past time: to play, I play*ed*; to ask, I ask*ed*; to repeat, I repeat*ed*. Irregular verbs do not ordinarily *add* a sound, but show an internal vowel change, an ablaut: to s*i*ng, I s*a*ng; to c*o*me, I c*a*me.

German also has two major types of verbs which show a similar pattern. Regular verbs use a –**t**– to show past time: **sagen, ich sag*te*; arbeiten, ich arbeite*te*.** Irregular verbs show a change in the internal vowel: **s*i*ngen, ich s*a*ng; r*u*fen, ich r*ie*f.**[1]

[1] The term "regular verbs" is here used for those verbs which conform to the most common pattern of inflection, the so-called "weak" verbs. The term "irregular verbs" is accordingly used for the verbs which do not conform to this pattern and includes all "strong" verbs.

„Es war einmal . . ."

Bavaria: Neuschwanstein castle

2. The past tense of regular verbs

a. **sagen, warten, erzählen, auf-passen**

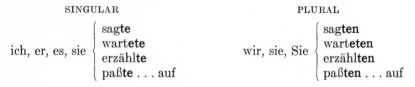

	SINGULAR		PLURAL
ich, er, es, sie	sag**te** wart**ete** erzähl**te** paß**te** . . . auf	wir, sie, Sie	sag**ten** wart**eten** erzähl**ten** paß**ten** . . . auf

▶ Regular verbs end in –**te** (–**ete,** if the stem of the verb already ends in a –**t** or if some other unpronounceable consonant cluster would result) in the first and third person singular, and in –**ten** (–**eten**) in the first and third person plural.

b. Hybrids: **kennen, nennen, bringen, denken**

	SINGULAR		PLURAL
ich, er, es, sie	kannte nannte brachte dachte	wir, sie, Sie	kannten nannten brachten dachten

A few verbs which show the same pattern of endings as the regular verbs also show a vowel change (Appendix **II,** II, D).

3. The past tense of irregular verbs

schreiben, stehen, erfinden, an-fangen

	SINGULAR		PLURAL
ich, er, es, sie	schrieb stand erfand fing . . . an	wir, sie, Sie	schrieb**en** stand**en** erfand**en** fing**en** . . . an

▶ Irregular verbs have no ending in the first and third person singular of the past tense; in the first and third person plural they end in –**en.**
▶ The vowel change of irregular verbs in the past tense cannot be predicted successfully, although these verbs fall into groups with similar

changes. Frequently, however, a similar change in the cognate English verb will help you remember the German verb.[1]

4. Four verbs to watch: *haben, sein, werden; tun*

Past tense:

SINGULAR		PLURAL	
ich, er, es, sie	hatte	wir, sie, Sie	hatten
	war		waren
	wurde		wurden
	tat		taten

5. How to translate the past tense

Er arbeitet fleißig.	*He works / is working / does work hard.*
Er arbeitete fleißig.	*He worked / was working / did work hard.*

As in the present tense, the German verb does not distinguish between three aspects of action as we do in English. Whenever you are translating from German into English you will therefore have to select the English form which seems most appropriate for the context.

IV. ÜBUNGEN

A. *Read the following passage through. Then reread, changing all italicized verbs to the present tense:*

1. Ich *lernte* heute eine neue Bedeutung für die Wörter stark und schwach. 2. Ich *kannte* starken und schwachen Kaffee, Tee und Tabak. 3. Unser Lehrer *fragte* uns: „Wer *nannte* die Zeitwörter schwach, die eine Endung brauchen?“ 4. Dann *sprach* er über die Brüder Grimm. 5. Wir *übten* die Zeitwörter ein wenig. 6. Wir *lasen* ein Märchen zusammen. 7. Dann *erzählten* wir das Märchen wieder. 8. Die Stunde *war* sehr interessant. 9. Schließlich *nahmen* wir unsere Bücher und *gingen* nach Hause.

[1] The "principal parts" of irregular verbs are listed as follows in the Vocabulary and Appendix **II,** II: **sprechen** (the infinitive), (**spricht**) (3rd singular, present tense: listed in the vocabularies only if it shows some irregularity), **sprach** (1st and 3rd singular, past tense), **gesprochen** (perfect participle).

B. *Check your familiarity with past tense forms by changing the verbs in the following sentences to the past:*

Es wird schon dunkel.
Wo sind Sie?
Sie hat keine Zeit.
Was macht er dann?
Er setzt sich.
Sie lächelt.
Ich studiere fleißig.
Wir übersetzen die Erzählung.
Sie antworten nie.

Er geht spazieren.
Sie trägt einen Hut.
Wir schreiben einen Satz.
Kennen Sie ihn schon?
Wir finden keine Kreide.
Sie bringen etwas mit.
Er liest die Zeitung durch.
Wo liegt das Buch?
Wann fangen wir an?

C. *Complete the following sentences in the past tense:*

1. Wir —— (warten) heute fünf Minuten lang auf den Lehrer. 2. Endlich —— (kommen) er. 3. Und was —— (tun) er dann? 4. Er —— (spielen) Schallplatten für uns. 5. Wir —— (zuhören) fast die ganze Stunde ——. 6. Dann —— (stellen) er noch schnell einige Fragen, und wir —— (antworten). 7. Nur mein Freund Paul —— (antworten) nicht, er —— (schlafen) und —— (schweigen).

8. Wir —— (besuchen) gestern eine Schule in Deutschland. 9. Die Schule —— (sein) ein Gymnasium. 10. Wir —— (lernen) viel.

D. *Read the following passages in German. Then reread them, changing all italicized verb forms to the past tense:*

a. 1. Die Glocke *läutet* und die Stunde *beginnt.* 2. Aber das Fenster *steht* offen. 3. Wir *verstehen* den Lehrer nicht, denn ein Radio *spielt* laut. 4. Wir *machen* also das Fenster zu. 5. Dann *fangen* wir sofort die Stunde an. 6. Aber der Lehrer *stellt* heute keine Fragen. 7. Er *schreibt* und *zeichnet* auch nicht an die Tafel. 8. Auf dem Tisch *steht* ein Grammophon. 9. Der Lehrer *spielt* Gesangsplatten für uns. 10. Wir *verstehen* zwar nicht alle Wörter, aber das *macht* nichts. 11. Wir *schweigen* und *hören* gut zu.

b. 1. Die Stunde *ist* aus; es *wird* dunkel. 2. Die Tische und Stühle *stehen* ganz allein. 3. Dort *liegen* ein paar Bleistifte; sie *haben* nichts zu tun und *schlafen* ein. 4. Auch ein paar Hefte *liegen* da; die *schlafen* auch ein.

5. Dann *erscheinen* die Heinzelmännchen (*friendly "gremlins"*). 6. Sie *machen* nicht die Tür auf und nicht das Fenster, sie *sind* einfach da. 7. Sie *nehmen* die Bleistifte, sie *machen* die Bücher und die Hefte auf. 8. Sie *lesen* und *schreiben*, sie *rechnen* und *zeichnen*. 9. Dann *machen* sie Bücher und Hefte wieder zu und *tanzen* (*dance*) und *singen*.

10. Nun *wird* es hell. 11. Da *kommen* die Schulkinder wieder. 12. Sie *sehen* keine Heinzelmännchen, aber sie *sehen* die fertigen Aufgaben. 13. Sie *verstehen* nicht gleich, was los *ist*. 14. Aber die Lehrerin *erklärt:* „Das *tun* die berühmten Heinzelmännchen." 15. Da *lachen* die Kinder und sie *tanzen* und *singen* alle zusammen: „Danke schön, danke, liebe Heinzelmännchen!"

E. *Ask yourself and others questions like the following and answer them in German:*

a. Wie lange studieren Sie schon Deutsch? Wann begannen Sie, Deutsch zu lernen? Verstanden Sie diese Frage gut? Sprach ich zu schnell? Studierten Sie gestern abend Deutsch? Machten Sie alle Übungen für heute? Brauchten Sie lange dazu? Fanden Sie die Übungen leicht oder schwer? Wie oft lasen Sie *Es war einmal . . .* durch? Lasen Sie alles durch? Lernten Sie die Zeitwortformen? Schrieben Sie diese Formen in ein Heft?

b. Wer war Jakob Grimm? Wie hieß sein Bruder? Was schrieben die Brüder Grimm? Was taten sie sonst? Kennen Sie einige Märchen? Welche Märchen kennen Sie? Haben Sie Märchen gern? Was las Jakob Grimm jeden Tag? Lesen Sie auch eine Zeitung? Lesen Sie jeden Tag die Zeitung? Was sammelten die Brüder Grimm? Sammeln Sie auch etwas? Was sammeln Sie?

c. Um wieviel Uhr kamen Sie heute in die Schule? War es schon hell? Wann wurde es heute morgen hell? Wie viele Stunden hatten Sie heute schon? Wie viele Stunden hatten Sie gestern? Wie viele Jahre braucht man, um Deutsch zu lernen? Welche Schule besuchten Sie als Kind? Wann begann dieses Semester? Wann ist es zu Ende?

d. Was taten Sie letzten Sonntag? Was taten Sie gestern abend? Waren Sie zu Hause? Was lasen Sie? Lasen Sie auch ein wenig Deutsch? Verstanden Sie alles, was Sie lasen? Arbeiteten Sie fleißig? Schrieben Sie auch einige Übungen? Tranken Sie Kaffee? Trinken Sie viel Kaffee? Trinken Sie ihn schwarz und stark? Rauchen Sie viel? Rauchten Sie gestern abend viel? Hörten Sie auch Radio?

e. Waren Sie schon einmal in Deutschland? War Ihr Vater schon einmal dort? Sind Sie amerikanischer Bürger? Verstehen Sie viel von Politik? usw.

F. *Gebrauchen Sie in dieser Übung nur Vergangenheitsformen!*

Beschreiben Sie die Schule, die Sie als Kind besuchten!

Beschreiben Sie einen Freund (oder eine Freundin)! (Gesicht, Kleider usw.)

Beschreiben Sie einen Spaziergang, den Sie letzten Sommer machten! — Besuchten Sie vielleicht einen Tiergarten?

Erzählen Sie eine kurze Anekdote oder ein Märchen!

Erzählen Sie, was Sie gestern alles taten!

„Wie man sich bettet, so liegt man."

DIE NEUNTE STUNDE

I. Städte und Häuser in Deutschland

Gestern bekam ich einen langen Brief aus Frankfurt am Main. Ich bekomme überhaupt[1] recht viel Post aus Deutschland, denn mein lieber Freund Richard arbeitet in Frankfurt, und meine gute Freundin Marie wohnt in München. Marie hatte bisher[2] nicht viel Zeit zu schreiben, und ihre wenigen Briefe waren kurz. Aus Richards Briefen aber lernte — und lerne — ich eine ganze Menge über Deutschland. Hören Sie zu!

Eine deutsche Stadt sieht ganz anders aus als eine amerikanische Stadt. Unsere Straßen sind gewöhnlich breit und gerade, in Deutschland sind sie oft eng und haben viele Biegungen und Krümmungen.[3]

Deutsche Straßen machen einen mehr einheitlichen Eindruck,[4] denn ihre Häuser sind ungefähr gleich hoch. Auch sonst sehen deutsche Häuser einander ähnlich.[5] Natürlich gibt es in Deutschland viel weniger Hochhäuser. Wo es solche gibt, sind es meistens Geschäftshäuser und die sind nicht so hoch wie unsere „Wolkenkratzer.“[6]

[1] generally, on the whole. [2] up to now. [3] bends and curves. [4] a more uniform impression. [5] similar to one another. [6] **die Wolke** (cloud) + **kratzen** (scratch, scrape).

Auch gibt es in Deutschland viel weniger Einfamilienhäuser als in Amerika. Die meisten Deutschen leben in Wohnungen. So eine Wohnung hat gewöhnlich ein Wohnzimmer, vielleicht ein Eßzimmer, ein oder mehrere Schlafzimmer, eine Küche und ein Badezimmer.

Ein Haus hat meistens drei bis fünf Stockwerke. Das unterste [1] Stockwerk heißt Erdgeschoß, dann kommt der erste Stock, der zweite Stock usw. Nur teure [2] Häuser haben einen Aufzug (oder Lift).[3] Sonst muß man die Treppen zu Fuß steigen.

Auch die deutschen Briefträger müssen die Treppen steigen, denn sie bringen die Post in die Wohnungen. Oft gibt es keine Hausbriefkästen. Deshalb [4] muß man auf einen Brief nach Deutschland auch das Stockwerk schreiben. An meinen Freund Richard muß ich zum Beispiel die Adresse so schreiben:

(An) Herrn Richard Müller
Frankfurt a/M
Königstraße 5/0

Die Null bedeutet Erdgeschoß. Der erste Stock in Deutschland ist also unser „second floor," der zweite Stock ist unser „third floor" usw. — Wußten Sie das alles schon?

Lesen und studieren Sie diese Stunde genau so wie Sie die vorigen Stunden studiert haben!

II. WORTSCHATZ

***1. Einige Beiwörter** (some adjectives)

eng : weit narrow (tight) : wide (roomy)
interessant' : un'interessant interesting : uninteresting
mehr : weniger more : less

2. In der Stadt (down town)

***das Geschäft, -e** business; store
***der Laden, -** shop, store
das Hochhaus, ⸚er tall building
***die Menge, -n** large quantity, "lot"; crowd

[1] lowest. [2] **teuer** expensive. [3] *in some areas:* **der Fahrstuhl, ⸚e.**
[4] therefore.

3. Die Wohnung, -en (apartment; residence)

a.* **leben to live; be alive

wohnen to live; dwell

b.* **das Badezimmer, - bathroom
  baden to bathe
  das Bad, ¨er bath
das Eßzimmer, - dining room
das Schlafzimmer, - bedroom
das Wohnzimmer, - living room

der Keller, - cellar
die Küche, -n kitchen
der Ofen, ¨ stove

c. **das Erdgeschoß** ground floor
das Stockwerk, -e floor, story
  ***der Stock, ¨e** floor, story

der Aufzug, ¨e elevator
***die Treppe, -n** step; stair(way), "flight"

4. Der Briefwechsel (correspondence)

der Absender, - sender, "from"
die Adres'se, -n address
***der Brief, -e** letter
der Briefkasten, - *or* **¨** mailbox
der Briefträger, - mailman
die Briefmarke, -n stamp

***der Namen, -** name
***die Post** mail
  die Luftpost air mail
das Postamt, ¨er post office
die Postkarte, -n post card

***5. Passen Sie auf!**

andere Länder	*other lands*
anders	*different(ly)*
Schreiben Sie einen **anderen** Brief!	. . . *another (different)* . . .
Schreiben Sie **noch einen** Brief!	. . . *another (one more)* . . .
Die Straße ist **gerade.**	. . . *straight.*
Er kommt **gerade** (eben).	*He is* ***just*** *coming.*
Das war es **gerade** (eben).	*That was* ***just*** *it.*
Er kam **gleich** (sogleich).	. . . *right away.*
Deutsch und Englisch sind **gleich** schwer.	. . . ***equally*** *difficult.*
Es gibt weniger Hochhäuser dort.	*There are* . . . .

*6. Noch einige Vergangenheitsformen

a.

INFINITIVE (3RD SING. PRESENT), MEANING	1ST & 3RD SING. PAST
essen (ißt) to eat	**aß**
aus-sehen (sieht . . . aus) to look, appear	**sah . . . aus**
fallen (fällt) to fall	**fiel**
gefallen (gefällt) to please	**gefiel**
lassen (läßt) to let, allow	**ließ**
laufen (läuft) to run	**lief**
bekommen to receive	**bekam**
bleiben to stay, remain	**blieb**
steigen to climb	**stieg**

b. The modal auxiliaries and **wissen**

INFINITIVE & 1ST & 3RD PL. PRESENT	1ST & 3RD SING. PRESENT	1ST & 3RD SING. PAST	MEANING
dürfen	**darf**	**durfte**	to be permitted to
können	**kann**	**konnte**	to be able to, can
mögen	**mag**	**mochte**	to like; may
müssen	**muß**	**mußte**	to have to, must
sollen	**soll**	**sollte**	to be supposed to (should, ought to)
wollen	**will**	**wollte**	to wish to, want to
wissen	**weiß**	**wußte**	to know (*a fact*)

7. A pattern to watch

Wir müssen gleich wieder fort. — *We have **to leave** . . .*
Er wollte noch schnell nach Hause. — *He wanted **to go** . . .*

When a modal auxiliary is used with a word or phrase which shows motion or direction, a verb of motion is ordinarily not required. Cf. English: "I want out."

III. ERLÄUTERUNGEN

1. Endings on preceded descriptive adjectives

a. Up to now you have learned the endings of **dieser**-adjectives, of **ein**-adjectives, and of unpreceded descriptive adjectives. You have probably

lernen, dann gehen die ander– Studenten und ich nach Hause. 15. Die gut– Kinder arbeiten alle so fleißig! Welche gut– Kinder?

B. *Supply endings as indicated:*

der alt– Wagen	:	ein alt– Wagen
dieser klein– Hund	:	mein klein– Hund
jeder schön– Tag	:	kein schön– Tag
das groß– Haus	:	unser groß– Haus
welches lustig– Lied?	:	ihr lustig– Lied
den traurig– Schüler	:	einen traurig– Schüler
die deutsch– Post	:	unsere deutsch– Post
welche deutsch– Stadt?	:	keine deutsch– Stadt
welche englisch– Städte?	:	keine englisch– Städte
die lang– Briefe	:	seine lang– Briefe

C. *Check on your control of adjective endings by completing the following passage with the endings required:*

1. „Lieb– Freund," schrieb mein– gut– Freundin Ruth, „Sie schreiben kein– lang– Briefe mehr, und auch kein– kurz–. 2. Unser dick– Briefträger findet das schön, ich aber nicht. 3. Ihr– letzt– Brief las ich gerade wieder. 4. Dann fragte ich mich: ‚Schreibe ich ihm oder schreibe ich ihm nicht?' Der klug– Kopf sagte: ‚Nein, wir kennen dies– faul– Max. 5. Jetzt hat er ein– schön– neu– Wagen und hat kein– Zeit mehr für sein– alt– Freunde. 6. Daher ist es ein– groß– Dummheit zu schreiben. 7. Max ist zwar ein brav– Junge, aber . . .' 8. Nun, was sagen Sie dazu? Kommt endlich wieder ein klein– Brief in unseren Briefkasten? 9. Oder haben Sie kein weiß– Papier und kein– grün– Tinte mehr?"

10. Natürlich schrieb ich mein– klein– Brief sofort: 11. „Lieb– Freundin, ich habe wirklich kein– Minute für lang– Briefe. Aber faul bin ich nicht. 12. Letzte Woche zum Beispiel, ging ich am Montag in die deutsch– Stunde. 13. Am Dienstag machte ich unser– lang– Schulaufgabe. 14. Ich arbeitete die ganz– Woche. 15. Mein ‚neu–' Auto stand die ganze Zeit nur da und wartete. 16. Mein– lieb– Mutter sagte, ich lese und schreibe den ganz– Tag. 17. Das war nicht ganz richtig, ich spielte ja dann und wann einig– alt– Schallplatten. 18. Meistens aber mußte ich lang– schwer– Übungen schreiben. 19. Ich trank die ganz– Zeit viel kalt– Wasser und stark– Kaffee. 20. Ist das nicht ein schwer– Leben?"

D. *Read the following sentences in German. Then reread in the past tense:*

1. Meine junge Schwester *bekommt* viel Post aus Deutschland. 2. Der Alte *besucht* uns oft; er *sieht* gut aus. 3. Unser Briefträger *mag* nicht viel steigen, aber er *muß* es, denn unsere Wohnung *liegt* im dritten Stock. 4. Meine Mutter *fragt* mich: „Wo *bleibt* er so lange?" Aber ich *weiß* es nicht.

5. Ich *wache* um 6 Uhr früh auf. 6. Die Sonne *scheint* hell und warm ins Zimmer. 7. Ich *will* nicht mehr schlafen. 8. Ich *stehe* gleich auf. 9. Ich *laufe* in die Küche und *trinke* meinen Kaffee. 10. Ich *esse* auch schnell etwas. 11. Ich *kann* aber nicht spazierengehen, denn ich *muß* meine Aufgaben machen. 12. So *beginnt* mein Tag!

E. *Answer the following questions, using appropriate descriptive adjectives with all nouns:*

z.B.: Was ist das? : Das ist das **deutsche** Buch (ein **deutsches** Buch).

Was ist das? (Brief, Auto, Feder)
Wer war das? (Bruder, Mädchen, Mutter)
Wen sehen Sie? (Herr, Student, Kind, Junge, Frau)
Was haben Sie da? (Briefe, Postkarte, Handschuhe, Hut)
Was lesen Sie? (Buch, Bücher, Satz, Aufgabe) usw.

F. *Ask yourself and others questions like the following and answer them in German:*

a. Hören Sie meine Stimme? Hörten Sie, was ich eben sagte? Sprach ich zu schnell? Verstehen Sie alle Übungen? Welche Übung verstanden Sie nicht?

b. Sind deutsche Städte anders als amerikanische Städte? Sind deutsche und amerikanische Straßen ähnlich? Gibt es viele Hochhäuser in Deutschland? Sind es Wohnhäuser oder Geschäftshäuser? Sind die Häuser in Deutschland so hoch wie in Amerika? Wieviel Stockwerke hat ein deutsches Haus gewöhnlich? Was bedeutet „zweiter Stock"? Haben deutsche Häuser gewöhnlich einen Aufzug? Welche deutschen Häuser haben einen Aufzug? Sind die deutschen Straßen meistens breit und gerade? Wie sind die amerikanischen Straßen? Sind die meisten europäischen Autos groß oder klein? Wer war schon einmal in Europa?

c. Was bringt der Briefträger? Was brachte er gestern? Bekommen Sie Post aus Deutschland? Bekommen Sie auch Postkarten? Bekamen Sie gestern einen Brief? Schreiben Sie viele Briefe? Schreiben Sie sie gern? Schrieben Sie gestern einen deutschen Brief? An wen schrieben Sie? Haben Sie eine Briefmarke für mich? Wer hat eine? Sammeln Sie Briefmarken?

d. Haben Sie eine schöne Wohnung? Wieviel Zimmer hat sie? was für Zimmer? Haben Sie auch einen Garten? einen kleinen oder einen großen? Haben Sie ein Studierzimmer? Haben Sie einen Wagen? einen neuen oder einen alten?

e. Was lesen Sie gerade? Welches Buch (welche Bücher) lesen Sie gerade? Welche Bücher lasen Sie letztes Jahr? Was tun wir jetzt? Was taten Sie gestern abend? Schrieben Sie einen Brief? Lasen Sie? Lasen Sie die Zeitung oder ein Buch? was für eine Zeitung? welches Buch? Was lernen Sie hier? Was studierten Sie für heute? Verstanden Sie alles? Mußten Sie viel für heute tun? Was sollen Sie für morgen tun? Müssen Sie es tun?

„Morgen! Morgen! Nur nicht heute!
Sagen alle faulen Leute.“

DIE ZEHNTE STUNDE

I. Auf dem Fahrrad und im Auto

Ich schreibe meinem Freund Richard oft nach Deutschland. Ich erzähle ihm, was ich tue und treibe.[1] Er antwortet mir pünktlich. Er erzählt mir, was er in Deutschland tut und was er dort sieht und hört. Uns beiden macht das Briefschreiben Spaß.[2]

Gestern schrieb mir Richard, daß man in Deutschland viel weniger Automobile auf der Straße sieht als hierzulande.[3] In Deutschland waren Automobile früher sehr teuer. Auch heute noch können sich dort weniger Leute ein Automobil leisten als in Amerika, denn man verdient in Deutschland nicht soviel wie hier. Auch Benzin und Öl kosten in Deutschland mehr.

Richard fährt gewöhnlich mit einem Fahrrad ins Büro.[4] Fast alle Leute, die nicht zu alt oder zu dick sind, fahren mit Rädern zur Arbeit, zur Schule und zum Vergnügen. Radfahren war und ist in Deutschland auch als Sport beliebt.[5]

Am Sonntag fahren oft ganze Familien mit ihren Rädern aufs Land. Dann sieht man den Vater und die Mutter auf ihren großen Rädern und

[1] "what I am doing." [2] "Writing letters is fun for both of us." [3] in this country. [4] to the office. [5] popular.

die Kinder auf ihren kleinen und niedrigen Rädern in der Mitte. Ganz kleine Kinder fahren zuerst noch in einem Korb[1] vor oder hinter dem Vater oder der Mutter, denn man kann sie ja nicht allein zu Hause zurücklassen.

So ein Rad ist billig und bequem.[2] Aber man muß sich vor Dieben in acht nehmen.[3] Man kann ein Rad nicht zu lang allein vor einem Haus oder vor einem Geschäft stehen lassen. Vor der Universität und vor vielen anderen Gebäuden[4] sind Ständer aufgestellt,[5] an die man sein Rad mit einem Schloß anschließen kann.[6]

Richard schrieb auch von den vielen Motorrädern. Sie machen großen Lärm und sie sind recht gefährlich. Aber viele Leute gebrauchen[7] sie, denn sie brauchen viel weniger Benzin und Öl als ein Automobil. Deshalb sieht man auch sehr viele kleine Motorroller.

Ich habe es viel besser, denn vor ein paar Tagen[8] kaufte ich mir mein eigenes[9] Automobil. Es ist freilich nicht neu und auch nicht sehr schön, denn es ist ein billiges Auto. Ich bin nämlich nicht reich und konnte nicht viel dafür bezahlen. Aber es hat vier Räder und es fährt. Gestern fuhr ich ein wenig mit meinem Automobil spazieren; morgen fahre ich zum ersten Mal[10] damit in die Schule.

Lesen und studieren Sie diese Stunde genau so wie Sie die vorigen studiert haben!

II. WORTSCHATZ

*1. Means of locomotion

a. Ich **gehe** nicht in die Schule, sondern ich **fahre** mit der Straßenbahn. Heute aber **fahre** ich nicht, ich **gehe zu Fuß.** Mein bester Freund **reitet** gern, denn er hat ein schönes Pferd (*horse*). Er **fliegt** auch jeden Sommer nach Europa.

gehen, ging to go, walk
zu Fuß gehen to go on foot
fahren (fährt), fuhr to ride, drive; go (*vehicle*)
fliegen, flog to fly; go (*by plane*)
reiten, ritt to ride (*on animals*)

[1] basket. [2] *here:* convenient. [3] "watch out for thieves." [4] buildings. [5] stands are set up. [6] to which one can attach . . . with a lock. [7] use. [8] a couple of days ago. [9] own. [10] for the first time.

b. **gehen**

Er geht nicht mehr in die Schule.	*He no longer goes to school.*
Wir gehen nächstes Jahr nach Europa.	*We are going to Europe next year.*
Meine Uhr geht nicht, sie steht.	*My watch is not running; it has stopped.*
So geht's! So geht es im Leben.	*"That's the way it goes."* (*"That's life."*)

Gehen means *to go, walk.* It is also used very much like the English *to go* in the sense of *to proceed* if no vehicle is mentioned. With mechanical contrivances **gehen** means *to work, run.*

2. Der Verkehr (traffic)

das Benzin′ : das Öl gasoline, benzine : oil
***die Gefahr, -en** danger
gefährlich dangerous
der Lärm noise
der Motor, -en motor
der Motorroller, - motor scooter

***das Rad, ⸚er** wheel; bicycle
das Fahrrad, ⸚er bicycle
das Motorrad, ⸚er motorcycle
der Schutzmann, ⸚er *or* **Schutzleute** policeman

***stehen-bleiben, blieb . . . stehen** to stop

3. Wir wollen uns etwas kaufen

***das Geld, -er** money
***der Preis, -e** price; prize

***billig : teuer** cheap : expensive, dear

geben (gibt), gab to give
aus-geben (gibt . . . aus), gab . . . aus to spend
***kaufen : verkaufen** to buy : to sell
der Kauf, ⸚e : der Verkauf, ⸚e purchase : sale
der Käufer, - : der Verkäufer, - buyer : seller
ein-kaufen to shop, go shopping
***kosten** to cost
sich (*dat.*) **leisten** to afford
***verdienen** to earn
***zahlen** *or* **bezahlen** to pay

4. Nützliche Ausdrücke (useful expressions)

Entschuldigen Sie, bitte!	*Excuse me, please!*
Verzeihen Sie, bitte!	*Pardon me, please!*
Viel Vergnügen! (Viel Spaß!)	*Enjoy yourself! (Have fun!)*
zum Vergnügen	*for pleasure*
Ich wohne seit einem Jahr hier.	*I have been living here for a year (and still am).*

III. ERLÄUTERUNGEN

1. The dative forms of adjectives and pronouns

a.

	SINGULAR		*PLURAL*
DATIVE OF	WITH **der**-NOUNS & **das**-NOUNS: **–m**	WITH **die**-NOUNS: **–r**	WITH ALL NOUNS: **–n**
dieser-adjectives	de*m*, diese*m* Stuhl de*m*, diese*m* Buch	de*r*, diese*r* Feder	de*n*, diese*n* Stühle*n*/ Bücher*n*/ Feder*n*
ein-adjectives	eine*m*, meine*m* Stuhl eine*m*, meine*m* Buch	eine*r*, meine*r* Feder	keine*n*, meine*n* Stühle*n*/ Bücher*n*/ Feder*n*
unpreceded descriptive adjectives	kalte*m* Kaffee kalte*m* Wasser	schöne*r* Musik	alte*n* Freunde*n*/ Bücher*n*/ Feder*n*
pronouns	(er, es) ih*m* (wer?) we*m*?	(sie) ih*r*	(sie, Sie) ihne*n*, Ihne*n*

▶ The unpreceded adjective endings in the dative are

–**em** with **der**-nouns and **das**-nouns in the singular;
–**er** with **die**-nouns in the singular;
–**en** with all nouns in the plural.

b. Er gibt es seinem gut**en** alt**en** Freund.
Sie schrieb immer mit einer rot**en** Feder.
Diese Stadt mit ihren schön**en** alt**en** Häusern . . .

Remember that the ending –**en** is used on preceded adjectives in all cases except the nominative singular (*Neunte Stunde,* III, 1a).

c. Kommen Sie mit **mir!** Kommen Sie mit **uns!**	*. . . with **me!*** *. . . with **us!***
Ich sagte **mir** . . . Wir sagten **uns** . . .	*I said to **myself** . . . We said to **ourselves** . . .*

The dative of **ich** is **mir;** the dative of **wir** is **uns.** — **Mir** and **uns** are also used where English uses reflexive pronouns.

d. Er dachte bei **sich** . . .	*He thought to **himself** . . .*
Sie verdiente **sich** das Leben.	*She earned her living ("for **herself**").*
Können Sie es **sich** leisten?	*Can you afford it ("for **yourself**")?*

The reflexive pronoun in the third person, **sich** (*himself, herself, itself, themselves, yourself, yourselves*), is both dative and accusative, singular and plural (*Fünfte Stunde*, III, 3).

2. The dative forms of nouns

a. mit meinem Freund**e**; zu Haus**e**

Nouns do not ordinarily show any change in the dative singular. However, most **der**-nouns and **das**-nouns of one syllable may add **-e.**[1]

b. mit diesen Schüler**n**, Bücher**n**, Freunde**n**, Mädchen usw.

In the dative plural almost all nouns end in **-n.** — If a noun already ends in **-n,** no **n** is added, of course.

c. Der Herr ist schon hier. Ich sagte es dem Herr**n** (den Herr**en**).	*The gentleman is already here. I told the gentleman (gentlemen).*
Ein Student muß studieren. Helfen Sie dem Student**en** (den Student**en**)!	*A student must study. Help the student (students).*

Remember: A few nouns show the ending **-en** in all cases except the nominative singular (*Sechste Stunde*, III, 4).

[1] See *German Pronunciation and Spelling*, II, 6.

3. Uses of the dative case

a. The indirect object:

Ich gebe **dem** Lehrer das Buch.	*I give the teacher the book.*
Er sagte **mir** alles.	*He told me everything.*
Das rate ich **Ihnen.**	*I advise that to (for) you.*
Er gab es **dem** Kind, er gab es **ihm.**	*He gave it to the child, he gave it to him.*

The dative is said to be the case of the indirect object, that is, of the person or thing indirectly affected by the action of the verb. In German, case forms reveal this function. In English, however, word order has taken the place of case forms: the direct object follows the indirect object. Therefore you must say "I give the teacher the book," and you can not say "I give the book the teacher." — If you use a different word order in English, you must insert "to" and say: "I give the book *to* the teacher."

Note that German does not use any preposition for the indirect object, but only the dative case forms. Note also that in German the indirect object ordinarily stands before the direct object, as in the examples given. If the *direct* object happens to be a pronoun, however, it will precede the indirect object, as in the last example.

**b.* Verbs with the dative:

antworten to answer	Er antwortete **mir** sofort.
danken to thank	Sein Freund dankte **ihm.**
folgen to follow	Der Hund folgt **dem** Kind nach Hause.
gefallen (gefällt), gefiel to please	Deutsch gefällt **den** Schülern gut.
gehören to belong	**Wem** gehört dies Buch?
helfen (hilft), half to help	Helfen Sie **ihnen** doch!

Some verbs are regularly followed by the dative case in German; these verbs are so listed in the Vocabulary.

**c.* Prepositions with the dative case:

The dative case is the most common case form with prepositions. The following prepositions are regularly followed by the dative:

aus *out of (from)*

z.B.: der Lehrer geht aus dem Zimmer; ich nehme die Feder aus der Tasche; mein Wagen kommt aus der Stadt Detroit

bei (beim = bei dem) *at (at the house of); with, in (in connection with); among*

z.B.: ich bin bei (*with, at the house of*) meinem Freund; ich hatte kein Geld bei mir; er wohnt bei seinen Eltern; bei uns (*at our house; back home, "back in the old country"*); bei den Chinesen (*among the Chinese*)

mit *with (along with; in the company of; by means of)*

z.B.: er ging mit seinem Bruder; wir sehen mit den Augen; ich schreibe mit einer Feder; ich fahre mit der Straßenbahn

nach *after; to, toward* (especially with place names)

z.B.: nach der Stunde; nach der Schule gehen wir nach Hause; es war schon nach neun Uhr; wir fuhren nach Europa, nach Deutschland, nach München

seit *since ("for")*

z.B.: ich lerne seit einer Woche, seit einem Monat, seit vielen Jahren Deutsch (*I have been studying German for a week, for a month, for many years [and still am]*); er wohnt seit einem Jahr in New York

von (vom = von dem) *from; by*

z.B.: er kam von New York; er kommt vom Fenster zurück; er nimmt den Hut vom Tisch; wir hören viel Deutsch von unserem Lehrer; das Buch war nicht von ihm

zu (zum = zu dem; zur = zu der) *to* (usually with persons)

z.B.: der Schüler geht heute zum Lehrer; der Lehrer sprach zu den Schülern; ich gehe selten zu einem Arzt

IV. ÜBUNGEN

A. *Complete the following passages as indicated:*

1. Ein Freund von —— (*me*) kommt aus Deutschland. 2. Er wohnt aber schon seit einig– Jahr– in Amerika. 3. Fritz, so heißt er, kann natürlich gut Deutsch, aber er findet die englische Sprache schwer. Deshalb helfe ich —— (*him*) bei sein– englisch– Aufgabe–. 4. Fritz schreibt auch oft sein– Freund– in Deutschland, und diese Freunde antworten —— (*him*). 5. Fritz zeigt —— (*me*) oft diese Briefe; aus —— (*them*) lerne ich viel Deutsch.

6. Heute wollte Hans ein– gut– Freund die Stadt zeigen. 7. Zuerst kaufte er —— (*himself*) etwas Benzin. 8. Dann fuhr er mit sein– neu– Auto zu sein– Freund. Natürlich fuhr er zu schnell. 9. Ein Schutzmann sah das, und Hans mußte stehenbleiben. Der Schutzmann fragte unser– Hans: „Warum fahren Sie denn so schnell?" 10. Hans antwortete —— (*him*): „Entschuldigen Sie, bitte, ich fahre erst seit einig– Tag– Auto!" 11. Der Schutzmann sagte freundlich zu —— (*the*) jung– Mann: 12. „Es ist gefährlich, bei so groß– Verkehr so schnell zu fahren. Diesmal kostet es noch nichts, aber passen Sie besser auf, und viel Vergnügen!" 13. Nachher erzählte Hans sein– Freund alles. 14. Dieser lachte nur und riet —— (*him*), das nächste Mal mit ein– alt– Fahrrad zu kommen.

B. *Answer in German, using dative singular forms of* **der, ein, mein,** *etc., as the context permits, with as many nouns as you can think of:*

z.B.: Wem sagten Sie das? : Ich sagte es **dem Lehrer** (**meinem Lehrer, einem Freund** usw.).

1. Wem schreiben Sie? Ich schreibe (Bruder, Freund usw.).
2. Wem antwortete der Schüler? Er antwortete (Professor, Vater usw.).
3. Wem erklärte der Lehrer die Aufgabe? Er erklärte sie (Kind, Student usw.).
4. Wem helfen Sie? Ich helfe (Arzt, Junge usw.).
5. Mit wem ging er? Er ging mit (Schutzmann, Kamerad usw.).
6. Wem dankt er? Er dankt (Mutter, Schwester usw.).
7. Wem gab sie das Geld? Sie gab es (Tante, Mädchen usw.).
8. Wem zeigte sie ihr Fahrrad? Sie zeigte es (Freundin, Nachbar usw.).
9. Von wem bekamen Sie den Brief? Ich bekam ihn von (Freund, Freundin, Kamerad usw.).
10. Womit (*with what*) fahren Sie? Ich fahre mit (Fahrrad, Auto, Wagen).

C. *Answer questions 1, 3, 4, 8, 9 in B again, this time using the dative plural of the noun:*

z.B.: Ich sagte es **meinen Freunden.**

D. (*a*) *Insert an appropriate descriptive adjective in each blank space.* (*b*) *Then reread each sentence, replacing the dative construction with the corresponding pronoun:*

z.B.: (*a*) Wir gaben dem **armen** Mann etwas Geld. (*b*) Wir gaben **ihm** etwas Geld.

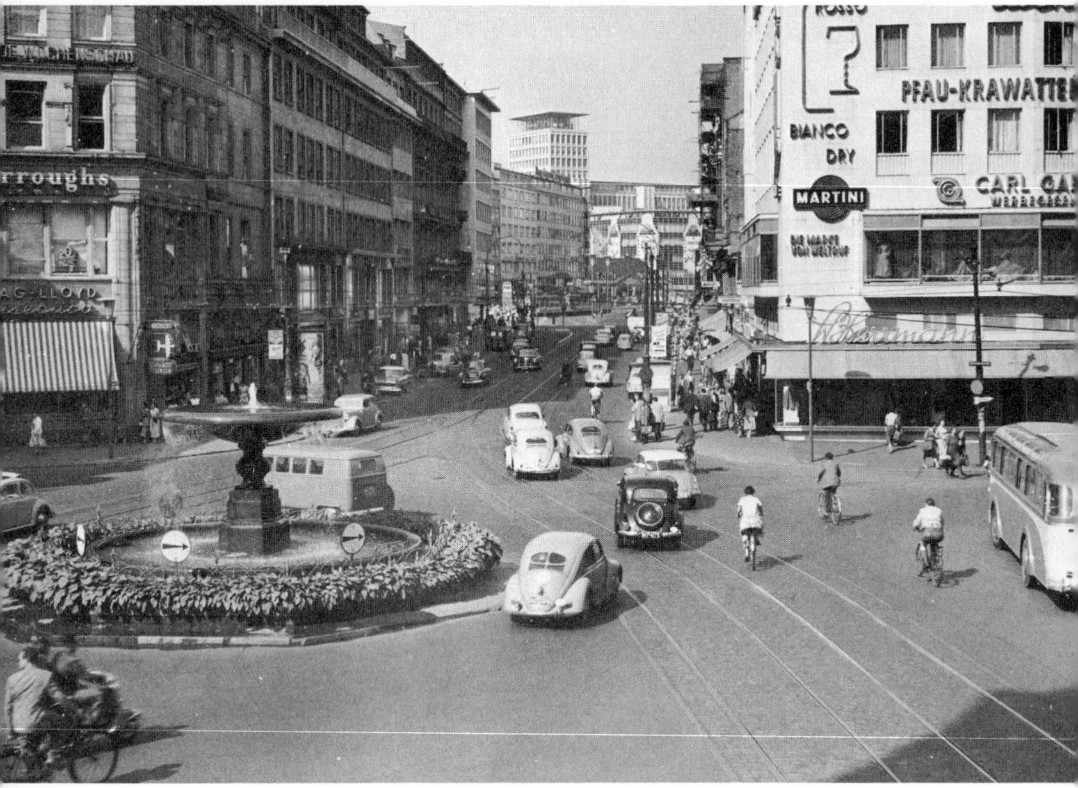

Frankfurt am Main: street scene

„Ich gehe zu Fuß!“

„Fast alle Leute, die nicht zu alt oder zu dick sind, fahren mit Rädern.“

Berlin: Kurfürstendamm

1. Wir müssen unsrer —— Katze etwas zu fressen geben. 2. Er wohnte lange bei der —— Frau. 3. Diese Bücher gehören alle den —— Schülern. 4. Der Hund folgte seinem —— Herrn in die Schule. 5. Was hören Sie von Ihrem —— Freund Jakob? 6. Die Großmutter erzählt den —— Kindern gern Märchen. 7. Er gab dem —— Vogel seine Freiheit wieder.

E. *Read the following sentences in the past tense:*

1. Ich *schreibe* meinem Freund Richard und er *schreibt* mir. 2. Die Kinder *fahren* mit kleinen Fahrrädern in die Schule. 3. Er *soll* sein Rad nicht allein stehen lassen. 4. Der Student *kann* sich das nicht leisten. 5. Er *raucht* immer zuviel. 6. Wie lange *haben* Sie dieses Auto schon? 7. Seit diesem Tage *wohnt* er in Berlin. 8. Wieviel *kostet* das Buch da mit den vielen Bildern? 9. Von wem *bekommt* er so viel Geld? 10. Er *hilft* mir gern bei meiner Arbeit.

F. *Ask yourself and others questions like the following and answer them in German:*

a. Wie geht es Ihnen heute? Seit wann wohnen Sie in dieser Stadt? Wo wohnten Sie früher? Bei wem wohnen Sie jetzt? Wer wohnt noch da? Wie lange studieren Sie schon Deutsch? Seit wann studieren Sie Fremdsprachen? Gefällt Ihnen Deutsch? — Müssen Sie immer „Ja!" sagen? Oder dürfen Sie auch „Nein!" sagen?

b. Haben Sie ein Auto? Hatten Sie früher eines? Wollen Sie sich ein neues Auto kaufen? Glauben Sie, daß Sie sich eines leisten können? Wann kauften Sie Ihr altes Auto? Fahren Sie gern? Fahren Sie gern bei großem Verkehr? Haben Sie ein Fahrrad? Reiten Sie gern? Können Sie fliegen?

c. Bekommen Sie gern Briefe? Schreiben Sie auch gern Briefe? Wem schreiben Sie? Von wem bekommen Sie Briefe? Brauchen Sie auch Briefmarken? Gehen Sie zum Postamt? Kaufen Sie sich Briefmarken? Wollen Sie mir auch einige kaufen?

d. Was machen Sie nach der Stunde? Gehen Sie nach Hause? Fahren Sie mit der Straßenbahn? Fahren Sie mit Freunden oder allein? Studieren Sie Ihre Schularbeiten mit einem Freund? mit einer Freundin? Hilft er (sie) Ihnen? Helfen Sie ihm (ihr) auch? Haben Sie einen Hund? Hat Ihr Freund (Ihre Freundin) einen Hund? Spielt Ihr Freund gern mit dem Hunde? Zu wem läuft der Hund zuerst, wenn er Sie sieht?

e. Arbeiteten Sie letzten Sommer? Verdienten Sie viel Geld? Wieviel verdienten Sie? Gaben Sie es gleich wieder aus? Konnten Sie sich ein Auto kaufen? Was kauften Sie sich dafür? Kostete das viel? Arbeitet Ihr Bruder? Was tut er? Was kauft er sich? Arbeitet Ihre Schwester? Hilft sie der Mutter in der Küche?

f. Sieht man hier viele Autos auf der Straße? Sieht man so viele in Deutschland? Warum nicht? Wieviel kostet ein neues Auto hier? ein altes? Womit fährt man viel in Deutschland? Ist ein Auto billig? Ist ein Fahrrad teuer? Ist das genug für heute? Nun, viel Vergnügen!

„Mit dem Hute in der Hand
Kommt man durch das ganze Land.“

DIE ELFTE STUNDE

I. Ins Freie hinaus

Die großen Städte haben ihre Lichtseiten: sie bringen interessante Menschen zusammen; da sind die großen Bibliotheken,[1] die Museen, die Theater und Konzertsäle.[2] Die Hotels sind gut und bequem, in den Restaurants ißt man gut, und in den vielen großen Geschäften kauft man gut und billig ein. Und wenn man kein Geld hat, um einzukaufen, kann man durch die Straßen wandern und die schönen Schaufenster bewundern.

Aber wir kennen alle auch die Schattenseiten der großen Städte: den Lärm, den Rauch und den Schmutz, die engen Straßen und die dunklen Wohnungen. Der Dichter[3] Rainer Maria Rilke, zum Beispiel, beschrieb die großen Städte so:

> Da leben Menschen, leben schlecht und schwer
> in tiefen Zimmern, bange von Gebärde . . .
> Da wachsen Kinder auf an Fensterstufen,
> die immer in demselben Schatten sind,

[1] libraries. [2] **der Saal, Säle** hall. [3] poet.

und wissen nicht, daß draußen Blumen rufen
zu einem Tag voll Weite, Glück und Wind ...[1]

Wenn uns eine solche Stimmung packt,[2] dann ist es Zeit, ins Freie zu fahren. Das ist heutzutage [3] viel leichter, als es in den Tagen Rilkes war. Wir setzen uns auf die Eisenbahn,[4] in die Straßenbahn, einen Autobus oder in unseren eigenen Wagen — und in einer oder zwei Stunden sind wir draußen in der guten frischen Luft.

Die Fahrt geht durch kleine Orte und offenes [5] Land. Aus den Fenstern sehen wir hinaus auf Hügel und Berge, auf weidendes Vieh,[6] auf bunte Wiesen und Felder oder im Winter über die weiße saubere Schneedecke.[7]

Vielleicht fahren wir an einen See. Wenn es warm genug ist, ziehen wir uns schnell aus [8] und springen ins Wasser. Vielleicht macht uns das Fischen Spaß und wir setzen uns an das Ufer eines Baches. Dort sitzen wir dann stundenlang. Vielleicht fangen wir sogar ein Fischlein. Vielleicht sind wir Bergsteiger; dann wandern wir in die Berge und steigen auf einen hohen Gipfel.

Auf jeden Fall [9] sind wir am Abend todmüde und wir haben einen schönen Vorrat [10] von guter Luft angesammelt, wenn wir wieder in die Stadt zurückfahren.

Studieren Sie diese Stunde genau so wie Sie die vorigen studiert haben!

II. WORTSCHATZ

1. Passen Sie auf!

a. **bequem : unbequem** comfortable, convenient : uncomfortable, inconvenient
***hoch [11] : tief : nieder (niedrig)** high : deep : low
sauber : schmutzig clean : dirty
der Schmutz dirt, filth

eigen own
***minu'tenlang, stundenlang, tagelang usw.** for minutes, for hours, for days, etc.

[1] "There are people living there, a life both hard and poor / in deep-down rooms, of worried mien and gesture ... / Children grow up there at basement windows / where never-changing shadows ever linger; / they do not know that out there flowers call / them to a day of space and wind and pleasure ..." [2] "when such a mood seizes us." [3] nowadays. [4] railroad; *here:* "train". [5] open. [6] grazing cattle. [7] blanket of snow. [8] **sich aus-ziehen** to undress. [9] in any case. [10] supply. [11] **Hoch** *drops the* **c** *when it adds an ending:* **hohe Berge.**

bewundern to admire
***schicken** to send
wandern to wander; hike

*b. **liegen (lag): legen; sitzen (saß): setzen; stehen (stand): stellen**

Er legt das Buch auf den Tisch; jetzt liegt es darauf (auf dem Tisch). Ich setzte mich auf den Stuhl; nun sitze ich darauf (auf dem Stuhl). Wir stellen Blumen auf den Tisch; dann stehen sie darauf (auf dem Tisch).

German distinguishes carefully between action and position in several such verb pairs as those above. Although most such pairs have disappeared from English, better usage still requires us to distinguish between "to sit : to set," "to lie : to lay," and "to fall : to fell."

The verbs **legen, setzen, stellen** may all frequently be translated quite simply as *to put.* Where German uses **liegen, sitzen, stehen,** English would often be content to use the verb *to be.*

*c. **Es gibt : es ist, es sind**

Im Winter gibt es viel Schnee.	*There is a lot of snow in winter.*
Es gibt keine grünen Hunde.	*There are no green dogs.*
Es gab viel zu tun.	*There was a lot to do.*
Was gibt's Neues?	*What's new?*
Es ist ein fremder Herr da.	*There is a strange man here.*
Es sind heute zwanzig Studenten hier.	*There are twenty students here today.*

Es gibt serves a similar purpose in German as *there is, there are* in English, but it is used far less frequently. **Es gibt** is more indefinite than its English counterpart; it shows only general existence or occurrence and is never used in the sense of "to be present."

***2. Auf dem Lande**

die Fahrt, -en drive, ride, trip
der Ort, -e *or* **⸚er** place; town

die Erde, -n earth
das Feld, -er field
der Wald, ⸚er woods, forest
die Wiese, -n meadow

der Bach, ⸚e brook
der Fluß, Flüsse river
der See, -n lake
das Ufer, - bank

der Baum, ⸗e tree
die Blume, –n flower
das Gras, ⸗er grass
der Stein, –e stone

der Berg, –e mountain
der Gipfel, – peak
der Hügel, – hill
das Tal, ⸗er valley

die Luft, ⸗e air
die Natur', –en nature
der Wind, –e wind

aufs Land to the country
ins Freie out into the open
auf dem Land(e) in the country
im Freien out in the open

3. A few more compound words

bringen : zusammen-bringen to bring : to bring together
fahren : zurück-fahren to ride, drive : to ride back, drive back

der Bergsteiger = der Berg + steigen = mountain climber
die Lichtseite = das Licht (light) + **die Seite** = bright side
die Schattenseite = der Schatten (shadow) + **die Seite** = dark side
das Schaufenster = schauen (to look, see) + **das Fenster** = show window
todmüde = der Tod (death) + **müde** (tired) = dead tired

***4. Hin und her** (back and forth)

Wo sind Sie?	*Where are you?*
W**ohin** gehen Sie? Wo gehen Sie **hin?**	*Where are you going (to)?*
W**oher** kommen Sie? Wo kommen Sie **her?**	*Where do you come from?*
Gehen Sie **hin**ein! Kommen Sie **her**ein!	*Go in! Come in!*
Gehen Sie **hin**aus! Kommen Sie **her**aus!	*Go out! Come out!*
Wir sahen auf die Berge **hin**aus.	*We looked out at the mountains.*

The little words **hin** and **her** crop up continuously with verbs suggesting motion toward or away from a given point. They are used either by themselves or combined with some other word. They usually do not have a modern English equivalent: **hin** merely shows motion away from the speaker, **her** motion toward the spot where the speaker is located. — Compare older English usage: whither? (**wohin?**); whence? (**woher?**); thither (**dahin, dorthin**); thence (**daher, dorther**).

5. Location

außen : innen (on the) outside : (on the) inside
  draußen : drinnen outside, out there : inside, in there
oben : unten up above; upstairs : down below; downstairs
  droben : drunten up there : down there
drüben over there
hinten : vorn(e) in back : in front

„Wir steigen auf einen hohen Gipfel.“

Ins Freie hinaus

Upper Bavaria: The Königssee

„In zwei Stunden sind wir draußen in der guten frischen Luft."

III. ERLÄUTERUNGEN

*1. Nine prepositions in answer to *wo?* or *wohin?*

Wo? **Wohin?**

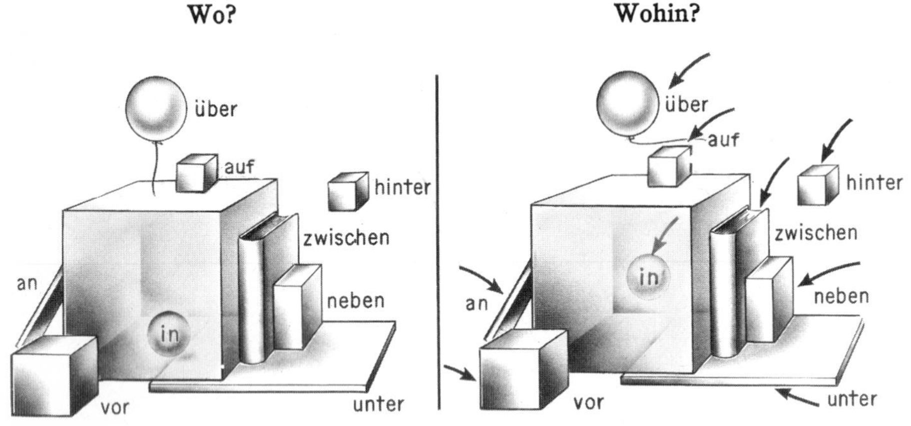

DATIVE	ACCUSATIVE
Ich bin in der Schule.	Ich gehe in die Schule.
Es liegt auf dem Tisch.	Er legt es auf den Tisch.
Sie steht an der Tür.	Sie geht an die Tür.
Er läuft im Garten herum.	Er läuft in den Garten.

When the nine prepositions in the diagrams above show *place where*, they are followed by the dative; when they show *place to which*, they are followed by the accusative.

2. The nine prepositions in other uses

Er denkt oft **an sie.**	*He often thinks of her.*
Mein Freund wartet **auf mich.**	*My friend is waiting for me.*
Wir haben keine Angst **vor ihm.**	*We are not afraid of him.*
Er schrieb mir **über deutsche Städte.**	*He wrote me about German cities.*

The nine prepositions shown in the diagrams above are often used in other senses than *place where* or *place to which*. The vocabulary listing will then tell you what case to use, for instance: **warten** (**auf**/*acc.*) *to wait* (*for*).

***3. Contractions of the prepositions with the definite article**

am = an dem	im = in dem	aufs = auf das
ans = an das	ins = in das	

***4. *Wo* + preposition; *da* + preposition**

Womit schreibe ich? Schreibe ich mit der Kreide? Ja, ich schreibe **damit.**	***With what*** *am I writing? Am I writing with the chalk? Yes, I am writing* ***with it.***
Woraus liest er? Liest er aus dem Buche? Ja, er liest **daraus.**	***From what*** *is he reading? Is he reading from the book? Yes, he is reading* ***from it.***
Worauf warten Sie? Warten Sie auf die Glocke? Ja, wir warten **darauf.**	***What*** *are you waiting* ***for?*** *Are you waiting for the bell? Yes, we are waiting* ***for it.***
(Auf **wen** warten Sie, auf Ihren Freund? Ja, ich warte auf **ihn.**	(*For* ***whom*** *are you waiting, for your friend? Yes, I am waiting for* ***him.***
Mit **wem** spielt er, mit seinem Hund? Ja, er spielt mit **ihm.**)	*With* ***whom*** *is he playing, with his dog? Yes, he is playing with* ***him.***)

Personal pronouns are seldom used with a preposition when the pronoun refers to a *thing* or *things;* **da**– (**dar**– before vowels) is combined with the preposition instead. — Compare the older English forms *there*by, *there*from, *there*with, etc.

Similarly, **wo**– (**wor**– before vowels) replaces the interrogative pronoun with prepositions if the pronoun refers to a thing or things. — Compare older English forms: *where*by, *where*fore, *where*with, etc.

5. Time when

am Montag, am Dienstag usw.	*on Monday, on Tuesday, etc.*
am Morgen, am Abend usw.	*in the morning, in the evening, etc.*
im Januar, im Februar usw.	*in January, in February, etc.*
in der Nacht	*at night*

"Time when" is treated similarly to "place where" in that the dative case is used after the prepositions **an** and **in.** Note also the use of the definite article in the examples given.

IV. ÜBUNGEN

A. *Supply the dative form of the definite article or the dative form required:*

1. Die Augen sind in —— Kopf. 2. Die Ohren sitzen an —— Kopf. 3. Die Finger sind an —— Hand. 4. An —— Händen trägt man Handschuhe. 5. Die Brille sitzt auf —— Nase. 6. Der Kopf sitzt auf —— Hals. 7. Auf —— Kopf trägt man einen Hut.

8. Wir sind in —— Schule. 9. Vor —— Tafel steht ein Tisch. 10. An —— Tisch sitzt unser Lehrer auf ein– Stuhl. 11. Auf —— Tisch liegen Bücher. 12. Wir müssen in unser– Bücher– lesen.

13. Unsere Familie wohnt in ein– großen Stadt. 14. Wir sind aber alle gern auf —— Land. 15. Mit unser– neuen Auto sind wir in wenig– Minuten draußen. 16. Aus —— offenen Fenstern sieht man hinaus auf Wiesen und Felder. 17. Nachher sitze ich an ein– Bache und fische. 18. Neben —— (*me*) auf ein– großen Stein sitzt mein Bruder. 19. In —— Bach schwimmen viele Fische. 20. Neben —— (*us*) liegen schon zwei von —— (*them*).

B. *Complete the following passages with the accusative forms of the definite article, or as indicated:*

1. Heute abend fährt unsere ganze Klasse auf —— Land. 2. Wir setzen uns in ein– Autobus und fahren in ein– schönen Wald. 3. Dann wandern wir durch —— Wald und über ein– Wiese. 4. Wir steigen dann alle auf ein– niedrigen Berg. 5. Von dort können wir über grün– Wiesen und Felder auf ein– kleinen See hinuntersehen.

6. Meine Freundin und ich fuhren gestern zusammen in —— Schule. 7. Der Lehrer kam spät in —— Klassenzimmer. 8. Er ging sofort an —— Tafel. 9. Er schrieb einige Sätze an —— Tafel und setzte sich dann bequem an sein– Tisch. 10. Nun mußten wir die Sätze in unser– Hefte schreiben.

C. *Complete with the dative or accusative form of the definite article, or as indicated:*

1. Unsere Familie ist gern auf —— Lande. 2. Wir fahren oft mit einig– Freund– ins Freie hinaus. 3. Nach der Fahrt wandern wir durch ein– Wald. 4. Danach essen wir unser Mittagessen unter hoh– schön– Bäumen. 5. Wir müssen oft an unser– ander– arm– Freunde zu Hause denken, denn wir

können nur zwei oder drei in unser– klein– Wagen hineinbringen. 6. Bald aber müssen wir in —— Stadt zurückfahren. 7. Wir steigen alle aus —— Auto. 8. Mit —— Aufzug fahren wir in —— zweit– Stock und setzen uns in bequem– Stühle in unser– Wohnung. 9. Wir sind alle todmüde und schlafen manchmal schon in unser– Stühlen ein.

10. Ich habe nun wirklich mein eigen– Auto! 11. Es gehört —— (*to me*) ganz allein. 12. Heute fahre ich zum ersten Mal in —— Schule. 13. Es fahren einige Freunde mit —— (*me*). 14. Einer von mein– Freunden sitzt neben —— (*me*), die anderen setzen sich hinter —— (*us*). 15. Ich fahre sehr langsam durch —— Straßen. 16. Nach zehn Minuten kommen wir an —— Schule. 17. Vor —— Tür steht gerade mein Deutschlehrer. 18. Ich grüße —— (*him*). 19. Er dankt —— (*me*) und sagt: „Aha, mein Lieber, ich sehe, Sie haben jetzt ein– Wagen. 20. Da brauchen Sie nicht so lange, um in —— Schule zu kommen, und haben also mehr Zeit, Ihr Deutsch zu studieren." 21. Ich denke bei —— (*myself*), vielleicht komme ich morgen doch wieder ohne mein Auto in —— Schule.

D. *Supply* **wo**-*compounds or* **da**-*compounds, or the proper form of the personal pronoun:*

z.B.: **Mit wem** gehen Sie? Mit meinem Freund. Ich gehe **mit ihm.** — **Womit** schreiben Sie? Mit der Feder. Ich schreibe **damit.**

1. (*On what*) sitzen Sie? Auf einem Stuhl. Ich sitze (*on it*).
2. (*On what*) setzten Sie sich? Auf einen Stuhl. Ich setzte mich (*on it*).
3. (*In what*) liest man? In Büchern. Man liest (*in them*).
4. (*With what*) fahren Sie? Mit dem Rad. Ich fahre (*with it*).
5. (*With whom*) fuhren Sie? Mit dem Bruder. Ich fuhr (*with him*).
6. (*For what*) warten Sie? Auf mein Essen. Ich warte (*for it*).
7. (*For whom*) warteten Sie? Auf eine Freundin. Ich wartete (*for her*).
8. (*With whom*) spielte er? Mit seinem Hunde. Er spielte (*with him*).
9. (*Of what*) denken Sie? Ich denke an meine Arbeit. Ich denke (*of it*).

E. *Ask yourself and others questions like the following and answer them in German:*

a. Wie heißen Sie? Wo wohnen Sie? Bei wem wohnen Sie? In welcher Straße wohnen Sie? in welcher Stadt? Wann gingen Sie heute morgen in die Schule? Fuhren oder gingen Sie in die Schule? Wie oft gehen Sie in die Schule? jeden Tag? Womit fahren Sie hin? Gehen Sie oft zu Fuß? Sind Sie fleißig?

Machten Sie gestern abend Ihre deutsche Aufgabe? Lasen Sie die Zeitung? Lasen Sie eine deutsche Zeitung? Lernen Sie schnell? Wie heißt Ihr Freund links? Ihre Freundin rechts? In welcher Straße wohnt sie?

b. Wo liegt Ihr Buch? Wo liegen meine Bücher? Worauf sitzen Sie? Wo steht der Lehrer? Woran schreibt er? Womit schreibt er? Womit schreiben Sie? Womit hört man? Womit sieht man? Wann kommt der Lehrer ins Klassenzimmer? Wohin legt er seine Bücher? Wo liegen sie jetzt? Wohin legt er den Hut? Wo liegt er jetzt? Wohin schickt der Lehrer die Schüler? Schreiben sie gern an die Tafel?

c. Sind Sie gern auf dem Lande? Fahren Sie oft aufs Land? Mit wem fahren Sie hinaus? Was sehen Sie dort? Was tun Sie dort? was noch? (Was kann man noch tun?) Waren Sie im Sommer auf dem Lande? Was taten Sie dort? Was kann man in der Stadt tun? was noch? Wo kaufen Sie Ihre Kleider? Wohin gehen Sie nach der Stunde? Wohin gingen Sie gestern? Gehen Sie heute allein hin? Auf wen warten Sie? Worauf warten Sie jetzt? Wann läutet die Glocke? Wie lange ist das noch?

d. Beschreiben Sie noch schnell Ihr Auto! Beschreiben Sie das Klassenzimmer! Ihre Wohnung! ein Hochhaus! den Lehrer! Beschreiben Sie den Studenten, der neben Ihnen sitzt! die Studentin, die da vor Ihnen sitzt! einen Freund! eine Freundin! einen Bekannten! usw.

„Wer selbst im Glashaus sitzt,
soll nicht mit Steinen werfen."

DIE ZWÖLFTE STUNDE

I. Freuden der Liebe

Heute beginne ich ein Tagebuch;[1] denn einem Tagebuch kann ich sagen, was ich sonst noch niemandem sagen will: ich bin verliebt.

Das kam ganz plötzlich;[2] nämlich so: Ich gehe am Mittag gewöhnlich mit einigen Freunden in ein Restaurant. Heute war auch die Schwester eines meiner Freunde da. Sie ist groß und schlank.[3] Ihre Augen sind blau, ihre Haare sind blond und der Ton ihrer Stimme ist angenehm. Sie lachte nicht nur mit dem Mund, sondern auch mit den Augen. Wenn sie lacht, sieht man eine Reihe der schönsten Zähne.[4]

Während des Essens erzählte sie mir von sich. Sie heißt Susan. Sie will Sängerin werden. Sie ist die Schülerin eines bekannten Opernsängers. Das Studium kostet viel Geld. Deshalb arbeitet sie während der halben Woche als Verkäuferin in einem Warenhaus.[5] Während der anderen halben Woche studiert sie. Sie nimmt nicht nur Gesangsstunden. Sie studiert auch Italienisch und sie hat es sehr gern. Später will sie auch Deutsch

[1] diary. [2] suddenly. [3] tall and slender. [4] a row of the most beautiful teeth. [5] **die Ware, -n** (wares, goods) + **das Haus** = department store.

studieren. Sie will einmal deutsche Lieder singen, vor allem [1] die Lieder von Schubert, Brahms und Richard Strauß.

Und nun die Hauptsache: ich bat sie, am nächsten Sonntag mit mir auszugehen, und sie sagte ja. Wegen ihrer vielen Arbeit geht sie wenig aus. Aber sie geht mit mir. Das freut mich. Wir gehen in ein Konzert. Das Konzert beginnt um acht Uhr. Ich treffe sie um halb sieben Uhr im Haus ihrer Eltern. Dann gehen wir zum Essen und danach ins Konzert. Nach dem Konzert bringe ich sie nach Hause.

Ich kenne viele Mädchen, aber noch keine gefiel mir so gut wie Susan. Ich kann den Sonntag kaum erwarten.[2] Ich habe keine Lust zu arbeiten und ich habe keinen Hunger. Anstatt dessen denke ich immer an Susan. Ich höre den Ton ihrer Stimme und ich sehe das Lachen ihrer Augen. Ich bin wirklich bis über die Ohren verliebt.

Studieren Sie diese Stunde genau so wie die vorigen!

II. WORTSCHATZ

*1. Vergessen Sie uns nicht!

a. **eines Tages, eines Morgens, eines Nachts usw.** one (some) day / morning / night, etc.

morgens, abends, nachts usw. in the morning, mornings; in the evening, evenings; at night, nights, etc.

b. **begegnen** (*dat.*) to meet, encounter

bitten, bat (um / *acc.*) to ask (for), request

Ich bat sie um eine Verabredung. I asked her for a date.

kennen-lernen to meet, get to know

treffen (trifft), traf to meet

angenehm : unangenehm pleasant : unpleasant

„Sehr angenehm!" "Pleased to meet you."

c. **die Freude, -n** joy, pleasure

sich (*acc.*) **freuen** to be happy, be glad

Ich freue mich über (*acc.*) **das Buch.** I am pleased about the book.

Er freut sich auf (*acc.*) **das Konzert.** He is looking forward to the concert.

Es freut mich, Sie kennenzulernen. I am happy to meet you.

[1] above all, especially. [2] hardly wait for.

d. **die Liebe** love	**beliebt** popular
	geliebt beloved
lieben to love	**verliebt** in love

*2. Telling time: quarter and half hours

Wir essen um **halb sieben** (Uhr).	*We eat at* ***half past six.***
Das Konzert beginnt um (**ein**) **Viertel neun** (Uhr).	*The concert starts at* ***quarter past eight.***
Um **drei Viertel elf** (Uhr) ist es aus.	*It is over at* ***quarter to eleven.***

Although German tells time very much in the same way as English (*Fünfte Stunde,* II, 3), the quarter hours and half hours follow a different pattern. The hour from 8 to 9 is actually the *ninth* hour of the day. Therefore 8:15 is **ein Viertel neun; drei Viertel neun** tells us that three quarters of the ninth hour are past, that it is 8:45. The half hour is almost always indicated in this way: 8:30 is **halb neun,** 12:30 is **halb eins,** and so on.

Train time and theater time are usually announced by the 24-hour clock: **20 Uhr** = 8 p.m., **16:30** = 4:30 p.m., etc.

3. Places to go

Wir gehen gern **ins** Kino, **ins** Konzert, **ins** Theater. Wir sind gern **im** Kino, **im** Konzert, **im** Theater.

das Kino, -s **das Konzert', -e** ***das Thea'ter, -**

Am Sonntag geht man **in die** Kirche. Während der Woche gehen die Schulkinder **in die** Schule. Abends geht man vielleicht **in die** Oper. (Man ist **in der** Kirche, **in der** Schule, **in der** Oper.) Man fährt **in die** Stadt; dann ist man **in der** Stadt (*down town*).

***die Kirche, -n** **die Oper, -n** ***die Schule, -n**

*4. An important pattern

Ich habe Durst; ich habe keinen Durst.	*I am (am not) thirsty.*
Ich habe Hunger; ich habe keinen Hunger.	*I am (am not) hungry.*
Ich habe Angst; ich habe keine Angst.	*I am (am not) worried.*
Ich habe Lust; ich habe keine Lust.	*I want to; I do not want to.*

***5. Die Zahlen über 100**

hundert, zweihundert, dreihundert usw.
hunderteins, hundertzwölf, hundertvierundzwanzig usw.

tausend, zweitausend, dreitausend usw.
tausendzweihundertsechsunddreißig usw.

Jahreszahlen:

1492 vierzehnhundertzweiundneunzig
1958 neunzehnhundertachtundfünfzig

6. Building your vocabulary

a. Nouns ending in –**ung**:

biegen : die Biegung to bend : the bend, curve
enden : die Endung to end : the ending
üben : die Übung to practice : the exercise, practice
verabreden : die Verabredung to make a date : the date, appointment

There are many nouns in German which derive from the stems of verbs + the ending –**ung.** They are always **die**-nouns; their plurals accordingly always end in –**en: die Wohnung, die Wohnungen.** — Form similar nouns from: **bewundern, erklären, erläutern, erzählen, wandern, wohnen, zeichnen!**

b. "Agent" nouns:

an-fangen : der Anfänger to begin : the beginner
kaufen : der Käufer to buy : the buyer
lehren : der Lehrer to teach : the teacher
Schuhe machen : der Schuhmacher to make shoes : the shoemaker

Both English and German form a great number of "agent" nouns from verbs by adding –**er** to the verb stem. These nouns usually mean the person who does whatever the verb suggests. (In English: do, doer; sing, singer; play, player, etc.) The plural of these nouns is always identical with the singular.

III. ERLÄUTERUNGEN

1. The genitive forms of adjectives, nouns, and *wer?*

GENITIVE OF	*SINGULAR*		*PLURAL*
	WITH **der**-NOUNS & **das**-NOUNS: –**s**	WITH **die**-NOUNS: –**r**	WITH ALL NOUNS: –**r**
dieser-adjectives	de*s*, diese*s* Tisches de*s*, diese*s* Fensters	de*r*, diese*r* Zeit	de*r*, diese*r* Tische / Fenster / Zeiten
ein-adjectives	eine*s*, meine*s* Wagens eine*s*, meine*s* Buches	eine*r*, meine*r* Feder	keine*r*, meine*r* Wagen / Bücher / Federn
unpreceded descriptive adjectives	(kalte*n* Kaffees, kalte*n* Wassers)	schöne*r* Musik	alte*r* Tische / Bücher / Zeiten
wer?	wessen?		

▶ **Dieser**-adjectives and **ein**-adjectives show the following genitive endings:

–**es** with **der**-nouns and **das**-nouns in the singular;
–**er** with **die**-nouns in the singular;
–**er** with all nouns in the plural.

▶ **Der**-nouns and **das**-nouns usually have an –**s** in the genitive singular;[1] if the noun ends in an **s**-sound, –**es** is used. — Note also that one-syllable nouns may use –**es** instead of –**s**.

▶ No **die**-nouns and no nouns in the plural ever have a special genitive ending.

2. Preceded adjectives in the genitive

meines gut**en** Freund(e)s — der jung**en** Frau — der alt**en** Häuser
dieses groß**en** Land(e)s
(kalt**en** Kaffees, kalt**en** Wassers)

[1] You have already met a few **der**-nouns such as **der Student, –en, –en** which show the ending **–en** in all cases except the nominative singular (*Sechste Stunde*, III, 4; Appendix **II**, IIIe). Except for such rare irregular forms, our *Wortschatz* will continue to list only the plural endings of nouns, since almost all **der**-nouns and **das**-nouns end in **–s** (**–es**) in the genitive. The end vocabulary, however, gives the genitive singular and the nominative plural of all **der**-nouns and **das**-nouns: **der Wagen, –s, – = des Wagens, die Wagen.**

Remember that all preceded descriptive adjectives have the ending **–en** in all cases except the nominative singular. — In contemporary German, unpreceded descriptive adjectives also usually end in **–en** instead of **–es** with **der**-nouns and **das**-nouns in the genitive singular.

3. Personal pronouns in the possessive function

Er ist kein Freund **von mir, von ihm, von ihr, von uns, von ihnen, von Ihnen.**	*He is no friend of mine, of his, of hers, of ours, of theirs, of yours.*

Although genitive forms of the personal pronouns do exist (Appendix **II**, Va), they are almost never used. **Von** with the dative forms of the personal pronouns has replaced them.

4. Uses of the genitive case

a. Possession:

Wessen Buch ist das? Es ist das Buch **des** Lehrer**s**.
Der Wagen mein**es** Bruder**s** ist ganz neu.
Die Tage **der** Woche heißen Montag, Dienstag usw.
Ich sehe das Lachen ihr**er** Augen.

The forms of the genitive primarily express the function of *possessing* or of belonging to somebody or something. (In English: *the teacher's book* or *the book of the teacher.*)

**b.* Prepositions with the genitive:

anstatt eines Konzerts, **anstatt** dieser Übung	*instead of*
während des Tages, **während** dieser Stunde	*during*
wegen des Geldes, **wegen** ihrer Augen	*because of, on account of*
also: des Geldes **wegen**	
meinetwegen, seinetwegen, uns(e)retwegen, ihretwegen	*on (my, his, our, their) account*

Only three of the more common German prepositions are regularly followed by the genitive: **anstatt (statt), während,** and **wegen.**

IV. ÜBUNGEN

A. *Supply genitive forms as indicated:*

1. Die Fenster unser– Zimmers sind hoch und schmal. 2. Im Hause sein– Eltern stellte man immer Blumen auf den Tisch. 3. Während d– Woche muß er schwer arbeiten. 4. Der Gipfel d– Berges lag im Schatten. 5. Das Lernen ein– Sprache braucht Zeit. 6. Der Wagen mein– Eltern war sehr alt, aber der Motor d– alt– Wagens ging noch sehr gut. 7. Er setzte sich auf den Stuhl ein– Schulkameraden. 8. Die Kleider mein– Schwester sind recht teuer. 9. Anstatt ein– Bleistifts nahm ich meine Feder. 10. Die Hände d– klein– Kindes waren nicht gerade sauber. 11. Die Stimme sein– Freundin war sehr angenehm. 12. D– Lehrers Stimme ist nicht immer angenehm. 13. Das Wasser d– klein– Sees wurde während d– Nacht sehr kalt. 14. Er tat es nur —— (*on their account*), denn er war ein guter Freund —— —— (*of theirs*). 15. Die Sätze dies– Übung sind oft recht dumm.

B. *Supply genitive endings as indicated:*

1. Wessen Wagen ist das? Es ist der Wagen mein– Lehrer–, mein– Bruder–, unser– Eltern, ein– Onkel–.
2. Wessen Tagebuch lesen Sie da? Ich lese das Tagebuch ein– Freund–, mein– jung– Schwester, ein– gut– Freundin.
3. Wessen Hut liegt dort? Es ist der Hut ein– Schülerin, ein– Studentin, unser– Lehrer–, unser– deutsch– Lehrer–.
4. Wessen Blumen stehen dort? Es sind die Blumen mein– gut– Mutter, ein– klein– Mädchen–, Ihr– Schwester.
5. Wessen Hund bellte so laut? Der Hund dies– Kind–, dies– klein– Kinder, unser– Nachbarin bellte laut.
6. Wessen Stimmung war schlecht? Die Stimmung mein– Vater–, unser– Lehrer–, mein– Kamerad– war schlecht.

C. *Substitute the appropriate possessive adjective for the genitive:*

z.B.: Das ist der Wagen *des Lehrers* : Das ist **sein** Wagen.

1. Das ist der Wagen *meines Bruders.* (*meiner Eltern, meiner Schwester*)
2. Ich lese nie in dem Tagebuch *der Schwester.* (*meiner Freunde*)

Franz Schubert

Johannes Brahms

„Wir gehen ins Konzert."

3. Die Farbe *der Tinte* ist grün. (*des Wassers, des Baumes*)
4. Er fuhr mit dem Wagen *seines Vaters.* (*eines Nachbarn, der Eltern*)
5. Die Sätze *dieser Übung* waren schwer. (*dieser Aufgabe, dieses Buches*)

D. *Lesen Sie auf deutsch:*

a. als gewöhnliche Zahlen!

100, 110, 120 usw. bis 200
211, 322, 433 usw. bis 988
1 010, 2 020, 3 030 usw. bis 10 010
1 200, 2 300, 3 400 usw. bis 10 000
11 437, 29 777, 329 550, 817 206
1 500 000, 50 000 000, 120 000 000 000

b. als Jahreszahlen!

1066, 1492, 1776, 1812, 1929, 1957

E. *Answer the following questions in German in as many different ways as you can:*

z.B.: Ist das des Lehrers Buch? : Ja, es ist sein Buch. — Nein, es ist das Buch einer Studentin, meiner Freundin usw.

a. Ist das da mein Buch? Ist es Ihr Buch? Wessen Buch ist es? Gehört es mir? Wem gehört es? Wessen Heft liegt da auf dem Tisch? Gehört es Ihnen? Ist das da Ihr Mantel? Wessen Mantel ist es? Ist es der Mantel eines Studenten oder einer Studentin? Ist das mein Hut? Sind das Ihre Handschuhe? Wessen Feder ist dies? Ist es Herrn Schmidts Feder? Mit wessen Feder schreiben Sie? usw.

b. Wessen Uhr ist dies? Ist es meine Uhr? Wessen Uhr hängt dort an der Wand? Wem gehört sie? Was für eine Uhr ist es? Ist es eine Wanduhr oder eine Taschenuhr? Geht sie manchmal vor oder nach? Haben Sie auch eine gute Taschenuhr? Was für eine Uhr haben Sie? Bleibt sie oft stehen? Müssen Sie sie oft zum Uhrmacher bringen? Haben Sie einen guten Uhrmacher? Ist er sehr teuer?

c. Sind die Antworten von Schülern gewöhnlich richtig? Sind des Lehrers Antworten immer richtig? Ist es Ihnen unangenehm, wenn Sie oft antworten müssen? Wollen Sie, daß der Lehrer Sie oft fragt? Haben Sie Angst, eine falsche Antwort zu geben? Freuen Sie sich, wenn Sie richtig antworten können? Freut sich der Lehrer, wenn Sie richtig antworten?

d. Fahren Sie manchmal mit dem Wagen Ihres Vaters? Fuhren Sie heute mit einem Auto in die Schule? Mit wessen Auto fuhren Sie? Haben Sie Ihr eigenes Auto? Ist es ein guter Wagen? Geht der Motor dieses Wagens noch gut? Bleibt er manchmal stehen? Braucht er viel Benzin? Fahren Sie auch manchmal damit aufs Land? Haben Sie vielleicht auch ein Fahrrad? Ist es alt oder neu? Hat ein Freund von Ihnen auch ein Fahrrad?

e. Haben Sie jetzt Hunger? Wann essen Sie gewöhnlich? Haben Sie Durst? Haben Sie Lust, heute abend ins Theater zu gehen? Gehen Sie oft ins Theater? in die Oper? Wohin gehen Sie sonst gern am Abend? Wo treffen Sie Ihre Freunde gewöhnlich? Haben Sie schon eine Verabredung für heute abend? für nächsten Sonntag? Haben Sie viele Verabredungen oder sind Sie gern allein? Was tun Sie gern, wenn Sie allein sind? Lesen Sie viel? Hören Sie gern Musik?

f. Wann standen Sie heute auf? Um wieviel Uhr gingen Sie in die Schule? Um wieviel Uhr begann unsere deutsche Stunde? Begann sie um halb neun? Wann ist sie aus? Wann kommen Sie wieder hierher? Freuen Sie sich darauf?

„Aller guten Dinge sind drei."

DIE DREIZEHNTE STUNDE

I. Die schönste Jahreszeit

Die schönste Jahreszeit in den Vereinigten Staaten ist der Herbst. In Deutschland ist es der Frühling. Im Frühling ist das Wetter gewöhnlich schöner als in den anderen Jahreszeiten. Es ist weder zu kalt noch zu heiß. Die Luft ist frisch und angenehm. Während des Tages scheint die Sonne. Die Nächte sind kühl. Es regnet wenig.

Wenn der Lehrer am Morgen in die Stunde kommt, dann singen die Kinder:

„Der Himmel ist blau, das Wetter ist schön;
Herr Lehrer, wir wollen spazierengehn!"

Die Deutschen gehen sehr gern spazieren. Deutschland ist ja viel kleiner als die Vereinigten Staaten, alle Entfernungen [1] sind daher auch kleiner, und man kommt zu Fuß schneller zum Ziel.[2] Wie wir wissen, spielt in Deutschland auch das Autofahren eine viel geringere Rolle [3] als in Amerika. Außerdem [4] ist der Sport dort weniger wichtig, besonders der Ballsport. Die Deutschen spielen zwar Fußball,[5] Handball und Tennis;

[1] distances. [2] goal. [3] a much slighter role. [4] besides. [5] soccer.

aber das deutsche Fußballspiel ist einfacher [1] und weniger aufregend [2] als das amerikanische. „Baseball" gibt es überhaupt kaum.[3]

Anstatt unseres aufregenden Ballsports haben die Deutschen ihren Spaziergang. Es gibt viele Fußwege über Wiesen und Felder und durch die Wälder. Am Sonntag nehmen die Jungen ihren Rucksack über die Schulter und wandern übers Land. Die Alten machen es sich etwas leichter. Sie nehmen die Bahn [4] oder einen Autobus, oft fahren sie auch zu Rad, und die glücklichen Besitzer [5] eines Automobils fahren damit aufs Land. Dort wandern sie ein wenig und setzen sich dann in einen Biergarten. Da sitzen sie an Tischen unter Kastanien- und Lindenbäumen,[6] essen Brot, Wurst und Käse und trinken Bier. Am Abend kehren Alte und Junge müde und zufrieden in die Stadt zurück.[7]

Es ist wohl [8] kein Zufall,[9] daß eines der schönsten von Schillers Gedichten [10] „Der Spaziergang" heißt. Darin beschreibt Schiller die Geschichte der Menschen als eine Wanderung über Berg und Tal, eine Wanderung durch Regen und Sturm, aber auch eine Wanderung über freundliche Felder und sonnige Höhen.[11]

Jeder deutsche Student kennt die Schlußzeile [12] dieses Gedichts:

„Und die Sonne Homers, siehe! sie lächelt auch uns!"

Studieren Sie diese Stunde genau so wie die vorigen!

II. WORTSCHATZ

***1. Passen Sie auf!**

a. Es ist **entweder** zu heiß **oder** zu kalt. — *either . . . or*
Es ist **weder** zu heiß **noch** zu kalt. — *neither . . . nor*

b. Er ißt Brot **gern.** — *He **likes** to eat bread.*
Er ißt **lieber** Brot mit Wurst. — *He **prefers** (to eat) bread and sausage.*
Am liebsten ißt er Brot mit Käse. — ***Most of all** he **likes** bread and cheese.*

[1] simpler. [2] **auf-regen** to excite. [3] hardly at all. [4] **die Eisenbahn.** [5] **besitzen** to own. [6] chestnut and linden trees. [7] **zurück-kehren** to return. [8] probably. [9] mere chance, accident. [10] poems. [11] heights. [12] final line.

c. **das Glück : das Unglück** happiness; luck : misfortune; accident
glücklich : unglücklich happy, fortunate : unhappy, unfortunate
viel Glück! lots of luck!
der Spazier'gang, ⸚e walk
die Vereinigten Staaten the United States

*2. Die vier Jahreszeiten (the four seasons)

der Frühling spring
der Sommer summer
der Herbst autumn, fall
der Winter winter

*3. Das Klima und das Wetter (climate and weather)

die Temperatur', –en temperature
die Wärme : die Kühle warmth : coolness
warm : kühl warm : cool

der Himmel, – sky
der Mond, –e moon
die Sonne, –n sun
die Wolke, –n cloud

der Sturm, ⸚e storm
blasen (**bläst**), **blies** to blow

blitzen to lighten, flash
der Blitz, –e lightning, flash
donnern to thunder
der Donner thunder
frieren, fror to freeze
das Eis ice
regnen to rain
der Regen rain
schneien to snow
der Schnee snow

4. Einige Kleidungsstücke (some articles of clothing)

Wenn es kalt oder kühl ist, zieht man sich warm an. Wenn es aber warm oder heiß ist, zieht man sich leicht an.

Herrenkleider:

Ein Mann (ein Herr) oder ein Junge (ein Knabe) trägt einen Anzug, nämlich eine Jacke und eine Hose, manchmal auch eine Weste. Er trägt auch ein Hemd mit einem Kragen und oft eine Krawatte. An den Füßen trägt er Socken und Schuhe.

Damenkleider:

Eine Frau (eine Dame) oder ein Mädchen trägt entweder ein Kleid oder einen Rock und eine Bluse, oft auch ein Kostüm. Anstatt der Socken tragen die meisten Frauen Strümpfe.

Oft trägt man auch einen Hut, einen Mantel und Handschuhe. Wenn es regnet, braucht man einen Regenschirm oder man zieht einen Regenmantel an. Frauen tragen auch eine Handtasche. Männer brauchen keine Handtasche, denn sie haben genug Taschen in ihrem Anzug.

an-ziehen, zog an : aus-ziehen, zog aus to dress, put on : to undress, take off
sich (*acc.*) **an-ziehen : sich** (*acc.*) **aus-ziehen** to dress (oneself), get dressed : to undress (oneself), get undressed

der **Anzug, ⸚e** man's suit
die **Bluse, –n** blouse
*das **Hemd, –en** shirt
*die **Hose, –n** trousers
das **Kostüm′, –e** woman's suit
die **Krawat′te, –n** tie
*der **Mantel, ⸚** coat
der **Regenmantel, ⸚** raincoat
*der **Rock, ⸚e** skirt; (coat)
die **Socke, –n** sock
*der **Strumpf, ⸚e** stocking
*die **Tasche, –n** pocket; bag
die **Handtasche, –n** handbag, pocketbook
die **Weste, –n** vest

***5. Vom Essen und Trinken**

Was man ißt:

das **Brot** bread
das **Brötchen, –** roll
die **Butter** butter
das **Fleisch** meat
das **Gemüse, –** vegetable
die **Kartof′fel, –n** potato
der **Käse, –** cheese
die **Nachspeise, –n** dessert
die **Suppe, –n** soup
die **Wurst, ⸚e** sausage

Was man trinkt:

das **Bier, –e** beer
die **Milch** milk
der **Wein, –e** wine

III. ERLÄUTERUNGEN

1. The comparison of adjectives and adverbs

	POSITIVE	COMPARATIVE	SUPERLATIVE
a.	klein	klein**er**	der, das, die klein**ste**; am klein**sten**
	schön	schön**er**	der, das, die schön**ste**; am schön**sten**
	interessant′	interessan′**ter**	der, das, die interessan′**teste**; am interessan′**testen**

Similarly to English, the comparative ending in German is **–er**, the superlative ending **–st–**. — When the adjective ends in a **–t** or in an **s**-sound, the superlative ending is **–est–** in order to facilitate pronunciation.

Note that German does not use forms like the English "*more* beautiful," "*most* interesting," etc.

**b*.	alt	älter	der, das, die älteste; am ältesten
	dumm	dümmer	der, das, die dümmste; am dümmsten
	jung	jünger	der, das, die jüngste; am jüngsten
	kurz	kürzer	der, das, die kürzeste; am kürzesten
	rot	röter	der, das, die röteste; am rötesten

Many adjectives of one syllable add an umlaut in the comparative and superlative (cf. English "old, elder, eldest").

**c*.	groß	größer	der, das, die größte; am größten
	gut	besser	der, das, die beste; am besten
	hoch	höher	der, das, die höchste; am höchsten
	nahe	näher	der, das, die nächste; am nächsten
	viel	mehr	der, das, die meiste; am meisten

Some few adjectives are more or less irregular in their comparison and must be memorized.

2. Case endings in the comparative and superlative

Paul ist ein alter Freund; er ist der älter**e**; er ist der ältest**e**; er ist mein älter**er** Bruder; er ist unser ältest**er** Freund. Er trägt einen alten Mantel und alte Schuhe; er trägt seinen ältest**en** Mantel und seine ältest**en** Schuhe.

Descriptive adjectives use exactly the same *case* endings in their comparative and superlative forms as in the positive.

3. The superlative

Paul war **der älteste.**	*. . . the oldest.*
Paul war **am ältesten.**	*. . . oldest.*
Diese Jahreszeit ist **die schönste.**	*. . . the most beautiful.*
Diese Jahreszeit ist **am schönsten.**	*. . . most beautiful.*
Die meisten Menschen sind gut.	***Most** people . . .*

German and English use the article in such phrases as "the largest, the oldest" in about the same way. — Notice that German is more consistent in its pattern, however; it also regularly uses the article with *most:* **der, das, die meiste, die meisten.**

In situations where English uses *no* article, German ordinarily uses the **am**-form of the superlative.

4. Adverbs

Heinz spricht **schnell.** Seine Schwester spricht **schneller.** Der Lehrer spricht **am schnellsten.**

In the positive and comparative the adjective is used as an adverb without any further ending. The **am**-form of the adjective serves as the superlative of the adverb.

*5. Making comparisons

Er ist **so** alt **wie** ich.	*He is **as** old **as** I.*
Er ist älter **als** ich.	*He is older **than** I.*

When persons or things are being compared, **so . . . wie** (*as . . . as*) is used with the positive; **als** (*than*) is used after comparatives.

IV. ÜBUNGEN

A. *Treat the following sentences as the model shows:*

z.B.: Mein Freund ist . . . *alt* . . . ich: Mein Freund ist **so** alt **wie** ich. Mein Freund ist **älter als** ich.

1. Der Herbst ist . . . *warm* . . . der Frühling. 2. Die dreizehnte Stunde ist . . . *leicht* . . . die zwölfte. 3. Im Frühling sind die Tage . . . *lang* . . . die Nächte. 4. Der Stuhl dort ist . . . *bequem* . . . dieser hier. 5. Ist es heute . . . *kalt* . . . gestern? 6. Der Käse war . . . *gut* . . . die Wurst. 7. Ein Anzug kann . . . *warm* . . . ein Mantel sein.

„Da sitzen sie unter Kastanienbäumen,
essen Brot, Wurst und Käse und trinken Bier."

„Die schönste Jahreszeit in Deutschland ist der Frühling."

„Am Sonntag nehmen die Jungen ihren Rucksack und wandern übers Land."

B. *Supply the adjective endings required:*

1. der jung- Schüler; der jüngst- Sohn; mein gut- Kamerad; kein besser- Mann
2. das modern- Deutschland; jedes schöner- Lied; das billigst- Auto; ihr schönst- Buch
3. diese gut- Wurst; eine wichtig- Stunde; keine schöner- Nacht; unsere kältest- Jahreszeit
4. meine alt- Schuhe; die meist- Mädchen; lieb- Freunde; höher- Berge; heißer- Tage
5. mit meinem gut- Freund; mit seinem älter- Bruder; von den größt- Städten; in der schönst- Jahreszeit

C. *Ask yourself and others questions like the following and answer in German:*

1. Was ist größer, ein Tisch oder ein Stuhl? eine Landkarte oder ein Stück Schreibpapier? ein Hund oder eine Katze? ein Haus oder eine Kirche? ein Fuß oder sein Schuh? der Fluß oder der Bach? das Haus oder seine Zimmer? Berlin oder München? (Was ist am größten?)
2. Was ist länger, eine Zigarre oder eine Zigarette? dieser Bleistift oder ein Stück Kreide? eine Stunde oder ein Tag? (Was ist am längsten, eine Zigarre, ein Stück Kreide oder diese Feder?)
3. Was ist interessanter, Lesen oder Sprechen? Deutsch oder Englisch? die Übungen oder die Erläuterungen? die Lesestücke oder die Fragen? (Was ist am interessantesten, das Kino, ein Konzert oder die deutsche Stunde?)
4. Was essen Sie lieber, Wurst oder Käse? Fisch oder Fleisch? Gemüse oder Kartoffeln? (Was essen Sie am liebsten?)
5. Was trinken Sie lieber, Tee oder Kaffee? Wasser oder Milch? Bier oder Wein? (Was trinken Sie am liebsten?)
6. Wer ist größer, das Kind oder sein Vater? eine Frau oder ein Mädchen? Ihre Mutter oder Ihre Schwester? ich oder Sie? (Wer ist am größten?)
7. Wer ist klüger, der Sohn oder sein Vater? die Kinder oder die Eltern? Sie oder Ihr Bruder? (Wer ist am klügsten?)
8. Wer ist älter, die Tochter oder ihre Mutter? der Lehrer oder seine Schüler? Ihr Freund oder seine Freundin? der Mann oder seine Frau? Ihr Großvater oder Ihre Großmutter? (Wer ist am ältesten?)

D. *Ask yourself and others questions like the following and answer them in German:*

a. In welcher Jahreszeit sind die Tage am längsten? am schönsten? Welche Jahreszeit haben Sie am liebsten? Warum? Wann regnet es am meisten? Wann ist es am kältesten? Welches ist die wärmste Jahreszeit? Wann werden die Nächte kürzer? Wann beginnt der Sommer? der Herbst? Wann schneit es?

b. Regnet es heute? Schneit es? Bläst der Wind? Regnete oder schneite es gestern? Hatten wir einen Sturm? War es eisig kalt gestern? Oder schien die Sonne warm? Ist es heute wärmer und schöner?

c. Essen Sie Wurst oder Käse lieber? Was trinken Sie am liebsten, Tee, Kaffee oder Milch? Was essen Sie am liebsten? Machen Sie nach dem Essen einen kleinen Spaziergang? Haben Sie Lust, heute spazierenzugehen? Ist es Ihnen zu heiß? Gehen Sie gern spazieren, wenn es regnet? wenn es blitzt und donnert? wenn es schneit? Brauchen Sie einen Schirm? Tragen Sie einen Regenmantel? Braucht ein Mann eine Handtasche? Warum nicht? Wer trägt Socken, wer Strümpfe? Wer trägt Blusen? Was trägt ein Mann? Was trägt ein Mädchen?

d. Haben Sie einen Bruder? Ist er älter als Sie? Haben Sie einen jüngeren Bruder? Haben Sie eine Schwester? eine ältere oder eine jüngere Schwester? Wer ist der älteste in Ihrer Familie? Wer ist der größte?

e. Was ist teurer, ein Anzug oder ein Mantel? Was fährt schneller, ein Auto oder ein Autobus? Wer ist schöner, Sie oder ich? Sie oder Ihre Freundin? Wer in dieser Stunde spricht am lautesten? Wer lernt am schnellsten? Wer ist der beste Student? Wer ist die beste Studentin? Wer studiert am meisten? Wer lacht am öftesten? usw.

„Die dümmsten Bauern haben die größten Kartoffeln.“

ZWEITE WIEDERHOLUNGSSTUNDE

I. Sie kam, sah und siegte [1]

Gestern war der große Tag oder vielmehr [2] der große Abend. Der Abend mit Susan nämlich. Punkt sechs Uhr stand ich vor ihrem Haus und läutete. Susan selber öffnete die Tür. Sie bat mich gleich, hereinzukommen und ihre Eltern zu begrüßen.

Sie sah noch hübscher aus als das erste Mal, und ich war aufgeregter [3] als ein junger Mann sein sollte, wenn er einen guten Eindruck machen will.

Meine Aufregung legte sich [4] aber schnell, als ich Susans Eltern sah. Die waren nämlich so natürlich, daß man sie gern haben mußte. Man bot mir ein Glas Sherry an,[5] man sprach ein wenig über das Wetter, über mein Studium

I. Sie kam, sah und siegte [1]

Gestern war der große Tag oder vielmehr [2] der große Abend. Der Abend mit Susan nämlich. Punkt sechs Uhr stand ich vor ihrem Haus und läutete. Susan selber öffnete die Tür. Sie bat mich gleich, hereinzukommen und ihre Eltern zu begrüßen.

Sie sah noch hübscher aus als das erste Mal, und ich war aufgeregter [3] als ein junger Mann sein sollte, wenn er einen guten Eindruck machen will.

Meine Aufregung legte sich [4] aber schnell, als ich Susans Eltern sah. Die waren nämlich so natürlich, daß man sie gern haben mußte. Man bot mir ein Glas Sherry an,[5] man sprach ein wenig über das Wetter, über mein Studium und über Musik

[1] conquered. [2] rather. [3] more excited. [4] **sich legen** to subside. [5] **anbieten, bot . . . an** to offer.

und über Musik — und schon war ich mit Susan auf dem Weg in die Stadt.
Zum Essen führte ich Susan in ein kleines Restaurant im deutschen Viertel, denn ich wollte mich ein wenig mit meinem Deutsch großtun.[1] (Ich bin wirklich ein dummer, eitler Kerl[2] — muß versuchen, mich zu bessern.) Der Kellner in dem Restaurant sprach aber gar nicht Deutsch, und das Essen war auch nicht besonders gut. Die Suppe war kalt und versalzen,[3] das Fleisch war hart, die Nachspeise war zu süß, und am Tisch neben uns rauchte jemand eine schlechte Zigarre. Das war die gerechte Strafe für meine Eitelkeit[4] — geschieht mir ganz recht.[5]
Das Konzert gefiel mir auch nicht besonders gut. Ich singe wohl gern und höre auch gern Musik, aber drei volle Stunden Musik sind etwas viel für mich, besonders wenn es sich um drei Stunden moderner Musik handelt.[6] Im allgemeinen[7] ist mir nämlich klassische Musik lieber. Ich glaube[8] natürlich nicht, daß ältere Musik immer besser ist als neue, aber ich verstehe eben die ältere Musik besser. Ehe[9] ich Susan kannte, hatte ich nicht viel Gelegenheit,[10] Musik zu hören und was ich hörte, waren entweder moderne Tanzkapellen[11] oder berühmte ältere Komponisten wie Bach, Beethoven und Brahms. So ist mein Ohr an diese „klassische" Musik gewöhnt,[12] und ein modernes Stück klingt mir oft mehr wie

— und schon war ich mit Susan auf dem Weg in die Stadt.
Zum Essen führte ich Susan in ein kleines Restaurant im deutschen Viertel, denn ich wollte mich ein wenig mit meinem Deutsch großtun.[1] (Ich bin wirklich ein dummer, eitler Kerl[2] — muß versuchen, mich zu bessern.) Der Kellner in dem Restaurant sprach aber gar nicht Deutsch, und das Essen war auch nicht besonders gut. Die Suppe war kalt und versalzen,[3] das Fleisch war hart, die Nachspeise war zu süß, und am Tisch neben uns rauchte jemand eine schlechte Zigarre. Das war die gerechte Strafe für meine Eitelkeit[4] — geschieht mir ganz recht.[5]

Das Konzert gefiel mir auch nicht besonders gut. Ich singe wohl gern und höre auch gern Musik, aber drei volle Stunden Musik sind etwas viel für mich, besonders wenn es sich um drei Stunden moderner Musik handelt.[6] Im allgemeinen[7] ist mir nämlich klassische Musik lieber. Ich glaube[8] natürlich nicht, daß ältere Musik immer besser ist als neue, aber ich verstehe eben die ältere Musik besser. Ehe[9] ich Susan kannte, hatte ich nicht viel Gelegenheit,[10] Musik zu hören und was ich hörte, waren entweder moderne Tanzkapellen[11] oder berühmte ältere Komponisten wie Bach, Beethoven und Brahms. So ist mein Ohr an diese „klassische" Musik gewöhnt,[12] und ein modernes Stück klingt mir oft mehr wie Lärm als wie Musik. Einem solchen Stück zu folgen, ist für mich gewöhnlich mehr Arbeit

[1] to show off. [2] vain fellow. [3] oversalted. [4] just punishment for my vanity. [5] "serves me right." [6] **wenn es sich um . . . handelt** "when it is a matter of." [7] in general. [8] believe. [9] before. [10] chance. [11] dance bands. [12] accustomed.

Lärm als wie Musik. Einem solchen Stück zu folgen, ist für mich gewöhnlich mehr Arbeit als Vergnügen. Ich muß da immer an den bekannten Vers von Wilhelm Busch[1] denken:

„Musik wird oft nicht schön empfunden,
Zumal sie mit Geräusch verbunden.“[2]

Außerdem[3] war es viel zu heiß im Konzertsaal, und die Sitze waren eng und unbequem.

All das klingt[4] wie ein mißglückter[5] Abend. In Wirklichkeit waren mir das Essen und die Musik ganz gleichgültig.[6] Denn Susan fand alles gut und interessant. Sie war mit allem zufrieden. Auf dem Heimweg unterhielten wir uns glänzend[7] und wir lachten viel. Solange Susan zufrieden ist, ist mir alles recht.

Was mich angeht,[8] kann Susan ruhig sagen: ich kam, sah und siegte.

als Vergnügen. Ich muß da immer an den bekannten Vers von Wilhelm Busch[1] denken:

„Musik wird oft nicht schön empfunden,
Zumal sie mit Geräusch verbunden.“[2]

Außerdem[3] war es viel zu heiß im Konzertsaal, und die Sitze waren eng und unbequem.

All das klingt[4] wie ein mißglückter[5] Abend. In Wirklichkeit waren mir das Essen und die Musik ganz gleichgültig.[6] Denn Susan fand alles gut und interessant. Sie war mit allem zufrieden. Auf dem Heimweg unterhielten wir uns glänzend[7] und wir lachten viel. Solange Susan zufrieden ist, ist mir alles recht.

Was mich angeht,[8] kann Susan ruhig sagen: ich kam, sah und siegte.

Studieren Sie diese Stunde genau so wie die vorigen!

[1] *German satirist and cartoonist* (*1832–1908*). [2] “Music is hard t'appreciate / When it and noise affiliate.” [3] besides. [4] sounds. [5] “gone wrong.” [6] “a matter of indifference.” [7] splendidly. [8] “as far as I am concerned.”

II. WORTSCHATZ

*1. Merken Sie sich's!

a. **damals** at that time
einmal, zweimal usw. once, twice, etc.
das erste Mal, das zweite Mal usw. the first time, etc.
zum ersten Mal, zum zweiten Mal usw. for the first time, etc.

die Ruhe calm, peace, rest
ruhig calm, peaceful, quiet; "without worrying"

b. **sich** (*dat.*) **merken** to note, bear in mind
suchen to seek, look for
versuchen to try, attempt

unterhalten (unterhält), unterhielt to entertain
sich (*acc.*) **unterhalten** to have a good time; converse
verlassen (verläßt), verließ to leave (*a place or person*)

c. **hart : weich** hard : soft
hübsch pretty

süß : sauer : bitter sweet : sour : bitter
wohl well; indeed, to be sure

*2. How long and how long ago

Ich sprach **eine Stunde lang** mit ihr. ... *for an hour* ...
einen Monat, einen Monat lang; den ganzen Monat (lang); eine Woche (lang), die ganze Woche (lang) usw.

Ich sah Susan **tagelang** nicht. ... *for days* ...
minutenlang, stundenlang, wochenlang, jahrelang usw.

Susan kam **vor einer Stunde.** ... *an hour ago.*
vor fünf Minuten, vor einem Jahr, vor vielen Jahren usw.

3. Review on "time when"

Die Stunde beginnt **um neun (Uhr)**.	*The lesson begins at nine (o'clock).*
Am Sonntag wandern die Jungen.	*On Sunday(s) the young go hiking.*
Im Frühling ist das Wetter schön.	*In spring the weather is nice.*

In stating "time when," **um** is used for hours (clock time), **an** for days, dates, and parts of days, **in** for most other cases.

*4. Selber, selbst

ich selber; der Lehrer selber	*I myself; the teacher himself*
ich selbst; der Lehrer selbst	*I myself; the teacher himself*
selbst ich; selbst der Lehrer	*even I; even the teacher*

5. Im Restaurant

Wir haben Hunger. Wir gehen also in ein Restaurant zum Essen. Wir setzen uns an einen Tisch. Der Kellner bringt uns die Speisekarte. Er fragt, was wir wünschen. Wir bestellen eine Suppe, Fleisch, Gemüse und eine Nachspeise. Ich verlange auch ein Glas kaltes Bier. Wir essen und trinken. Dann ist es Zeit zum Fortgehen. Ich rufe: ,,Herr Ober, bitte, zahlen!" Der Kellner bringt uns die Rechnung, und ich bezahle sie. Ich gebe dem Kellner ein Trinkgeld. Dann stehen wir auf und verlassen das Restaurant.

***der Kellner,** – waiter
  der Oberkellner, – head waiter
  (**Herr**) **Ober!** waiter!
die Rechnung, –en bill, check
das Restaurant′, –s restaurant
die Speisekarte, –n menu
das Trinkgeld, –er tip

bestellen to order
***verlangen** to ask for, request; demand
***wünschen** to wish, want

6. Die Nation′ (–en) und die Sprache (–n)

(das) **Ame′rika**
  amerika′nisch
  der Amerika′ner, –
  die Amerika′nerin, –nen

(das) **England**
  englisch
  der Engländer, –
  die Engländerin, –nen

(das) **Ita′lien**
  italie′nisch
  der Italie′ner, –
  die Italie′nerin, –nen

(das) **Deutschland**
  deutsch
  der Deutsche, –n (*adj. noun*)
  die Deutsche, –n (*adj. noun*)

(das) **Frankreich**
  franzö′sisch
  der Franzo′se, –n, –n
  die Franzö′sin, –nen

(das) **Rußland**
  russisch
  der Russe, –n, –n
  die Russin, –nen

III. DAS WICHTIGSTE AUS DEN ERLÄUTERUNGEN

1. The pattern of the past tense

INFINITIVE AND MEANING	1ST & 3RD SING.	1ST & 3RD PL.
sein, haben, werden	ich, er, es, sie	wir, sie, Sie
sein to be	war	waren
haben to have	hatte	hatten
werden to become	wurde	wurden
Regular verbs		
lachen to laugh	lach*te*	lach*ten*
warten to wait	wart*ete*	wart*eten*
öffnen to open	öffn*ete*	öffn*eten*
auf-regen to excite	reg*te* . . . auf	reg*ten* . . . auf
besuchen to attend	besuch*te*	besuch*ten*
Irregular verbs		
steigen to climb	st*ie*g	st*ie*g*en*
aus-gehen to go out	g*i*ng . . . aus	g*i*ng*en* . . . aus
beginnen to begin	beg*a*nn	beg*a*nn*en*
Hybrids		
nennen to name, call	n*a*nn*te*	n*a*nn*ten*
bringen to bring	br*a*ch*te*	br*a*ch*ten*
Modal auxiliaries and **wissen**		
können to be able to	konn*te*	konn*ten*
wissen to know	w*u*ß*te*	w*u*ß*ten*

- ▶ Regular verbs end in –(**e**)**te** in the first and third person singular in the past tense, and in –(**e**)**ten** in the first and third person plural.
- ▶ Irregular verbs show a vowel change (ablaut) in the past tense. They have no ending in the first and third person singular; they add –**en** in the first and third person plural.
- ▶ The hybrids show a vowel change to –**a**– in the past, but have the normal endings of regular verbs.
- ▶ The modal auxiliaries have no umlaut in the past tense, but have the normal endings of regular verbs.

2. Adjective endings and their function

a. The basic pattern:

	SINGULAR			*PLURAL*
	WITH **der**-NOUNS	WITH **das**-NOUNS	WITH **die**-NOUNS	WITH ALL NOUNS
NOM.	**–er** dies*er* Berg gut*er* alt*er* Wein best*er* Freund	**–es** dies*es* Haus heiß*es* sonnig*es* Wetter kälter*es* Wetter	**–e** dies*e* Arbeit gut*e* kalt*e* Milch liebst*e* Freundin	**–e** dies*e* } Bäume / schön*e* alt*e* } Häuser / besser*e* } Zeiten
ACC.	**–en** dies*en* Berg gut*en* alt*en* Wein größer*en* Hunger			
DAT.	**–em** dies*em* Wald / Haus gut*em* kalt*em* Wein / Wasser heißer*em* Kaffee / Wetter		**–er** dies*er* Arbeit gut*er* kalt*er* Milch älter*er* Zeit	**–en** dies*en* } Bäumen / schön*en* alt*en* } Häusern besser*en* } / Zeiten
GEN.	**–es** dies*es* Weins / Wassers (gut*en* alt*en* Weins / Wassers) (besser*en* Weins / Wassers)			**–er** dies*er* } Bäume / schön*er* alt*er* } Häuser / besser*er* } Zeiten

In general, adjective endings tell us whether a noun is a **der**-noun, **das**-noun, or **die**-noun; whether it is singular or plural; above all, what the noun's function in the sentence is, that is, what its case is.

- ▶ The **dieser**-adjectives have endings in all cases, and thus they actually do give us this information, either by themselves or in combination with other adjectives and the noun. Some endings are ambiguous, to be sure, since they occur in more than one case, as **dieses Haus**; in such situations word order and context help out.
- ▶ When descriptive adjectives stand alone with a noun, that is, when they are not preceded by a **dieser**-adjective or an **ein**-adjective, they take

over the function normally performed by these adjectives. In other words, they add the endings which **dieser** would use in the same situation.

▶ All descriptive adjectives with a noun have the same ending.
▶ Adjectives in the comparative and superlative have the same case endings they would have in the positive.

▶ Almost all **der**-nouns and **das**-nouns add -(**e**)**s** in the genitive singular. Modern German considers this noun ending sufficient: unpreceded descriptive adjectives no longer add **-es** in the genitive with these nouns, but merely **-en.**

b. **Ein, kein, mein usw.:**

SINGULAR	
NOMINATIVE	NOMINATIVE & ACCUSATIVE
WITH **der**-NOUNS	WITH **das**-NOUNS
kein Tisch kein schön*er* alt*er* Tisch (Ist das *sein* Tisch? Nein, es ist mein*er*.)	*sein* Buch sein schön*es* neu*es* Buch (Haben Sie *ein* Buch? Nein, ich habe kein*es*.)

▶ **Ein, kein,** and the possessive adjectives have no ending when they are used with **der**-nouns in the nominative singular or with **das**-nouns in the nominative or accusative singular. Otherwise they have the same endings as **dieser.**
▶ Logically enough, German now demands that the "omitted" ending be added to the descriptive adjective, if there is one.
▶ German further requires that **ein**-adjectives always have an ending when they stand alone, that is, when they are used as pronouns (cf. English: *my* book, the book is *mine*).

c. Preceded descriptive adjectives:

<table>
<tr><th></th><th colspan="3">SINGULAR</th><th>PLURAL</th></tr>
<tr><th></th><th>WITH der-NOUNS</th><th>WITH das-NOUNS</th><th>WITH die-NOUNS</th><th>WITH ALL NOUNS</th></tr>
<tr><td>NOM.</td><td>der hohe Berg</td><td rowspan="2">das hohe Haus</td><td rowspan="2">die / eine braune Tür</td><td rowspan="2">die / keine hohen Berge / Häuser / Türen</td></tr>
<tr><td>ACC.</td><td>den / einen hohen Berg</td></tr>
<tr><td>DAT.</td><td colspan="2">dem / einem hohen Berg / Haus</td><td rowspan="2">der / einer braunen Tür</td><td>den / keinen hohen Bergen / Häusern / Türen</td></tr>
<tr><td>GEN.</td><td colspan="2">des / eines hohen Berg(e)s / Hauses</td><td>der / keiner hohen Berge / Häuser / Türen</td></tr>
</table>

Dieser-adjectives always have some ending; **ein**-adjectives almost always. It is therefore not necessary to repeat the information these endings give about the noun. After a **dieser**-adjective, and after an **ein**-adjective which has an ending, then, the descriptive adjective has:

–**e** in the nominative singular;
–**en** in all other forms.

3. About prepositions

a. Er kam **aus dem Haus / mit mir / zu mir.**
Sie stand lange **am Fenster.** Es lag **auf dem Tisch.**

The most common case after prepositions in German is the dative. The forms of the dative are always used after a great number of very common prepositions such as **aus, mit, zu usw.** (*Zehnte Stunde*, III, 3c) The dative also shows "place where" after **an, auf, in usw.** (*Elfte Stunde*, III, 1)

b. Er tat es **für seinen Freund / ohne ihn.**
Er ging **ins Zimmer / an die Tafel.**

The accusative case forms are always used after a few prepositions such as **für** and **ohne** (*Dritte Stunde*, III, 1). The accusative also shows "place to which" after **an, auf, in usw.** (*Elfte Stunde*, III, 1)

c. Er kam nie **während des Tag(e)s.**

Only three common prepositions are usually followed by the forms of the genitive: **anstatt (statt), während, wegen** (*Zwölfte Stunde*, III, 4b).

IV. ÜBUNGEN ZUR WIEDERHOLUNG

A. *Reread the following anecdote, changing all italicized verb forms to the past tense:*

1. Hermann und Fritz *wollen* zusammen nach Wien fahren. 2. Fritz *soll* die Fahrkarten (*tickets*) kaufen und er *tut* es auch. 3. Jetzt *sitzen* die beiden da und *warten* auf den Schaffner (*conductor*). 4. Fritz *nimmt* eine Fahrkarte aus der Tasche. 5. Aber Hermann *merkt* sofort, daß Fritz nur e i n e Fahrkarte *hat.* 6. Die zweite *kann* er nicht finden. 7. Die beiden *suchen* überall und *machen* sogar den Koffer auf. 8. Aber die zweite Fahrkarte *finden* sie nicht.

9. Jetzt *hören* sie, wie der Schaffner *kommt.* 10. „Schnell," *ruft* da Fritz, „unter die Bank!" 11. Hermann *weiß* sofort, was er tun *muß*, und schon *liegt* er unter der Bank. 12. Bequem *ist* es freilich nicht, aber der Schaffner *sieht* ihn so nicht. 13. Der Schaffner *öffnet* nämlich schon die Tür und *bittet* sofort um die Fahrkarten. 14. Fritz *gibt* ihm nicht e i n e Fahrkarte nach Wien, sondern zwei. 15. „Wie kommt das?" *fragt* der Schaffner, „Sie sind allein und haben zwei Fahrkarten?" 16. Fritz *lächelt* ruhig und *antwortet:* „Nein, ich bin nicht allein. Wollen Sie bitte unter die Bank schauen . . ."

B. *Complete the following with dative forms of the words given in parentheses:*

1. Ich schreibe (*my*) Freund Richard oft. 2. Er antwortet (*me*) immer pünktlich. 3. Ich lerne viel aus (*his*) Briefen. 4. In (*his*) letzten Brief erzählte (*me*) Richard von (*the many*) Fahrrädern in Deutschland. 5. Am Sonntag fahren oft ganze Familien mit (*their*) Rädern aus (*the*) Stadt ins Freie hinaus.

6. Ich habe seit (*short*) Zeit viele Freunde. 7. Denn vor (*a few*) Tagen kaufte ich (*myself*) ein Auto und fahre (*with it*) in die Schule. 8. Es ist ein altes Auto, aber es gehört (*to me*) und es gefällt (*my*) Freunden. 9. Sie wollen alle (*in it*) fahren. 10. An Wochentagen fahre ich mit (*them*) in die Schule, am Sonntag folgen sie (*me*) aufs Land.

Herbig-Harhaus lacquer factory in Cologne

Deutsche Industri[e]

Experiment in physics at the University of Mainz

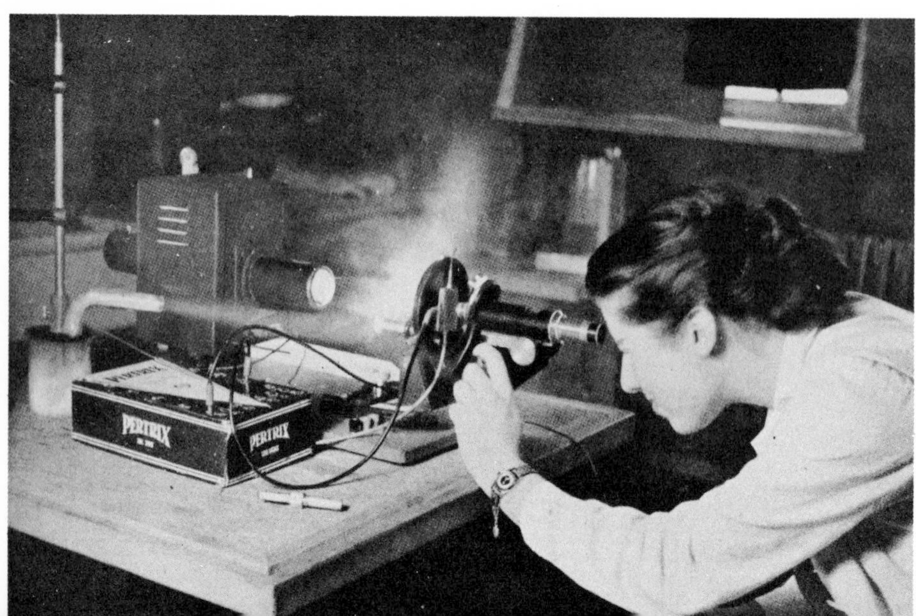

Jena glass factory in Mainz

Steel casting in the Ruhr district

C. *Supply the appropriate dative or accusative forms for the words in parentheses:*

1. Er legt das Buch auf (der Tisch); jetzt liegt es auf (der Tisch).
2. Der Brief ist immer noch in (meine Tasche); jetzt stecke ich ihn aber schnell in (der Briefkasten).
3. Haben Sie keine Angst und setzen Sie sich neben (ich)! Was liegt denn dort neben (Sie)?
4. Er wohnt seit (viele Jahre) in (diese enge Wohnung).
5. Sind Sie am liebsten in (das Wasser), auf (das Wasser) oder an (das Wasser), wenn Sie an (ein See) sind?
6. Die Jungen spielten stundenlang in (der frische weiße Schnee).
7. Bei (schlechtes Wetter) sollte man nicht ohne (ein wärmerer Mantel) ausgehen.
8. Sie stand an (ihr Fenster) und sah auf (die Straße) hinaus.

D. *Combine the words after the colon with the words preceding the colon by putting them in the genitive:*

z.B.: der Anfang : der Tag = der Anfang des Tages

1. die Farbe : der Anzug; das Haus; die Berge
2. das Kleid : das kleine Mädchen; meine ältere Schwester
3. die Freiheit : der Bürger; ein Student; die Menschen
4. der Kauf : eine gute Uhr; ein teurer Wagen
5. die Augen : ihre Katze; ein wildes Tier; junge Leute
6. die Freuden : wahre Liebe; ein gutes Essen; die Musik
7. der Gipfel : der höchste Berg; die Dummheit

E. *Supply the appropriate case forms for the words in parentheses:*

1. An (welcher Tag) der Woche geht man nicht in die Schule? 2. In (die Sommermonate) gehen die Deutschen gern spazieren; das Spazierengehen ist wichtig für (sie). 3. Die Monate (ein Jahr) sind nicht alle gleich lang, aber die Minuten (eine Stunde) sind gleich lang.

4. Sie fuhr an (der Morgen) mit (ihr Auto) auf (das Land) hinaus. 5. Wegen (ihre viele Arbeit) mußte sie an (der Nachmittag) wieder in (die Stadt) sein.

6. Wir studieren jeden Tag für (unsere deutsche Stunde). 7. Wir lernen Deutsch aus (unsere deutschen Bücher), aber auch von (deutsche Schallplatten). 8. Manchmal hilft (ich) mein Vater bei (meine Aufgaben).

9. Bei (das Essen) oder, wenn Ihnen das lieber ist, während (das Essen) soll man nicht lesen. 10. Ein Glas Wein schmeckt gut zu (das Essen). 11. Vor (eine Mahlzeit) sagt man in Deutschland gewöhnlich „Guten Appetit!" und nach (das Essen) sagt man oft „Gesegnete Mahlzeit!"

F. *Supply the appropriate comparative form of the italicized word in each sentence in the first blank space and the appropriate superlative form in the second:*

z.B.: Ein Motorroller fährt nicht sehr *schnell.* Mit einem Wagen kann man **schneller** fahren. Mit einem Motorrad fährt man **am schnellsten.**

1. Er liest *viel*, aber er sollte noch —— lesen. Die —— Studenten lesen weniger als er.
2. Italien ist ein *großes* Land, aber Deutschland ist noch ——. Rußland ist das —— Land in Europa.
3. Heute ist es nicht so *kalt* wie gestern. Es wird aber ——. Wir erwarten den —— Tag des Jahres.
4. Sie hatte ein *gemütliches* Zimmer, aber sie suchte ein ——. Ihr Bruder wohnte in dem —— Zimmer.
5. Die Zugspitze ist ein *hoher* Berg in den deutschen Alpen. Das Matterhorn in der Schweiz ist ——. Wie heißt der —— Berg der Welt?
6. Er ißt Wurst *gern*. Ich esse Käse ——. Wir essen beide eine süße Nachspeise ——.
7. Ist das eine *teure* Bluse? Ja, sie ist —— als diese hier, aber nicht die —— im Geschäft.

G. *Ask yourself and others questions like the following and answer them in German:*

a. Kennen Sie schon viele deutsche Zeitwörter? Kennen Sie ihre Formen? in der Gegenwart? in der Vergangenheit? in allen Personen? Geben Sie mir ein paar Beispiele! Wie heißt die Einzahl von „sitzen" in der Vergangenheit? Wie heißt die Mehrzahl von „anfangen" in der Vergangenheit?

b. Waren Sie schon einmal verliebt? Wo trafen Sie Ihren Freund (Ihre Freundin) zum ersten Mal? Waren Sie sehr aufgeregt? Wollten Sie einen guten Eindruck machen?

c. Gibt es in unsrer Stadt ein deutsches Viertel? Waren Sie schon dort? Vor wie langer Zeit? Waren Sie schon einmal in einem deutschen Restaurant? Was gab es zu essen? Mögen Sie deutsches Essen? Essen Sie gern etwas Süßes? Kennen Sie einige deutsche Nachspeisen? Wissen Sie, was ein Kuchen ist? Wissen Sie, was eine Torte ist? Wer weiß es? Soll ich eine Torte beschreiben? Essen Sie lieber hartes oder weiches Brot?

d. Haben Sie Musik gern? Haben Sie klassische oder moderne Musik lieber? Hören Sie lieber ernste oder lustige Musik? Können Sie stundenlang ernste Musik hören?

e. Waren Sie schon einmal in Italien (Rußland, Frankreich usw.)? Welche Sprache spricht man dort? Kennen Sie einige Italiener (Russen, Franzosen usw.)? Wer in dieser Klasse spricht Italienisch?

„Hunger ist der beste Koch."

DIE VIERZEHNTE STUNDE

I. Was man in Deutschland ißt und trinkt

Mein Freund Richard ist kein Feinschmecker;[1] er ißt fast alles und hat alles gern. Ein Stück Brot mit Käse und ein Glas Wasser sind ihm oft lieber als Austern, Kaviar und Sekt.[2] Aber das Brot soll gut sein, der Käse schmackhaft[3] und das Wasser frisch.

Wie[4] Richard noch in den Staaten war, haben wir oft gern zusammen eingekauft und gekocht.

Es ist nur natürlich, daß sich Richard jetzt auch dafür interessiert, was man in Deutschland ißt und trinkt. Gestern hat er mir ausführlich[5] darüber geschrieben. Er sagt, daß im großen und ganzen[6] das deutsche Essen einfacher ist als unser Essen. Das kommt, so meint er, daher, daß[7] der deutsche Boden[8] ärmer ist als unser Boden. Auch ist das Klima in Deutschland oft rauh und kalt, weil dort die Winter lang und die Sommer kurz und regnerisch sind. Richard hat auch gefunden, daß in vielen Gegenden Deutschlands Obst und Gemüse weniger reichlich[9] und viel

[1] gourmet. [2] oysters, caviar and champagne. [3] tasty. [4] **wie = als** (*colloquial*). [5] at length. [6] on the whole. [7] **daher, daß** from the fact that. [8] *here:* soil. [9] abundant.

teurer sind als hier und daß daher viele Leute in solchen Gegenden hauptsächlich von Roggen [1] und Kartoffeln leben müssen.

Natürlich gibt es auch Ausnahmen.[2] In manchen Gebieten wächst gutes Obst und Gemüse, in anderen ist das nasse Klima gut für Wiesen und Weiden; [3] dort gibt es dann schönes fettes Vieh. Daher kommt es, daß deutsche Würste und deutscher Käse oft sehr gut sind. Richard sagt zum Beispiel, daß er den Allgäuer Käse so gut findet wie den berühmten Emmentaler oder „Schweizer" Käse. Die Schweiz ist ja auch gar nicht weit vom Allgäu, und das ist der Grund, warum Boden und Klima in den beiden Gebieten recht ähnlich sind.

Mit dem Trinken ist es wieder etwas anderes. Deutscher Wein und deutsches Bier sind seit langer Zeit überall berühmt. Der Wein wächst hauptsächlich in den Tälern des Rheins, des Mains und der Mosel. Das bekannteste Bier kommt aus München. Wer hat nie vom Rheinwein oder vom Münchner Bier gehört!

Die Deutschen, wie alle Europäer, trinken gern eine Flasche Wein oder ein Glas Bier zu ihren Mahlzeiten. Richard schreibt, daß das sehr gut schmeckt. Wie es schmeckt, kann er mir natürlich nicht in einem Brief erklären. Das muß man schon selber versuchen.

Studieren Sie diese Stunde genau so wie die vorigen!

II. WORTSCHATZ

1. Merken Sie sich's!

a. ***fein** fine
naß : trocken wet : dry
rauh : mild raw, rough : mild
***scharf** sharp

das Gebiet, -e territory, district
die Gegend, -en region; neighborhood

***sich** (*acc.*) **interessie'ren (für**/*acc.*) to be interested (in)
das Interes'se, -n interest
***wachsen (wächst), wuchs** to grow
auf-wachsen to grow up

b. ***irgendein** any, any at all
irgendein Buch any book at all
irgendwann any time

irgendwie in any way; somehow
irgendwo : nirgends : überall anywhere : nowhere : everywhere

[1] rye. [2] exceptions. [3] pastures.

*2. Vom Essen und Trinken

Man ißt von Tellern mit einer Gabel und einem Messer oder mit einem Löffel. Man trinkt aus Gläsern oder Tassen. Oft stellt man eine Flasche Wein auf den Tisch.

Während des Essens hält man das Messer in der rechten und die Gabel in der linken Hand. Man darf weder Messer noch Gabel aus der Hand legen, solange noch etwas auf dem Teller liegt.

die Gabel, -n fork
der Löffel, - spoon
das Messer, - knife

die Flasche, -n bottle
das Glas, ⸚er glass
die Tasse, -n cup
der Teller, - plate

3. Die deutschen Mahlzeiten

Die Deutschen nehmen gewöhnlich drei Mahlzeiten am Tage ein.

Das Frühstück: zum Frühstück trinkt man gewöhnlich Kaffee. Dazu ißt man Brot oder Brötchen mit Butter, manchmal auch ein weiches Ei oder ein Spiegelei.

Das Mittagessen: es ist die Hauptmahlzeit. Da gibt es Suppe, Fleisch, Fisch, Gemüse und Salat. Nachher gibt es auch eine Nachspeise, z.B. einen Kuchen. Zum Essen trinkt man Bier, Wein oder Wasser. Milch trinken gewöhnlich nur die Kinder, und Kaffee trinkt man nie zum Essen, sondern nur nachher. Es gibt oft Brot zum Essen, aber nie mit Butter, wenn das Essen warm ist.

Das Abendessen: am Abend ißt man oft kalt, z.B. Schinken, Wurst und Käse, die sogenannte kalte Platte. Dazu trinkt man Tee, oder auch Bier oder Wein. Viele Leute essen auch warm zu Abend. So ein warmes Abendessen ist dem Mittagessen ähnlich.

***das Ei, -er** egg
  das Spiegelei, -er fried egg
die kalte Platte cold plate
***der Salat', -e** salad
  der grüne Salat lettuce
  der Kartof'felsalat potato salad
***der Schinken, -** ham

der Pfeffer pepper
***das Salz** salt
***der Zucker** sugar

***der Kuchen, -** cake
die Torte, -n (layer) cake
***das Obst** fruit

ein-nehmen to take in, eat
***kochen** to cook; boil
der Koch, ⸚e (*male*) cook
die Köchin, -nen (*female*) cook

***schmecken** to taste
es schmeckt gut it tastes good
es schmeckt mir I like it (I like its taste)

zum Essen with the meal; "to eat"
zum Frühstück usw. for breakfast, etc.

4. Das Einmaleins und Verwandtes

×

ein **mal** eins ist eins
ein mal zwei ist zwei
ein mal drei ist drei

zwei mal zwei ist vier

drei mal drei ist neun usw.

+

zehn **und** zehn ist zwanzig

−

zehn **weniger** zehn ist null

÷

zwanzig **geteilt durch** zehn ist zwei

III. ERLÄUTERUNGEN

1. Conjunctions

Conjunctions are words that connect words, phrases, or clauses. They are conventionally divided into *coordinating* and *subordinating* conjunctions (and, but, etc. : because, when, etc.). In English there is, practically speaking, no significant difference between them except for a traditional difference in punctuation.

In German a careful distinction is made between the two groups. Coordinating conjunctions do not affect word order. All *subordinate* or *dependent clauses*, on the other hand, are characterized by a change in the position of the verb. For instance, compare:

Coordinate clause: Ich gehe nicht ins Kino, **denn** ich **habe** kein Geld.
Subordinate clause: Ich gehe nicht ins Kino, **weil** ich kein Geld **habe.**

English: I am not going to the movies because (for) I have no money.

2. Dependent word order

a. Das Klima ist rauh, **weil** die Winter lang **sind.**
Es war nur natürlich, **daß** er oft zu seinen Eltern **ging.**
Ich muß Geld haben, **bevor** ich mir ein neues Auto kaufen **kann.**

In clauses which are introduced by subordinating conjunctions, the inflected verb stands at the end of the clause.

Note that dependent clauses are always set off by commas in German.

b. The position of the separable prefix:

Er **schlief** immer wieder **ein.**
Er lernte nicht viel, **weil** er immer wieder **einschlief.**

You will recall that the separable prefix of a verb normally stands at the end of the clause. In subordinate clauses, however, the inflected part of the verb shifts to the end of the clause. Accordingly the verb and its prefix are again joined and written as one word.

c. The main clause in second position:

Wenn der Sommer schön ist, **studiert man** wenig.
Da er immer gut aufpaßte, **lernte er** viel.

If the subject does not begin the sentence, it regularly follows the verb (*Zweite Stunde*, III, 3a). This also applies to sentences in which a subordinate clause begins the sentence.

***3. The more common subordinating conjunctions**

a. **bevor, ehe** *before*

Er verstand uns schon, **bevor** wir ein Wort sagten.

bis *until*

Warten Sie nur noch ein paar Minuten, **bis** der Kellner kommt!

damit *so that, in order that*

Er erklärt uns die Erläuterungen, **damit** wir sie besser verstehen.

daß *that, "the fact that"*

Wir wissen, **daß** deutsches Bier berühmt ist.
Er sollte **daran** denken, **daß** es schon spät ist. *He ought to remember (think of the fact) that it is already late.*
Das kommt **daher, daß** der deutsche Boden arm ist. *That comes from (is a result of) the fact that German soil is poor.*

A **da**-compound often anticipates the subordinate clause introduced by **daß**; notice that you must recognize the connection between the **da**-compound and **daß** in order to understand such sentences readily.

indem *as, while; by ("in that")*

Man spricht, **indem** man die Lippen bewegt.
Man lernt viel, **indem** man fleißig studiert. (*by studying*)

obwohl, obgleich, obschon *although*

Er mußte lange auf sie warten, **obgleich** sie sich schnell anzog.

sobald *as soon as*

Sobald er kommt, essen wir.

b. **wann? : als : wenn**

wann? *when?* (used only in questions)

Wann kommen Sie? Er fragte mich, **wann** ich kommen kann.

als *when* (used only for past time in the sense of *at the time when*)

Ich hatte noch wenige Freunde, **als** ich ein Auto kaufte.

wenn *when, whenever; if* (used with any tense of the verb)

Wenn es warm ist, zieht man sich leicht an.
Wenn sie sang, hörten wir immer gut zu.
Wenn man viel studiert, dann lernt man viel.

wenn (omitted)

Ist es warm, so zieht man sich leicht an.
Studiert man fleißig, so lernt man vielleicht etwas.

German often omits **wenn.** The signal that **wenn** has been omitted is the position of the verb at the head of the sentence. — **So** *then* often introduces the main clause when **wenn** is omitted. —Cf. English: Had I (If I had) only known that!

c. **da : da** *there, then : since*

Da ist er. **Da** sagte ich ihm alles. *There . . . Then . . .*
Da das Wetter schön war, wanderten wir aufs Land hinaus. *Since . . .*

Da usually means *there; then.* **Da** is also used as a conjunction in the meaning of *since (because).* The position of the verb at the end of the clause tells you at once when **da** is being used as a conjunction.

d. **seitdem, seit** *since*

Seitdem (Seit) wir hier sind, regnet es jeden Tag. *Since . . .*
Seit diesem Tage spricht sie nicht mehr mit ihm. *Since this day . . .*
Seitdem spricht sie nicht mehr mit ihm. *Since then . . .*

Both **seitdem** and **seit** are used as conjunctions in the sense of *since, since the time that.* —Notice that **seit** is also used as a preposition: *since (this day)*; **seitdem** is also used as an adverb: *since then.*

The position of the verb at the end of the clause will tell you when **seit** and **seitdem** are being used as conjunctions.

e. **weil : während** *because : while*

Er ißt gerne bei uns, **weil** meine Mutter so gut kocht.
Während er bei uns wohnte, war er immer freundlich.

Do not confuse **weil** *because* and **während** *while.*

*4. Coordinating conjunctions

Er fährt in die Schule, **aber er geht** zu Fuß nach Hause.
Er trinkt viel Kaffee **und dann studiert er** bis spät in die Nacht hinein.

Coordinating conjunctions have no effect on word order. The most common coordinating conjunctions are:

aber but	**denn** for
sondern but on the contrary	**oder** or
allein but (only)	**und** and

ADE

DAB

„... das muß man schon selber versuchen!"

IV. ÜBUNGEN

A. *Join the following clauses and read as a single sentence:*

z.B.: Er sagte, daß . . . es ist kalt: Er sagte, daß es kalt **ist.**

1. Richard sagt, daß . . . das deutsche Essen ist einfacher als unser Essen. 2. Das ist so, weil . . . der deutsche Boden ist ärmer als unser Boden. 3. Das Klima ist rauh, da . . . die Winter sind lang und die Sommer kurz.

4. Ich höre wenig von Marie, seit . . . sie lebt in Deutschland. 5. Susan arbeitete als Verkäuferin, denn . . . die Gesangsstunden kosteten sehr viel Geld. 6. Man soll nicht aufgeregt sein, wenn . . . man will einen guten Eindruck machen.

7. Ich führte Susan in ein deutsches Restaurant, damit . . . ich konnte Deutsch sprechen. 8. Ich kann es kaum erwarten, bis . . . ich sehe Susan wieder. 9. Ich war nie verliebt, bevor . . . ich sah Susan zum ersten Mal. 10. Susan will Deutsch lernen, damit . . . sie kann später deutsche Lieder singen.

B. *Complete the sentences below as the model shows:*

z.B.: Man zieht sich warm an, wenn es kalt ist: Wenn es kalt ist, **zieht man sich warm an.** (Ist es kalt, **zieht man sich warm an.**)

1. Die Kinder wollten spazierengehen, weil das Wetter schön war. Weil das Wetter schön war, . . .
2. Ich will keine Musik hören, während ich studiere. Während ich studiere, . . .
3. Mir schmeckt alles, wenn ich Hunger habe. Wenn ich Hunger habe, . . . Habe ich Hunger, so . . .
4. Ich fahre erst nach Deutschland, wenn ich besser Deutsch kann. Erst wenn ich besser Deutsch kann, . . .
5. Man antwortet gewöhnlich „bitte," wenn jemand „danke" sagt. Wenn jemand „danke" sagt, . . . Sagt jemand „danke," dann . . .
6. Er mußte sein Auto verkaufen, da er Geld brauchte. Da er Geld brauchte, . . .

C. *Join the following sentences as indicated. Change the position of the verb whenever necessary!*

1. Hans hat kein Auto. (aber) Er hat viele Freunde.
2. Er wollte das Buch lesen. (denn) Es interessierte ihn sehr.
3. (Obwohl) Ich gehe oft aus. Ich studiere immer fleißig.
4. Wir tranken Kaffee. (als) Wir waren mit dem Essen fertig.
5. Die Studenten warten alle darauf. (daß) Die Glocke läutet.
6. (Da) Die Luft war kühl. Ich machte das Fenster auf.
7. (Als) Heinrich war in Deutschland. Er lernte viel Deutsch.
8. (Während) Sie studiert ihre deutsche Aufgabe. Sie hört gern Radio.

D.*a.* *Read the following problems in German:*

$7 + 9 = 16$	$10 - 2 = 8$	$100 \div 5 = 20$
$90 + 190 = 280$	$47 - 16 = 31$	$88 \div 2 = 44$
$10 \times 10 = 100$	$100 - 27 = 73$	$400 \div 25 = 16$
$12 \times 12 = 144$	$842 - 131 = 711$	$781 \div 11 = 71$
$700 \times 3 = 2\,100$	$1\,400 - 1\,200 = 200$	$10\,000 \div 4 = 2\,500$

b. Wie weit können Sie mit dem Einmaleins auf englisch kommen? auf deutsch? Versuchen Sie es einmal!

E. *Ask yourself and others questions like the following and answer them in German:*

a. Wie viele Mahlzeiten nehmen die Deutschen gewöhnlich ein? Wie heißen diese Mahlzeiten? Welches ist die Hauptmahlzeit? Wann nehmen Sie Ihre Hauptmahlzeit ein? Was essen Sie gewöhnlich zum Frühstück? Was hatten Sie heute zum Frühstück? Was essen die Deutschen zum Frühstück? Was ißt man in Deutschland zum Mittagessen? zum Abendessen? Trinkt man in Deutschland so viel Milch wie hier? Wer trinkt dort hauptsächlich Milch? Trinkt man in Deutschland Kaffee? Wann trinkt man Kaffee?

b. Woraus trinkt man Kaffee oder Tee? Woraus trinkt man Bier oder Wein? Wovon ißt man? Womit ißt man? Womit schneidet man Fleisch? Womit führt man es zum Mund? Womit ißt man Suppe? Wann ißt man gewöhnlich Eier? Essen Sie Eier gern? Was für Eier essen Sie am liebsten, harte, weiche oder Spiegeleier? Mögen Sie Eiersalat? Kartoffelsalat? grünen Salat?

Essen Sie lieber Salat oder Gemüse? Trinken Sie lieber warme oder kalte Milch? Macht kalter Kaffee wirklich schön?

c. Wann zieht man sich warm an? Warum? Wann zieht man sich leicht an? Warum? Tragen Sie eine Krawatte? immer? Haben Sie bunte Krawatten gern? Wann zieht man den Mantel aus? Warum? Wann braucht man einen Regenschirm? Warum? Wann trägt man einen Hut?

d. Wann hat man mehr Durst, wenn es heiß oder wenn es kalt ist? Wann haben Sie gewöhnlich großen Hunger? bevor Sie mit der Arbeit beginnen? nachdem Sie fertig sind? Wann hat man mehr Lust zum Arbeiten, im Sommer oder im Winter? wenn es regnet oder wenn die Sonne scheint? Warum ist das so? Warum studieren Sie Deutsch? Wollen Sie gern nach Deutschland fahren? jetzt, oder nachdem Sie gut Deutsch können? Waren Sie schon einmal in Deutschland? Waren Sie schon im Ausland? Wann waren Sie dort?

e. Lesen Sie manchmal auf der Straße? Warum soll man nicht lesen, während man auf der Straße geht? Warum soll man nicht schlafen, während der Lehrer spricht? Warum soll man in der Stunde gut aufpassen? Warum lernt man fremde Sprachen?

„Scheint die Sonne noch so schön,
Einmal muß sie untergehn!“

DIE FÜNFZEHNTE STUNDE

I. Ein Telefongespräch

Susan hat begonnen, Deutsch zu studieren! Sie hat mir noch nicht gesagt, warum sie es getan hat. Vielleicht bin ich schuld daran? Es ist jedenfalls [1] hübsch, daß wir jetzt dieselbe Sprache lernen; so haben wir einen neuen Gesprächsgegenstand [2] und einen Grund, öfter zusammenzukommen.

Und einen solchen Grund haben wir sehr nötig; denn ich habe Susan eine ganze Woche lang nicht gesehen. Ihre Mutter war krank, und deshalb hat Susan außer ihrer gewöhnlichen Arbeit noch den Haushalt [3] übernehmen müssen. Deshalb hat sie die ganze Woche keinen einzigen [4] freien Abend gehabt.

Gestern abend haben wir zum ersten Mal länger miteinander [5] am Telefon gesprochen. Gott sei Dank [6] geht es ihrer Mutter wieder besser; daher wird Susan nächste Woche wieder mehr freie Zeit haben, und wir hoffen, daß wir am nächsten Samstag oder Sonntag zusammen ausgehen können.

[1] at any rate. [2] **das Gespräch** (conversation) + **der Gegenstand** (object) = topic (for conversation). [3] household. [4] single. [5] with each other.
[6] "Thank goodness!" *In German, expressions such as* **Gott sei Dank** *are usually considerably weaker than their literal English translations.*

Kaum hatte mir Susan gesagt, daß sie angefangen hat, Deutsch zu studieren, habe ich mir den Spaß gemacht, sie auf deutsch zu fragen: „Finden Sie Deutsch schwer, gnädiges Fräulein?“ [1] Da hat sie gelacht und sofort auf deutsch geantwortet: „Nein, Herr Doktor, ich finde Deutsch nicht sehr schwer; Deutsch und Englisch sind ja recht ähnlich. ‚I study German,‘ zum Beispiel, heißt auf deutsch: ‚ich studiere Deutsch.‘“ Dann mußten wir aufhören zu sprechen, und ich habe nur noch schnell ins Telefon hineingerufen: „Auf baldiges Wiedersehn, Fräulein Susanne!“

Aus ihrer Antwort habe ich gesehen, daß Susan dasselbe deutsche Lehrbuch benützt [2] wie ich. Das ist sehr nett von ihr. Sie muß mich doch recht gern haben.

Aber was die Ähnlichkeit zwischen Deutsch und Englisch angeht,[3] bin ich nicht mehr so ganz sicher. Es ist schon [4] richtig, daß „I study German“ auf deutsch heißt: „ich studiere Deutsch.“ Aber in der Vergangenheit ist es nicht mehr ganz so einfach; denn für „I studied German last year“ sagt man auf deutsch oft: „ich habe letztes Jahr Deutsch studiert.“ Das ist doch [5] ganz anders als im Englischen.

Studieren Sie diese Stunde genau so wie die vorigen!

II. WORTSCHATZ

***1. Aufgepaßt!** [6]

a. **auf-hören** to stop
glauben to believe
ich glaube es (*acc.*) I believe it (*thing*)
ich glaube Ihnen (*dat.*) I believe you (*person*)
hoffen to hope

außer (*prep. / dat.*) besides, in addition to; except
außerdem besides, moreover

bald soon
auf baldiges Wiederseh(e)n! see you soon!
frei free; unoccupied
kaum hardly
krank : gesund sick, ill : healthy
nett nice
sicher certain, sure

die Nummer, –n number
das Telefon′ (Telephon′), –e *or* **der Fernsprecher, –** telephone

[1] *here, humorous formal address:* "Miss" (*literally:* "gracious Miss"). [2] uses. [3] **was die Ähnlichkeit . . . angeht** as far as the similarity is concerned. [4] "quite; to be sure." [5] "after all." [6] *The perfect participle is sometimes used as a strong imperative.*

b. **die Not, ⸚e** need
nötig necessary
er hat es nötig he needs it

c. **die Schuld, –en** fault; debt
schuld sein (an / *dat.*) to be to blame (for)
ich bin schuld daran it is my fault

d. **derselbe,**[1] **dasselbe, dieselbe usw.** the same

*2. The principal parts of some irregular verbs

INFINITIVE (3RD SING. PRESENT)	1ST & 3RD SING. PAST	PERFECT PARTICIPLE	MEANING
	Two special verbs		
haben	hatte	gehabt	*to have*
tun	tat	getan	*to do*
	Verbs with the same vowel in the infinitive and perfect participle		
essen (ißt)	aß	gegessen	*to eat*
geben (gibt)	gab	gegeben	*to give*
lesen (liest)	las	gelesen	*to read*
sehen (sieht)	sah	gesehen	*to see*
aus-sehen (sieht aus)	sah aus	ausgesehen	*to look, appear*
vergessen (vergißt)	vergaß	vergessen	*to forget*
waschen (wäscht)	wusch	gewaschen	*to wash*
an-fangen (fängt an)	fing an	angefangen	*to begin*
gefallen (gefällt)	gefiel	gefallen	*to please*
halten (hält)	hielt	gehalten	*to hold; stop*
lassen (läßt)	ließ	gelassen	*to let, allow*
schlafen (schläft)	schlief	geschlafen	*to sleep*
heißen	hieß	geheißen	*to be named*
rufen	rief	gerufen	*to call*
an-rufen	rief an	angerufen	*to call, telephone*
bekommen	bekam	bekommen	*to get, receive*

[1] **Der + selbe: der** is the definite article; **–selb–** is therefore treated like a preceded adjective, and so adds the ending **–e** in the nominative singular and **–en** in all other cases.

INFINITIVE (3RD SING. PRESENT)	1ST & 3RD SING. PAST	PERFECT PARTICIPLE	MEANING
	Verbs with the same vowel in the past tense and perfect participle		
scheinen	schien	geschienen	*to shine; seem*
schreiben	schrieb	geschrieben	*to write*
verlieren	verlor	verloren	*to lose*
stehen	stand	gestanden	*to stand*
verstehen	verstand	verstanden	*to understand*
	Verbs with a progressive vowel change		
finden	fand	gefunden	*to find*
singen	sang	gesungen	*to sing*
trinken	trank	getrunken	*to drink*
beginnen	begann	begonnen	*to begin*
helfen (hilft)	half	geholfen	*to help*
nehmen (nimmt)	nahm	genommen	*to take*
sprechen (spricht)	sprach	gesprochen	*to speak*
treffen (trifft)	traf	getroffen	*to meet; hit*
liegen	lag	gelegen	*to lie*
sitzen	saß	gesessen	*to sit*

III. ERLÄUTERUNGEN

1. The pattern of the perfect tenses

INFINITIVES: haben, sagen, warten, auf-hören; erklären, studieren; singen, aus-sehen; bekommen, tun; müssen; wissen

PRESENT PERFECT:		gehabt
I have had, etc.	ich habe	gesagt
	er, es, sie hat	gewartet
	wir, sie, Sie haben	aufgehört
PAST PERFECT:		erklärt
I had had, etc.	ich, er, es, sie hatte	studiert
	wir, sie, Sie hatten	gesungen
		ausgesehen
		bekommen
		getan
		gemußt
		gewußt

▶ The *present perfect* tense consists of the *present* tense of the auxiliary and the *perfect* participle of the main verb. The *past perfect* tense consists of the *past* tense of the auxiliary and the *perfect* participle of the main verb. (In English: I have + said; I had + said.)

2. About the perfect participle

a. ich habe . . . **ge**sag**t**; ich habe . . . **ge**wart**et**

The perfect participle of regular verbs shows the prefix **ge–** and the ending **–t** (**–et,** if the stem of the verb already ends in a **–t–** or if some other unpronounceable consonant cluster would result).

b. ich habe . . . **ge**sung**en**

The perfect participle of irregular verbs shows the prefix **ge–** and the ending **–en.** Since a vowel variation also is involved, the perfect participles of irregular verbs must be memorized.

c. ich habe . . . **auf**gehört; ich habe . . . **aus**gesehen

Verbs with separable prefixes, both regular and irregular, have normal perfect participles. Note that the prefix precedes the participle, but is written as part of the verb form.

d. ich habe . . . erklärt; ich habe . . . bekommen

Verbs with inseparable prefixes do not add the prefix **ge–** in the perfect participle. The prefixes **be–**, **ent–**, **emp–**, **er–**, **ge–**, **ver–**, **zer–** never stand separately from the verb.

e. ich habe . . . studiert

Verbs whose infinitives end in **–ieren** do not have **ge–** in the perfect participle.

f. ich habe . . . **ge**muß**t**; ich habe . . . **ge**wuß**t**

The modal auxiliaries (*Neunte Stunde,* II, 6b) and **wissen** all have perfect participles ending in **–t.** — Note also that they all have the same vowel in their perfect participles as in their past tense forms.

Am Telefon wird
Herr. Schmidt
gewünscht

Machine shop in a hosiery factory

ange of shifts at an Essen coal mine

3. About the position of the verb

a. (Er will es mir nicht **sagen.**)	(*He does not want to tell me.*)
Er hat es mir nicht **gesagt.**	*He has not told me.*

The perfect participle, like the infinitive, stands last in a sentence or main clause. Therefore you must develop the habit of waiting for the end of a sentence before you make up your mind about what is being said!

b. (Sie hat mir gesagt, daß sie morgen anfangen **will.**)	(*She told me that she wants to start tomorrow.*)
Sie hat mir gesagt, daß sie gestern angefangen **hat.**	*She told me that she started yesterday.*

In subordinate clauses the inflected part of the verb stands at the very end (*Vierzehnte Stunde*, III, 2a).

4. The double infinitive

(Er hat das nicht **gewollt.**)	(*He did not want that.*)
Er hat das nicht **glauben wollen.**	*He did not want to believe that.*
Da er es **hat glauben wollen, . . .**	*Since he wanted to believe it, . . .*

The six modal auxiliaries, and also usually **hören, lassen,** and **sehen,** use a form identical with the infinitive instead of the perfect participle when the infinitive of another verb is used with them. —This "double infinitive" stands at the end of the sentence or clause, even in dependent clauses.

5. Past tense or present perfect?

a. Literary usage:

In a letter or as a part of a story: Es **regnete** gestern den ganzen Tag. *In a weather report or in a dialogue:* Es **hat** gestern den ganzen Tag **geregnet.**	*It* ***rained*** *all day yesterday.*

In modern German, both the past and the present perfect tenses are used to express genuine past time. However, modern literary usage tends strongly to use the *past* tense for narrative and descriptive passages, where a series of related events is involved. The *present perfect* tense is used to report isolated facts which have little or no connection with other events, therefore also commonly in dialogue.

b. Regional considerations:

In everyday usage the line of demarcation between the forms of the past tense and the present perfect is not a line of logical reasoning, but a line which follows the Main River. That is to say, the South Germans have a strong preference for the present perfect forms, the North Germans for the forms of the past tense.

c. A rule of thumb:

Er **wusch** sich die Hände.	*He **washed** (**was washing**) his hands.*
Er **hat** sich die Hände **gewaschen.**	*He **washed** (**has washed**) his hands.*

If you are in doubt about which tense to use, use the *past* tense in German whenever you would use the past "progressive" form in English; use the *present perfect* tense in German if you would use it in English. Otherwise follow the literary convention of using the past tense for narration and description, the present perfect for reporting isolated facts and in dialogue.

IV. ÜBUNGEN

A. *Read the following passage in the present, changing all italicized verb forms to the present tense:*

1. Susan *hat begonnen,* Deutsch zu studieren. 2. Sie *hat* mir nicht *gesagt,* warum sie es getan hat. 3. Denn Susan *hatte* sehr wenig Zeit. 4. Ihre Mutter ist nämlich krank, und Susan *hat* außer ihrer gewöhnlichen Arbeit auch noch den Haushalt übernehmen *müssen.* 5. Manchmal *habe* ich Susan *angerufen,* aber wir *haben* immer nur ein paar Minuten miteinander sprechen *können.* 6. Susan *hat* die ganze Woche keinen einzigen freien Abend *gehabt.* 7. Ich *habe* jeden Abend zu Hause *gearbeitet.* 8. Während dieser Woche *habe* ich viel *gelesen* und auch viele Briefe *geschrieben.* 9. Ich *habe* auch viel *geschlafen.* 10. Das *war* sehr gesund, aber es *war* nicht sehr lustig.

B. *Reread, changing the italicized verbs to* (*a*) *the past tense,* (*b*) *the present perfect tense:*

a. 1. Mein Freund *heißt* Richard. 2. Er *lebt* in Deutschland. 3. Seine Briefe *interessieren* mich sehr. 4. Susan *beginnt,* Deutsch zu studieren, weil das mir *gefällt.* 5. Ich *helfe* ihr bei ihren Aufgaben. 6. Sie *lernt* schnell und leicht. 7. Sie *findet* Deutsch nicht schwer.

b. 1. Der Mond *scheint* in das Zimmer. 2. Auf dem Tisch *liegen* ein alter Hut und ein paar Socken. 3. Daneben *steht* ein Grammophon. 4. Auf dem Boden *liegen* Bücher und Hefte. 5. Auf dem Bett *sitzt* ein junger Mann. 6. Er *hat* eine Pfeife im Mund. 7. In der linken Hand *hält* er ein Buch, in der rechten einen Bleistift. 8. Er *läßt* das Buch fallen. 9. Er *nimmt* die Pfeife aus dem Mund und *legt* sie auf den Stuhl neben dem Bett. 10. Er *läßt* sich auf das Bett fallen. 11. Wir *sagen* leise: „Gute Nacht!" und *lassen* unseren Studenten bei seinen Träumen.

c. 1. Was *tut* die Hausfrau? 2. Sie *ruft* ihre Familie zum Frühstück; sie *gibt* allen Kaffee, Brot, Butter und Eier; sie *hilft* dem jüngsten Kind beim Essen. 3. Nach dem Frühstück *wäscht* sie die Teller und Tassen, die Messer, die Gabeln und die Löffel. 4. Am Nachmittag *trifft* sie einige Freundinnen zum Kaffee. 5. Man *sitzt* eine Stunde beisammen. 6. Dann *arbeitet* die Hausfrau wieder, damit niemand auf das Essen warten *muß.* 7. Nach dem Abendessen *gibt* es einen Kuchen. 8. Es *schmeckt* allen sehr gut. 9. Die Hausfrau *vergißt* nichts.

C. *Reread Ba, changing all italicized verbs to the past perfect tense.*

D. *Combine the following sentences as indicated. — Where does the inflected part of the verb stand?*

1. Wir arbeiten am besten. (wenn) Wir haben gut geschlafen.
2. Waschen Sie die Teller und Tassen? (nachdem) Sie haben gegessen.
3. Ich habe sie angerufen. (als) Ich wollte mit ihr sprechen.
4. Wir konnten nicht ausgehen. (da) Es hat den ganzen Abend geregnet.
5. Ich mußte Geld haben. (bevor) Ich habe mir ein neues Auto kaufen können.
6. Er hat sich verliebt. (als) Er hat sie singen hören.

E. *Ask yourself and others questions like the following and answer them in German:*

a. Wann haben Sie begonnen, Deutsch zu studieren? Haben Sie schon viel gelernt? Haben Sie immer alle Ihre Aufgaben gemacht? Haben Sie alle Fragen verstanden? Haben Sie immer richtig antworten können? Haben Sie immer aufgepaßt? Haben Sie manchmal während der Stunde geschlafen? Haben Sie deutsche Schallplatten gehört? Haben Sie sie gut verstehen können? Haben Sie schon einmal einen deutschen Film gesehen? Hat er Ihnen gefallen?

b. Wie lange schlafen Sie gewöhnlich? Wie lange haben Sie gestern nacht geschlafen? Wann haben Sie heute gefrühstückt? Haben Sie die Morgenzeitung gelesen? Haben Sie alle Wörter dieser Stunde gelernt? Wie viele davon haben Sie vergessen? Was haben Sie am letzten Sonntag getan? Waren Sie im Kino? Haben Sie einen interessanten Film gesehen?

c. Haben Sie schon einmal eine Landkarte von Deutschland gesehen? Haben Sie versucht, selbst eine solche Landkarte zu zeichnen? Wie hat die Hauptstadt von Deutschland vor 1945 geheißen? An welchem Fluß liegt Wien? Liegt Zürich an einem Fluß? an einem See?

d. Haben Sie schon einmal einen deutschen Dachshund gesehen? Hat er Ihnen gefallen? Hat ein solcher Hund einen langen Körper? einen runden Kopf? Was für Beine hat er? Kann er schnell laufen? Haben Sie einen Hund? Möchten Sie einen haben? Haben Sie Hunde gern? Wie hat der Dachshund in der siebten Stunde geheißen? Wie hat er ausgesehen?

e. Was haben Sie heute zum Frühstück gegessen? Was haben Sie dazu getrunken? Lesen Sie jeden Tag ein wenig? Haben Sie gestern etwas gelesen? Was haben Sie gelesen? Hat es Ihnen gefallen?

f. Bekommen Sie viel Post? Haben Sie heute morgen einen Brief bekommen? eine Postkarte? von wem? Schreiben Sie selber viele Briefe? Haben Sie gestern einen Brief oder eine Postkarte geschrieben? Haben Sie heute etwas vergessen? Was haben Sie vergessen?

„Gesagt, getan!"

DIE SECHZEHNTE STUNDE

I. Ein Telegramm

Das war eine Überraschung![1] Vorgestern ganz früh läutet die Hausglocke. Ich laufe hinaus und sehe, daß ein Telegramm unter der Tür liegt. Ich glaube zuerst, es ist für meinen Vater. Aber es ist für mich und darin steht: Ankomme Dienstag 16.30 Flugplatz[2] Richard.

Und gestern ist Richard wirklich angekommen. Leider ist er heute früh schon wieder abgereist. Er hat ein paar Wochen Ferien und konnte nur über Nacht hierbleiben, ehe er weiterfuhr zum Besuch seiner Eltern. Die Sache war ihm ganz unerwartet[3] gekommen, und er hatte keine Zeit gehabt zu schreiben. Daher das plötzliche Telegramm.

Ich bin natürlich zum Flugplatz gefahren, um ihn abzuholen. Zuerst konnte ich ihn gar nicht finden. Alle Passagiere waren schon ausgestiegen und von Richard war nichts zu sehen.[4] Dann hörte ich meinen Namen im Lautsprecher; es hieß,[5] ich sollte in den Wartesaal[6] kommen — und da stand Richard. Er war mit einem früheren Flugzeug[7] geflogen.

Ich war froh, ihn zu sehen. Er sah gut aus und war sehr vergnügt;[8]

[1] surprise. [2] airport. [3] unexpected(ly). [4] "to be seen." [5] "it was announced." [6] waiting room. [7] plane. [8] gay.

er war auch ein wenig gewachsen, seit ich ihn zuletzt gesehen hatte, und sein Gesicht war voller geworden. Aber sonst ist er ganz der Alte geblieben. Wie in den alten Tagen hatte er großen Hunger, und so sind wir gleich ins Flugplatzrestaurant gegangen, um uns zu stärken.[1]

Vor lauter [2] Fragen und Antworten sind wir aber kaum zum Essen gekommen. Zuerst mußte ich alles von mir erzählen, dann kam die Reihe an Richard.[3] Er will Diplomat werden und hat eine sehr interessante Stellung [4] im Außendienst [5] der Regierung.[6] Einzelheiten [7] darf er nicht erzählen; die sind Staatsgeheimnisse.[8] Aber von seinem Leben im allgemeinen hat er mir eine Menge ernste und lustige Dinge erzählt.

Er ist über zwei Jahre in Deutschland gewesen und er spricht Deutsch fließend.[9] Manchmal fällt ihm sogar das deutsche Wort vor dem englischen ein. Als wir mit dem Essen fertig waren, ist er aufgestanden und hat laut auf deutsch gerufen: „Ober, zahlen!" Er hatte ganz vergessen, daß er nicht mehr in Deutschland war. Als er merkte, was geschehen war, ist er ganz rot geworden, und dann haben wir beide lang und herzlich gelacht.

Studieren Sie diese Stunde genau so wie die vorigen!

II. WORTSCHATZ

*1. Merken Sie sich's!

ein-fallen (fällt ein), fiel ein, ist eingefallen to occur to one; remember
  es fällt mir ein it occurs to me; I remember
  der Einfall, ⸚e idea
holen to (go and) get, fetch
  ab-holen to (go and) get, "pick up"

leiden, litt, gelitten to suffer
  es tut mir leid I am sorry
  sie tat mir leid I was sorry for her
  das Leid suffering, sorrow
  leider unfortunately

die Ferien (*pl. only*) vacation
die Sache, –n thing; affair, matter

plötzlich sudden(ly)

2. A help in recognizing some nouns

Quite a few important German nouns are derived from irregular verbs, most frequently from the perfect participle. These are usually **der**-nouns, with plurals ending in (⸚)**e**.

[1] to strengthen. [2] "from nothing but." [3] "then it was Richard's turn." [4] position. [5] foreign service. [6] government. [7] details. [8] **das Geheimnis, –nisse** secret. [9] fluently.

binden, ge**bund**en	**der Bund** league, federation
brechen, ge**broch**en	**der Bruch** break, fracture; fraction
fallen, ge**fall**en	**der Fall** fall; case
raten, ge**rat**en	**der Rat** advice; councilor
ziehen, ge**zog**en	**der Zug** train; draft

Similarly, many nouns are derived from other forms of the verb; these are frequently **die**-nouns, with plurals ending in –(**e**)**n.**

helfen, **hilft**	**die Hilfe** help, assistance
liegen, **lag**	**die Lage** situation
tun, **tat**	**die Tat** act, deed

*3. Some regular verbs that form their perfect tenses with *sein*

INFINITIVE	3RD SING. PRESENT PERFECT	MEANING
auf-wachen (s) [1]	ist aufgewacht	*to wake up*
folgen (*dat.*) (s)	ist gefolgt	*to follow*
reisen (s)	ist gereist	*to travel*
ab-reisen (s)	ist abgereist	*to leave on a trip*

*4. Some irregular verbs that form their perfect tenses with *sein*

INFINITIVE (3RD SING. PRESENT)	1ST & 3RD SING. PAST	3RD SING. PRESENT PERFECT	MEANING
	Two special verbs		
sein (ist)	war	ist gewesen	*to be*
werden (wird)	wurde	ist geworden	*to become*
	Verbs with the same vowel in the infinitive and perfect participle		
geschehen (geschieht)	geschah	ist geschehen	*to happen*
fahren (fährt)	fuhr	ist gefahren	*to ride, drive*
ab-fahren (fährt ab)	fuhr ab	ist abgefahren	*to depart*
wachsen (wächst)	wuchs	ist gewachsen	*to grow*
auf-wachsen (wächst auf)	wuchs auf	ist aufgewachsen	*to grow up*

[1] (**s**) after a verb indicates that the auxiliary in the perfect tenses is **sein.**

INFINITIVE (3RD SING. PRESENT)	1ST & 3RD SING. PAST	3RD SING. PRESENT PERFECT	MEANING
ein-schlafen (schläft ein)	schlief ein	ist eingeschlafen	*to fall asleep*
fallen (fällt)	fiel	ist gefallen	*to fall*
laufen (läuft)	lief	ist gelaufen	*to run*
kommen	kam	ist gekommen	*to come*
an-kommen	kam an	ist angekommen	*to arrive*
Verbs with the same vowel in the past tense and perfect participle			
bleiben	blieb	ist geblieben	*to stay, remain*
stehen-bleiben	blieb stehen	ist stehengeblieben	*to stop*
erscheinen	erschien	ist erschienen	*to appear*
steigen	stieg	ist gestiegen	*to climb*
aus-steigen	stieg aus	ist ausgestiegen	*to climb out, get out*
fliegen	flog	ist geflogen	*to fly*
fließen	floß	ist geflossen	*to flow*
(stehen [1]	stand	ist gestanden	*to stand*)
auf-stehen	stand auf	ist aufgestanden	*to stand up, get up*
Verbs with a progressive vowel change			
sinken	sank	ist gesunken	*to sink*
springen	sprang	ist gesprungen	*to jump*
verschwinden	verschwand	ist verschwunden	*to disappear*
schwimmen	schwamm	ist geschwommen	*to swim*
sterben (stirbt)	starb	ist gestorben	*to die*
gehen	ging	ist gegangen	*to go; walk*
fort-gehen	ging fort	ist fortgegangen	*to go away, leave*

III. ERLÄUTERUNGEN

1. The verb *sein* (to be) as an auxiliary

In English the verb *to have* is used in forming the perfect tenses, although there are a few remnants of older usage where the verb *to be* was once

[1] In southern Germany **stehen, liegen, sitzen** are commonly used with **sein** in the perfect tenses.

employed. For instance, compare "he is gone" with "he has gone." You will also find many examples of the use of the verb *to be* as an auxiliary in older English: "And when much people *were gathered* together, and *were come* to him out of every city, he spake by a parable," Luke 8, 4; "The scandalous corruptions in which these people *are fallen* . . . ," Jonathan Swift, *Gulliver's Travels*, Part I, Chapter VI.

In German most verbs use **haben** as their auxiliary in the perfect tenses. However, quite an important minority stubbornly stick to the auxiliary **sein,** among them such everyday verbs as **bleiben, folgen, kommen, sein,** and **werden.** This group includes all verbs which imply a change of position (**gehen, laufen usw.**) or of condition (**sterben, wachsen usw.**), provided that they are being used as intransitive verbs.

You have already encountered a number of very important verbs that use **sein** in the formation of their perfect tenses; they are listed for you in the *Wortschatz.* You will find that the most satisfactory way to master these verbs is to memorize their perfect participles with **ist,** as they are listed.

2. The pattern of the perfect tenses with *sein*

INFINITIVES: sein, werden; folgen, ab-reisen; gehen, ein-schlafen, verschwinden

PRESENT PERFECT:		
I have been, etc.	ich bin	gewesen
	er, es, sie ist	geworden
	wir, sie, Sie sind	gefolgt
		abgereist
PAST PERFECT:		gegangen
I had been, etc.	ich, er, es, sie war . . .	eingeschlafen
	wir, sie, Sie waren . . .	verschwunden

▶ Except for the fact that the auxiliary is **sein** instead of **haben,** the perfect tenses of the **sein**-verbs are formed exactly like the perfect tenses of the **haben**-verbs. Review especially the comments on the formation of the perfect participle, *Fünfzehnte Stunde,* III, 2.

IV. ÜBUNGEN

A. *Can you determine the meanings of the following nouns from the corresponding verbs?*

der Anzug : an-ziehen
der Blick : blicken
der Gang : gehen
  der Ausgang : aus-gehen
  der Durchgang : durch-gehen
der Schlaf : schlafen
die Bitte : bitten
die Folge : folgen
die Gabe : geben
die Stelle : stellen

B. *Reread the following passage in the past tense, changing all italicized verbs:*

1. Ich *bin* heute sehr früh *aufgestanden.* 2. Um 7 Uhr morgens *hat* die Hausglocke *geläutet.* 3. Ich *bin* schnell an die Tür *gelaufen.* 4. Unter der Tür *hat* ein Telegramm von meinem Freund Richard *gelegen.*

5. Richard *ist* auf Ferien *gekommen.* 6. Er *ist* über das Meer *geflogen,* um seine Eltern zu besuchen. 7. Er *ist* aber einen Tag und eine Nacht hier *geblieben,* ehe er *weitergefahren ist.* 8. Er *ist* um 2 Uhr *angekommen.* 9. Ich *bin* zum Flugplatz *gefahren,* um ihn abzuholen. 10. Ich *bin* sehr froh *gewesen,* Richard wiederzusehen. 11. Er *ist* ganz der Alte *gewesen.* 12. Wir *sind* gleich in das Flugplatzrestaurant *gegangen.*

13. Richard *hat* fließend Deutsch *gesprochen.* 14. Manchmal *ist* ihm sogar das deutsche Wort vor dem englischen *eingefallen.* 15. Nach dem Essen *ist* folgendes *geschehen:* Richard *ist aufgestanden* und *hat* laut auf deutsch *gerufen:* „Ober, zahlen." 16. Alles *hat gelacht.* 17. Da *ist* Richard ganz rot *geworden.*

C. *Change all italicized verbs to the* (*a*) *past,* (*b*) *present perfect, and* (*c*) *past perfect tenses:*

a. 1. Am Sonntag *fahren* ein paar Freunde und ich in meinem Auto an einen See. 2. Wir *fahren* um 6 Uhr morgens *ab,* um 10 Uhr *kommen* wir am See *an.* 3. Wir *steigen aus* und *springen* gleich ins Wasser. 4. Wir *schwimmen* viel und lang. 5. Dann *werden* wir müde, *legen* uns unter einen Baum und *schlafen ein.*

„Sind Sie ſchon einmal geflogen?"

„Ober, zahlen!"

„Der kleine Werner lebte in den Bergen.“

„In dem großen schwarzen Loch erschien die Lokomotive.“

b. 1. Tagelang *fällt* kein Regen. 2. Der Boden *wird* hart und trocken. 3. Das Gras *wird* braun und die Blumen *sterben.* 4. Die Blätter *fallen* von den Bäumen. 5. Das Bächlein, das sonst so vergnügt durch das grüne Gras *fließt, verschwindet.* 6. Es *wächst* nichts. 7. Das Land *ist* tot.

D. *Read the following passage in the present perfect tense, changing italicized verbs only:*

1. Der kleine Werner *lebte* mit seinen Eltern hoch oben in den Bergen der Schweiz. 2. Dort *wuchs* er *auf* als ein Kind der Natur. 3. Er *stieg* auf alle Gipfel und *schwamm* in allen Bergseen. 4. Davon, was draußen in der Welt *geschah, wußte* Werner nichts — außer durch den Nord-Süd-Expreß.

5. Jeden Abend gegen sechs Uhr *lief* Werner hinunter zum Stationshaus. 6. Das *lag* nur wenige Schritte von dem großen schwarzen Loch (*hole*) in der Bergwand, dem Ausgang des großen Tunnels. 7. In dem Loch *erschien* — genau 5 Minuten nach sechs — die Lokomotive des Nord-Süd-Expreßzugs. 8. Sie *war* doppelt so lang wie das Stationshäuschen. 9. Dann *hielt* der Zug, aber er *blieb* nur eine Minute *stehen,* um Wasser aufzunehmen. 10. Gewöhnlich *stieg* niemand *aus.* 11. Aber durch die großen Fenster der eleganten Wagen *konnte* man einen Blick tun in eine andere Welt. 12. Man *konnte* auch die Schilder (*signs*) lesen: Milano–München, oder: Roma–München–Berlin–Hamburg. 13. Eines Tages, *sagte* sich Werner, fahre ich auch da hinunter in die große Stadt Berlin oder sogar nach Hamburg und von dort übers Meer nach Amerika.

E. *Ask yourself and others questions like the following and answer them in German:*

a. Um wieviel Uhr stehen Sie gewöhnlich auf? Wann sind Sie heute morgen aufgestanden? (Wann standen Sie auf?[1]) Wann haben Sie das Haus verlassen? Wann sind Sie fortgegangen? Sind Sie heute in die Schule gegangen oder gefahren? Fahren Sie immer? Womit fahren Sie gewöhnlich? Müssen Sie mit dem Zug fahren? Wohnen Sie in der Stadt?

b. In welche Schule gehen Sie jetzt? Seit wann gehen Sie in diese Schule? In welche Schule sind Sie früher gegangen? (In welche Schule gingen Sie früher?[1]) Wie alt waren Sie, als Sie zum ersten Mal in die Schule gingen?

[1] *See* 15. Stunde, III, 5b.

(Wie alt sind Sie gewesen, als Sie zum ersten Mal in die Schule gegangen sind?) Wie alt sind die deutschen Jungen und Mädchen, wenn sie zuerst in die Grundschule gehen? Wie viele Jahre geht man in Deutschland aufs Gymnasium? auf die Universität? Haben Sie sich das alles gemerkt? Oder haben Sie es schon vergessen?

c. Waren Sie gestern im Theater? Sind Sie ins Kino gegangen? mit wem? Um wieviel Uhr sind Sie nach Haus gekommen? Fahren Sie manchmal aufs Land? Wo sind Sie am letzten Sonntag gewesen? Sind Sie aufs Land gefahren? Sind Sie geschwommen oder geritten? Haben Sie schon Ferien? Tut Ihnen das leid? Haben Sie bald Ferien? Wann? Freuen Sie sich darauf? Wollen Sie die Stadt verlassen? Wohin fahren Sie in den Ferien?

d. Sind Sie schon auf viele Berge gestiegen? Wer ist schon auf einen Berg gestiegen? Auf welchen Berg? Sind Sie schon einmal geflogen? Wer ist schon geflogen? Fliegen Sie gern? Haben Sie Angst, wenn Sie fliegen? Womit fliegt man gewöhnlich? Womit fährt man? Worauf reitet man? Womit geht man?

e. Essen Sie manchmal in einem Restaurant? Essen Sie lieber in einem Restaurant oder zu Hause? Wo ißt man billiger? Können Sie eine deutsche Speisekarte lesen? Wie bestellt man in einem deutschen Restaurant? Wie verlangt man ein Glas Bier? Was sagt man, wenn man bezahlen will? Gibt man in Deutschland gewöhnlich Trinkgeld?

Welche Fragen fallen Ihnen noch ein?

„Es ist noch kein Meister vom Himmel gefallen.“

DIE SIEBZEHNTE STUNDE

I. Wir werden tanzen

Samstag früh

Heute nacht werde ich wenig schlafen. Susan hat von ihrem Gesanglehrer zwei Eintrittskarten zu einem Künstlerball für heute abend bekommen und sie hat mich eingeladen, mit ihr zu kommen. Ich habe noch nie mit Susan getanzt und bin sehr neugierig,[1] wie es gehen wird. Aber Susan tanzt sicher ausgezeichnet und das wird mir helfen, sie gut zu führen.

Der Ball ist ein Kostümfest. Susan meinte, wir sollten uns als Figuren aus einer deutschen Oper anziehen, denn sie wird ja Sängerin, und wir beide studieren Deutsch. Ich schlug *Die Zauberflöte* [2] vor. So werden wir als „Tamino" und „Pamina" [3] gehen. *Die Zauberflöte* ist meiner Meinung nach eine der schönsten deutschen Opern; darin kommt meine Lieblingsarie [4] vor:

[1] curious. [2] "The Magic Flute." [3] zwei Personen aus Mozarts Oper, *Die Zauberflöte.* [4] favorite aria.

In diesen heil'gen Hallen
Kennt man die Rache nicht;
Und ist ein Mensch gefallen,
Führt Liebe ihn zur Pflicht.[1]

Außerdem spielt *Die Zauberflöte* im Land der Phantasie. Es wird also nicht schwer sein, Kostüme für uns zurechtzumachen.[2] Ein Bettuch [3] schwungvoll [4] über die Schultern geworfen, ein farbiges Tuch um die Hüften [5] gebunden, ein Paar Sandalen an den Füßen: das wird reichen.

Jetzt aber Schluß mit dem Schreiben! Ich muß mir noch die Haare schneiden lassen, einige neue Tanzschritte üben und mein Kostüm herrichten.[6]

Sonntag, um 4 Uhr morgens

Nur schnell ein paar Zeilen, ehe ich zu Bett gehe: es war herrlich! Susan wird die allerschönste auf dem ganzen Ball gewesen sein.[7] Wir trafen eine Menge Freunde. Susans Gesanglehrer war auch da. Als er sie kommen sah, hat er gleich angefangen, die Arie des Tamino aus der *Zauberflöte* zu singen:

Dies Bildnis ist bezaubernd schön —
Wie noch kein Auge je gesehn! [8]

Das ist genau, was ich auch fühle — Gute Nacht!

Studieren Sie diese Stunde genau so wie die vorigen!

II. WORTSCHATZ

*1. Merken Sie sich's!

schließen, schloß, geschlossen to close
der Schluß, Schlüsse conclusion, end
Schluß damit! "that's enough!"

schreiten, schritt, ist geschritten to step, stride
der Schritt, -e step

vor-schlagen (schlägt vor), schlug vor, vorgeschlagen to suggest
der Vorschlag, ⸚e suggestion

[1] "In this holy hall / They know not vengeance' wrath / And if you chance to fall, / Love shows you duty's path." [2] "to make up." [3] **das Tuch, ⸚er** cloth, sheet. [4] "with a flourish." [5] hips. [6] get ready. [7] **wird . . . gewesen sein** (probably) was. [8] "Enchanting is this picture; she / is lovelier than e'er was seen."

*2. Words to watch

a. Do not confuse:

genau : genug exact(ly) : enough
weiter : wieder farther, further : again
Lesen Sie weiter! Go on reading! Continue reading!
Lesen Sie das wieder! Read that again!

b. Ich **lasse** mir die Haare **schneiden.** — *I* ***have*** *my hair* ***cut.***
Ich **lasse** ihn rufen. — *I* ***have*** *him* ***called.***

meiner Meinung **nach** — *in my opinion*
seinen Worten **nach** — *according to his words*

Ich **reiche** ihm die Karte. — *I hand (reach) him the ticket.*
Mein Geld **reicht** nicht. — *My money is not enough.*

3. Die Einladung, –en (invitation)

ein-laden (lädt ein), lud ein, eingeladen to invite
***feiern** to celebrate
die Feier, –n celebration
tanzen to dance
der Tanz, ⸚e dance
***träumen** to dream
der Traum, ⸚e dream

***der Ball, ⸚e** ball
der Eintritt admission
die (Eintritts)karte, –n ticket
***das Fest, –e** festival
***die Kunst, ⸚e** art
der Künstler, – artist

der Friseur′, –e barber, hairdresser (**der Damenfriseur, der Herrenfriseur**)
die Schere, –n (pair of) scissors
der Spiegel, – mirror

kämmen to comb
der Kamm, ⸚e comb

***schneiden, schnitt, geschnitten** to cut
der Schneider, – tailor

ausgezeichnet excellent
***herrlich** splendid

4. The meanings of the inseparable prefixes

Although the meanings of the inseparable prefixes in German have shifted considerably and have developed many variations, it is still often possible to recognize the effect such a prefix has.

be– changes intransitive verbs to transitive
forms new verbs from other verbs and parts of speech

antworten : beantworten to answer (*a person*) (*dat.*) : to answer (*acc.*)
frei : befreien free : to free
sprechen : besprechen to speak : to discuss

ent– (emp–) "away from," "out of"

fern : entfernen distant, far away : to remove
sich entfernen to go away
stehen : entstehen to stand : to arise, originate

er– "from," "out of," indicating the beginning or end of an action
forms verbs which suggest making or doing

leben : erleben to live : to live through, experience
warten : erwarten to wait : to await, expect

ge– denotes what is fitting or completed
forms collective nouns

fallen : gefallen to fall : to please, be pleasing to
setzen : das Gesetz to set, put : the law
der Berg : das Gebirge mountain : mountains, mountain range

ver– suggests "completely," "thoroughly," "through"

bringen : verbringen to bring : to spend *or* pass time
gehen : vergehen to go : to pass away; fade
sprechen : versprechen to speak : to promise

zer– "to pieces"

brechen : zerbrechen to break : to break to pieces
stören : zerstören to disturb : to destroy

***5. The hybrids**

brennen	brannte	gebrannt	*to burn*
kennen	kannte	gekannt	*to be acquainted with, know*
nennen	nannte	genannt	*to name*
rennen	rannte	ist gerannt	*to run*
senden	sandte	gesandt	*to send*
wenden	wandte	gewandt	*to turn*
bringen	brachte	gebracht	*to bring*
denken	dachte	gedacht	*to think*

The verbs listed above have a **–t** in the past tense and in the perfect participle, like regular verbs, but also show a vowel change, like irregular verbs.

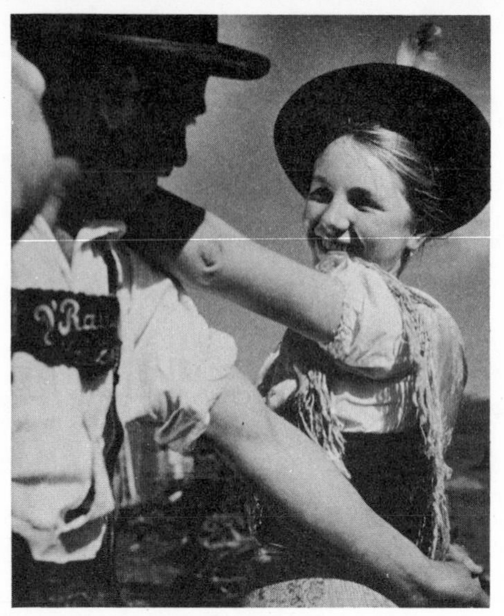

„Susan tanzt ausgezeichnet."

„Der Ball ist ein Kostümfest."

„Wir werden tanzen."

III. ERLÄUTERUNGEN

1. The future tense of all verbs

ich werde............ er, es, sie wird....... wir, sie, Sie werden...	sein haben werden sagen zurückkommen

The *future* tense of all verbs in German consists of the *present* tense of **werden,** here used as an auxiliary, and the *infinitive* of the main verb.

2. The future perfect tense [1]

Verbs with the auxiliary **haben**

ich werde............ er, es, sie wird....... wir, sie, Sie werden...	gehabt haben gesagt haben gesprochen haben angefangen haben

Verbs with the auxiliary **sein**

ich werde............ er, es, sie wird....... wir, sie, Sie werden...	gewesen sein geworden sein gefolgt sein gegangen sein zurückgekommen sein

The *future perfect* tense of all verbs consists of the *future* tense of the auxiliary and the *perfect* participle.

Remember that the auxiliary of most verbs is **haben.** Only verbs that do not take a direct object and that also show change of position or condition use **sein.**

3. The position of the finite verb

Er **wird** früh **zurückkommen.**	*He will come back early.*
Weil er zurückkommen **wird, . . .**	*Because he will come back . . .*
Er **wird es gelesen haben.**	*He will have read it.*
Weil er es gelesen haben **wird, . . .**	*Because he will have read it . . .*

[1] The future perfect tense is rare and is included primarily so that you may have a complete picture of the German tense system.

The perfect participle and the infinitive usually stand *last*, in that order, if both occur in a sentence or clause. Remember, however, that the *finite* verb normally moves to final position in all subordinate clauses.

4. The future tense: a note on usage

Ich komme morgen. Ich werde morgen kommen.	*I am coming / I am going to come / I'll come tomorrow.*
Ich tue das nie und nimmer.	*I'll never do that!*

The *present* tense is widely used in German to state *future time*, especially when the fact that future time is meant is either obvious or immaterial. The present progressive form is used in this way in English, but far less frequently: "I am going to New York next week."

5. The future perfect: a note on usage and meaning

Er wird seine Aufgabe schon gemacht haben.	*He will have done his lesson already. / He probably has already done his lesson.*

The future perfect tense is rare in both German and English. When it does occur, it is commonly used to express the idea of past probability in German, that is, that something *probably* happened in the past. In this usage the adverbs **wohl** or **schon** are often present in the sentence.

6. The infinitive with and without *zu*.

a. Wir beginnen, Deutsch **zu sprechen.**	*We are beginning* ***to talk*** *German.*
Wir können schon gut **lesen.**	*We can* ***read*** *well already.*
Er wünschte, mich **zu sprechen.**	*He wished* ***to see*** *me.*
Ich ließ ihn **gehen.**	*I let (had) him* ***go.***
Er wird uns nicht **stören.**	*He will not* ***disturb*** *us.*

The German verb, like the English, usually requires the use of **zu** *to* with the infinitive. **Zu** is not used for the future tense or when the infinitive is used with the modal auxiliaries or with **hören, lassen,** or **sehen.**

b. Es ist jetzt höchste Zeit auf**zu**hören.	*It is high time to stop now.*

When **zu** is used with the infinitive of a separable verb, it is incorporated in the verb.

c. **Um** etwas **zu** lernen, muß man studieren. — *To learn something you have to study.*

Ich muß viel Kaffee trinken, **um** nicht ein**zu**schlafen. — *I have to drink a lot of coffee (in order) not to fall asleep.*

The combination **um . . . zu** means *to, in order to.*

IV. ÜBUNGEN

A. *See whether you can determine the connection in meaning between the following pairs:*

antworten : beantworten
schreiben : beschreiben
suchen : besuchen
gehen : entgehen
ganz : ergänzen
klar : erklären
zählen : erzählen
hören : gehören
bringen : verbringen
geben : vergeben

B. *Read the following passage in the present tense:*

1. Was da kommen wird. 2. Eines Tages wird man wohl auf den Mond fahren können. 3. Aber was man dort finden wird, wird vielleicht gar nicht so interessant sein. 4. Was in 200 oder 500 Jahren auf unserer Erde geschehen wird, wird wohl viel aufregender sein. 5. Werden wir raten können, was es da alles geben wird? 6. Wir werden es einmal versuchen!

7. Hitze und Kälte werden unsere Kinder nicht mehr stören. 8. Sie werden nur in luftgekühlten Wohnungen leben. 9. Auch die Temperatur auf den Straßen wird angenehm sein. 10. Mit dem Essen wird man wenig Zeit verlieren, denn unsere Kinder werden von Pillen leben können. 11. Anstatt Fleisch werden sie zum Beispiel eine rote Pille einnehmen, anstatt Brot eine blaue usw. 12. Diese Pillen werden auch besser schmecken, als was wir heute essen.

13. Niemand wird mehr als zwei Wochen im Jahr arbeiten müssen. 14. Die anderen fünfzig Wochen wird man reisen, lesen und denken. 15. Ein jeder wird auch sein eigenes Automobil haben. 16. Diese Automobile werden aber fliegen können, wie die Vögel. 17. Man wird mit ihnen (damit) zum Himmel und den Sternen hinauffahren. 18. So schön wird es sein!

C. *Change the italicized verbs to the future tense:*

1. Ich *mache* immer meine Aufgaben. 2. Ich *passe* auch immer gut *auf.* Dann *beantworte* ich alle Fragen des Lehrers richtig. 3. Wenn der Lehrer *spricht, höre* ich immer gut *zu;* es *entgeht* mir kein Wort. 4. Der Lehrer *erklärt* die Landkarte. 5. Er *erzählt* von Deutschland. 6. Er *ergänzt* das Lehrbuch mit seinen Erzählungen. 7. Wir *erwarten* die deutsche Stunde immer mit Vergnügen.

8. Freunde von mir *fahren* in die Schweiz. 9. Sie *reisen* übermorgen *ab.* 10. Sie *verbringen* den Sommer im Gebirge. 11. Ich bin neugierig zu hören, wie es ihnen dort *gefällt.*

12. Ich *gehe* im Sommer auf ein Jahr nach Deutschland. 13. Ich *besuche* dort eine Hochschule. 14. Ich *erlebe* dann Deutschland persönlich. 15. Ich glaube sicher, daß mir das Jahr sehr schnell *vergeht.* 16. Wenn ich *zurückkomme, erzähle* ich allen meinen Freunden, was ich erlebt habe.

D. *Read the following passage in the future tense:*

1. Morgen abend gehen Marianne und ich tanzen. 2. Zuerst aber muß ich in die Oper, denn Marianne bekommt zwei Eintrittskarten. 3. Man spielt Rossinis *Wilhelm Tell.* 4. Es ist schön, daß ich einmal wieder etwas mit der Kunst zu tun habe. 5. Die Oper beginnt um 8 Uhr. 6. Zuerst gehen wir in ein Restaurant nahe beim Opernhaus. 7. Wir essen gut, und ich trinke drei Tassen Kaffee, damit ich nachher nicht einschlafe. 8. Dann gehen wir ins Theater. 9. Wir gehen zu Fuß, denn das ist billiger.

10. Beim Essen erzählt mir Marianne noch eine Menge über die Oper. 11. Nun, ich lasse mir das gefallen und schweige; denn das gefällt Marianne. 12. Nachher tanzen wir also, und das gefällt Marianne auch. 13. Wir verbringen einen sehr netten Abend. 14. Erst um Mitternacht fahren wir nach Hause. 15. Ja, wir fahren, und zwar mit einem Taxi. 16. Sie glauben doch nicht, daß nach einem so langen Abend meine Frau und ich zu Fuß nach Haus gehen!

E. *Ask yourself and others questions like the following and answer them in German:*

a. Studieren Sie gewöhnlich noch nach der Schule? Werden Sie heute nach der Schule studieren? Werden Sie nächsten Sonntag aufs Land fahren? Wissen

Sie schon, wohin Sie fahren werden? Werden Sie spazierengehen? Was werden Sie sonst tun?

b. Wie oft lassen Sie sich die Haare schneiden? Wann werden Sie sie wieder schneiden lassen? Zu wem gehen Sie? Tragen Sie das Haar gern kurz? Können Sie sich selbst die Haare schneiden? Was brauchen Sie dazu? Kaufen Sie Ihre Schuhe fertig oder lassen Sie sie machen? Wo läßt man Schuhe machen? Wo läßt man sich einen Anzug machen? ein Kleid? Wo läßt man sich die Haare schneiden? Zu wem geht ein Mann? eine Frau?

c. Haben Sie schon einmal eine Oper von Mozart gehört? Welche seiner Opern haben Sie gehört? Kennen Sie einige Arien aus der *Zauberflöte?* Kennen Sie andere deutsche Opern? Haben Sie sie im Theater gehört oder auf Schallplatten? Nennen Sie einige der bekanntesten deutschen Opern!

d. Was feiern Sie morgen? Was für eine Feier ist es? Werden Sie mich einladen? Werde ich eine Eintrittskarte haben müssen? Werden Sie mich auch einmal besuchen? Was soll ich mitbringen? Was werden Sie mir bringen? Werden Sie es mir senden? Wissen Sie denn, wo ich wohne? Kennen Sie die Stadt gut? Erklären Sie mir bitte, wie ich dahin komme!

e. Was besprechen Sie da, Herr . . . ? — Störe ich? — Gehen Sie am Samstag tanzen? Wann ist der nächste große Ball? Tanzen Sie gern? Kennen Sie viele Tanzschritte? Wer tanzt mit Ihnen? Wo tanzen Sie meistens? Wollen wir jetzt singen? Welches Lied schlagen Sie vor? Wer hat noch einen Vorschlag?

„Kein Mensch muß müssen.“

DIE ACHTZEHNTE STUNDE

I. Die Stadt, die Österreich ist

Marie, meine alte Freundin, die seit zwei Jahren in München lebt, hat mich also doch nicht vergessen! Ihr Brief, der heute morgen ankam, klingt so frisch und natürlich, daß man glaubt, sie selbst sprechen zu hören. „Warum ich so lange nichts hatte hören lassen?" schreibt sie. „Sehr einfach: ich hatte nichts zu schreiben. Es war nichts los, rein gar nichts. Ein Tag wie der andere: Arbeiten, Essen, Schlafen, sonst nichts.

Letzte Woche aber ist endlich etwas geschehen. Ich hatte einige Tage frei, die ich im Salzkammergut verbrachte. So nennt man die Gegend um Salzburg — eine alte österreichische Stadt, die nahe der deutschen Grenze[1] liegt. Die Reise war wundervoll! Und wie die Deutschen sagen, wenn einer eine Reise tut, so kann er was[2] erzählen. Also hör zu! Ich werde versuchen, alles schön der Reihe nach zu erzählen:

Mit dem Autobus ging's[3] die breite Autobahn entlang — nach Südosten, den Alpen entgegen. Die Bergkette,[4] die zuerst wie eine leichte Schattenlinie am Horizont aufgetaucht war, wurde immer klarer, bis man schließlich all die Gipfel und Täler, die Felsen,[5] Wiesen und Wälder so

[1] border. [2] = **etwas.** [3] it (the ride) went. [4] **die Kette, -n** chain.
[5] rocks, cliffs.

deutlich unterscheiden [1] konnte wie auf einer dieser fabelhaften modernen Panorama-Aufnahmen.[2] Kurz vor dem Ende der Reise ging's durch die schwarzgelben österreichischen Grenzpfähle [3] — ohne jede Schwierigkeit,[4] wenn man einen amerikanischen Paß hat — und in ein paar Minuten sahen wir Salzburg auftauchen, wie eine Stadt aus dem Märchenbuch, mit seinen Giebeldächern [5] und Türmen [6] und darüber auf dem Hügel die alte Festung.[7]

Die Landschaft [8] um Salzburg ist bezaubernd: die vielen blauen Seen, an denen die reinlichen Dörfer [9] aufgereiht liegen zwischen dunklen Wäldern und hellgrünen Wiesen; die Blumen, die die Fenster und die langen Balkone der Bauernhäuser schmücken; [10] die schlanken spitzen [11] Kirchtürme; die klare Luft und die hohen Berge im Hintergrund; all das wird man kaum irgendwo sonst so zusammen finden.

Aber der Höhepunkt ist doch Salzburg selbst. Da ist Mozarts Geburtshaus,[12] da sind die berühmten Festspiele,[13] da sind die schönen Parks, Dome und Paläste. Da kann man stundenlang durch die Straßen wandern, ohne sich zu langweilen,[14] und da kann man auch stundenlang vor einem Café im Freien auf der Straße sitzen mit einem Glas Bier oder einer Tasse Kaffee, während man die Leute begrüßt, seine Zeitung liest oder sich nur seines Daseins freut.[15] Das ist es, was man die berühmte österreichische Gemütlichkeit [16] nennt, und die findet man in Salzburg so konzentriert wie kaum anderswo. Ludwig Thoma,[17] der in die Stadt verliebt war, hat einmal gesagt: ‚Für mich ist diese Stadt Österreich' — und ich will es ihm gern glauben."

Studieren Sie diese Stunde genau so wie die vorigen!

II. WORTSCHATZ

1. Allerlei (all sorts of things)

a. ***die Reihe, -n*** row
er ist an der Reihe it is his turn
er kommt bald an die Reihe soon it will be his turn

der Reihe nach in order, in sequence
auf-reihen to arrange in rows

[1] distinguish. [2] **die Aufnahme, -n** photograph. [3] **der Pfahl, ⸚e** post, pole. [4] any trouble. [5] **der Giebel, -** (gable) + **das Dach, ⸚er** (roof). [6] **der Turm, ⸚e** tower. [7] fortress. [8] landscape. [9] **das Dorf, ⸚er** village. [10] decorate. [11] pointed. [12] **die Geburt, -en** birth. [13] festivals. [14] without getting bored. [15] "just is happy to be alive." [16] "comfort." [17] *Bavarian writer (1867–1921).*

b. **dunkelrot** dark red
hellgrün bright green
schwarzgelb black and yellow
rötlich, gelblich usw. reddish, yellowish, etc.

c. **entsetzlich** horrible
entsetzlich heiß "horribly hot"
fabelhaft fabulous
fabelhaft schön "fabulously beautiful"
furchtbar frightful, awful
furchtbar unbequem "awfully uncomfortable"
***rein** (**reinlich**) clean, pure (cleanly)
rein gar nichts absolutely nothing at all

2. Vom Reisen

Vor der Reise: man macht einen Reiseplan; man freut sich auf die Reise; man packt seinen Koffer; man steckt Geld ein. Man reist ab.

Auf der Reise: man fährt mit der Eisenbahn, mit einem Autobus, einem Schiff usw., oder man fliegt mit einem Flugzeug. Man fährt oder fliegt mehrere Stunden oder Tage. Man kommt am Ziele an. Dort bleibt man einige Tage. Dann fährt oder fliegt man wieder zurück.

Nach der Reise: man ist müde und hat kein Geld mehr. Man packt seinen Koffer aus und freut sich, daß man wieder zu Hause ist.

reisen (s) to travel
die Reise, –n trip
ab-reisen (s) to leave on a trip
die Abreise, –n departure
an-kommen, kam an, ist angekommen to arrive
die Ankunft arrival

packen to pack
ein-packen to pack in, pack up
aus-packen to unpack

***die Eisenbahn, –en** railroad, train
***das Flugzeug, –e** plane
***das Schiff, –e** ship
***der Zug, ⸚e** train

die Autobahn, –en superhighway
der (Hand)koffer, – bag, suitcase
der große Koffer trunk
der (Reise)paß, –pässe passport
der Reiseplan, ⸚e travel plan, itinerary
***das Ziel, –e** goal

3. Die vier Himmelsrichtungen (the four points of the compass)

***der Norden : nördlich**
***der Süden : südlich**
***der Osten : östlich**
***der Westen : westlich**

der Nordosten	**: nordöstlich**	**der Südosten**	**: südöstlich**
der Nordwesten	**: nordwestlich**	**der Südwesten**	**: südwestlich**

4. Some separable prefixes and their meaning

an- "at"

an-reden to address, speak to
an-sehen to regard, look at

auf- "up"

auf-bauen to build up, erect
auf-tauchen to emerge

aus- "out"

aus-gehen to go out
aus-sehen to look, appear

ein- "in"

ein-nehmen to take (in), swallow
ein-stecken to stick in, put in one's pocket

weiter- "further" ("to continue to")

weiter-fahren to drive on, ride on
weiter-sprechen to go on talking

zurück- "back"

zurück-bringen to bring back
zurück-geben to give back

The importance of separable prefixes in German can hardly be overestimated. Often prepositions in their origin, they combine readily with a multitude of verbs. Familiarity with the most common such prefixes will help you greatly in developing a fluent control of German.

III. ERLÄUTERUNGEN

1. The relative pronoun

Der Tisch, der hier steht, ist groß.	*The table (which is) standing here . . .*
Das Buch, das darauf liegt, ist rot.	*The book (that is) lying on it . . .*
Die Stadt, die Österreich ist, heißt Salzburg.	*The city which is Austria . . .*

The pronoun which *relates* a subordinate clause with some element of the main clause is called a relative pronoun. In German it cannot be omitted as it often is in English.

2. The forms of the relative pronoun

	SINGULAR			*PLURAL*
a. Referring to:	**der**-NOUNS	**das**-NOUNS	**die**-NOUNS	ALL NOUNS
Nominative	der	das	die	die
Accusative	den	das	die	die
Dative	dem	dem	der	**denen**
Genitive	**dessen**	**dessen**	**deren**	**deren**

The definite article is regularly used in the function of the relative pronoun. Notice the expanded forms in heavy black type, however.

b. The appropriate forms of **welcher, welches, welche** are also sometimes used as relative pronouns in all cases but the genitive.

3. How to select the proper relative pronoun

Der Brief, **der** heute morgen ankam, . . .	*The letter which came . . .*
Der Brief, **den** ich heute morgen bekam . . .	*The letter (which) I received . . .*
Der Park, **in dem** ich oft spazierengehe, . . .	*The park in which . . .*
Der Student, **dessen** Arbeit noch nicht fertig ist, . . .	*The student whose work . . .*
Das Brot, **das** wir täglich essen, . . .	*The bread (that) we eat . . .*
Die Reise, **die** wir nach Österreich machten, . . .	*The trip (that) we took . . .*
Die Freunde, **mit denen** wir oft Karten spielen, . . .	*The friends with whom we . . .*
Er sah **seinen** Freund, **der** die Straße entlangkam.	*He saw his friend who was coming along the street.*

▶ Some form of **der** must be used when the relative pronoun refers to a **der**-noun, some form of **die** for **die**-nouns, and some form of **das** for **das**-nouns.

▶ The relative pronoun is singular or plural like the word to which it refers, its antecedent.

▶ The *case* form of the relative pronoun depends solely upon its function in the subordinate clause: whether it is subject, object, etc.

„...wie eine Stadt aus dem Märchenbuch, mit Giebeldächern und Türmen, und darüber auf dem Hügel die alte Festung."

Salzburg

„Die Landschaft um Salzburg ist bezaubernd."

The six-year-old Mozart in Schönbrunn

4. Relative pronouns with prepositions

Mein Freund, **mit dem** ich oft zusammen bin . . .	*My friend* ***with whom*** . . .
Der Tisch, **auf dem** seine Bücher liegen . . .	*The table* ***on which*** . . .
Der Tisch, **worauf** seine Bücher liegen . . .	*The table* ***on which*** . . .

Wo + preposition may replace the relative pronoun with a preposition if the pronoun refers to a thing or things (cf. *Elfte Stunde*, III, 4).

5. Dependent word order

Der Brief, auf den (worauf) ich so lange gewartet **habe,** ist gestern eingetroffen.	*The letter for which I waited so long arrived yesterday.*

Relative pronouns, like subordinating conjunctions, stand at the head of dependent clauses. Therefore relative clauses are set off by commas, and the *inflected* part of the verb stands at the end of its clause.

6. *Wer, was* as relative pronouns

a. **Wer** zuletzt lacht, lacht am besten.	***He who*** *laughs last laughs best.*
„Glücklich ist, **wer** vergißt, **was** doch nicht zu ändern ist.“ [1]	*Happy is* ***he who*** *forgets* ***that which*** *(**what**) can not be changed anyway.*
Er sagt, er studiert fleißig, **was** ich aber nicht glaube.	*He says he is studying hard,* ***which*** *I do not believe however.*

Wer and **was** are frequently used in the sense of *he who, whoever* and *that which, what, whatever.* **Was** in this usage often refers to an entire clause and may be translated *what* or (*something*) *which.*

b. Alles, **was** er sagte, war wahr.	*Everything (that) he said was true.*
Nichts, **was** er getan hat, war richtig.	*Nothing (that) he did was right.*

Was is commonly used as a relative pronoun after **alles, etwas, nichts, viel(es).**

[1] Johann Strauß, *Die Fledermaus.*

7. Interrogatives, direct and indirect

THE DIRECT QUESTION	THE INDIRECT QUESTION
„Wer ist sie?“	Er fragt, wer sie ist.
„Was haben Sie da?“	was ich da habe.
„Mit wem ist er gekommen?“	mit wem er gekommen ist
„Wen laden Sie ein?“	wen ich einlade.
„Warum tut er das?“	warum er das tut.
„Wie macht man das?“	wie man das macht.

The inflected verb in the indirect question stands at the end of its clause. Notice that the interrogative pronoun does not have an antecedent; the relative pronoun does.

IV. ÜBUNGEN

A. *Substitute the proper form of* **der,** *or, where possible, of a* **wo**-*compound, for the forms of* **welcher:**

z.B.: der Tisch, *welcher* hier steht: der Tisch, **der** hier steht; der Tisch, *an welchem* wir essen: der Tisch, **woran** wir essen.

1. Der Fluß, *welcher* Westdeutschland und Ostdeutschland trennt, heißt Elbe. 2. Der Fluß, *welchen* die Deutschen am meisten lieben, ist der Rhein. 3. Die Schiffe, *mit welchen* man über das Meer fährt, sind groß und bequem. 4. Der Autobus, *in welchem* ich in die Schule fahre, ist groß aber nicht bequem.

5. Die Dame, *mit welcher* ich spreche, ist eine Lehrerin. 6. Die jungen Leute, *mit welchen* der Lehrer jetzt spricht, sind seine Schüler.

B. *Supply the appropriate forms of the relative pronoun as indicated:*

z.B.: Das Buch, **das** (**welches**) hier liegt, ist interessant. Das Buch, **in dem** (**in welchem; worin**) wir lesen, ist neu.

1. Der Brief (das Schreiben; die Postkarte), —— (*nom.*) heute ankam, ist interessant. 2. Briefe (Karten), —— (*nom.*) aus Deutschland kommen, haben deutsche Briefmarken.

3. Der Tanz (das Fest; die Reise), auf —— (*acc.*) ich mich so sehr freue, wird lustig sein. 4. Die Strümpfe (die Kleider), —— (*acc.*) das Kind ausgezogen hatte, lagen noch auf dem Boden.

5. Ist der Zug (das Schiff; der Wagen), mit —— (*dat.*) wir fahren, schon hier? 6. Löwen und Tiger sind Tiere, vor —— (*dat.*) man Angst haben muß.

7. Ein Brief (ein Schreiben; eine Postkarte), —— (*gen.*) Adresse man gut lesen kann, kommt schnell an. 8. Kinder (Buben; kleine Mädchen), —— (*gen.*) Hände immer sauber sind, nennt man brav.

C. *Supply the proper forms of* **der** *or* **welcher:**

1. Der Herr, —— eben zur Tür hereingekommen ist, war der Lehrer. 2. Das Buch, —— er in der Hand trug, war unser Lehrbuch. 3. Der Lehrer mag die Schüler gern, —— Antworten immer richtig sind.

4. Die Tür, durch —— man in ein Haus eintritt, nennt man die Haustür. 5. Eine Tür, —— in ein Zimmer führt, ist eine Zimmertür. 6. Die Zeitung, —— am Morgen kommt, heißt die Morgenzeitung. 7. Wie heißt die Zeitung, —— man am Abend kauft? 8. Eine Zeitung, —— am Sonntag erscheint, ist eine Sonntagszeitung.

9. Die Straße, auf —— Marie von München nach Salzburg gefahren ist, ist eine Autobahn. 10. Autobahnen sind Straßen, auf —— nur Automobile fahren dürfen. 11. In Deutschland gibt es viele Wege, auf —— man nur mit einem Rad fahren darf: die sogenannten Radfahrwege.

12. Mozart, —— Geburtshaus in Salzburg steht, war ein sehr bekannter Musiker und Komponist. 13. Die deutschen Komponisten, —— Opern man am öftesten hört, sind Mozart, Weber, Wagner und Strauß. 14. Der Strauß, —— wir hier meinen, ist Richard Strauß.

15. Die Wörter, —— man sich nicht merken kann, schreibt man am besten in ein kleines Heft. 16. Das Heft, in —— diese Wörter stehen, steckt man dann ein.

17. Ich freue mich schon jetzt auf die Reise, —— ich im Sommer machen werde. 18. Ich kenne schon all die Berge, auf —— ich steigen und all die Seen, in —— ich schwimmen werde. 19. Wenn das Geld, —— ich mitnehmen werde, ausgegeben ist, werde ich traurig wieder zurückfahren.

D. *Supply the proper forms of* **wer** *or* **was:**

1. —— nie arbeitet, ist faul. 2. —— er schrieb, war höchst interessant. 3. „—— nicht hören will, muß fühlen." 4. Ich habe nicht ganz verstanden, —— Sie wollen. 5. Er fragte, —— ich treffen wollte. 6. Sagen Sie mir doch, mit —— Sie sprechen wollen! 7. Alles, —— sie uns über Salzburg erzählten, hat uns interessiert. 8. Ich habe eine Eintrittskarte in die Oper bekommen können, —— mich sehr freute. 9. Wiederholen Sie, bitte, —— Sie eben gesagt haben!

E. *Reread, changing all italicized verbs to the present perfect tense:*

1. Das Restaurant, in dem wir *essen, ist* sehr teuer. 2. Das Essen, wofür man so viel *bezahlt, ist* nicht einmal gut. 3. Der Kellner, dem wir das hohe Trinkgeld *geben, dankt* uns nicht.

4. Ich *nehme* den Bleistift, der hier auf dem Tisch *liegt,* und *beginne,* einen Mann zu zeichnen. 5. Aber der Mann, den ich *zeichne, gefällt* mir nicht. 6. Er *glaubt* alles, was wir *sagen.* 7. Wer das alles glauben *kann, ist* nicht sehr klug.

F. *Ask yourself and others questions like the following and answer them in German:*

a. Wie heißt die Straße, in der Sie wohnen? Wie heißt die Stadt, in der Sie leben? Wo sind Sie aufgewachsen? Wie heißen die Schulen, die Sie besucht haben? Wie heißt die deutsche Schule, in der man viele fremde Sprachen lernt? Wie heißt das Lehrbuch, aus dem (woraus) Sie Deutsch lernen?

b. Wie heißen die Länder, in denen man Deutsch spricht? Kennen Sie einige dieser Länder? Wie heißt das Land, dessen Hauptstadt Wien ist? Welches ist die europäische Hauptstadt, die am Rhein liegt? Wie heißt der Fluß, der von Westen nach Osten durch Deutschland fließt? Kennen Sie drei Länder, deren Hauptstädte an der Donau liegen?

c. Wie heißt der berühmte Komponist, dessen Geburtshaus in Salzburg steht? Wie heißen die deutschen Komponisten, deren Opern man am öftesten hört? Ist Mozart alt geworden? Wie alt war er, als er starb? Wer weiß es?

d. Wollen Sie nächsten Sommer eine Reise machen? Wohin wollen Sie fahren? Haben Sie schon einen Reiseplan? Werden Sie viele Koffer mitnehmen?

Wann wollen Sie abreisen? Wann wollen Sie zurückkommen? Freuen Sie sich schon auf die Reise? Was braucht man, wenn man eine Reise macht? Braucht man immer einen Reisepaß? Wann muß man einen haben?

e. Schreiben Sie die Wörter, die Sie sich nicht merken können, in ein kleines Heft? Stecken Sie dieses Heftchen ein? Nehmen Sie es am Abend wieder heraus? Lernen Sie dann die Wörter, die Sie vergessen haben? Wiederholen Sie diese Wörter am Morgen, während Sie sich anziehen? Finden Sie, daß Ihnen das hilft? Lesen Sie auch immer die Sprichwörter, die am Ende jeder Stunde stehen? Gefallen Ihnen diese Sprichwörter? Welche haben Ihnen am besten gefallen? Haben Sie sich einige gemerkt? welche?

„Wer sich nicht nach der Decke streckt,
Dem bleiben die Füße unbedeckt."

Johann Wolfgang von Goethe

DIE NEUNZEHNTE STUNDE

I. Vom Duzen

In den deutschen Schulen, so erzählte mir Richard, sagen die Lehrer „du" zu den Kindern unter vierzehn Jahren. Danach ändern sie die Anrede zu „Sie." Ein junger Mensch ist natürlich stolz, wenn er zum ersten Mal mit „Sie" angeredet wird.[1] Aber er findet bald heraus, daß es nichts ausmacht,[2] ob der Lehrer sagt: „Ich strafe dich, weil du zu spät kommst," oder: „Ich strafe Sie, weil Sie zu spät kommen." „Sie sind faul" klingt auch nicht viel besser als „du bist faul" oder „ihr seid faul."

Etwas ganz anderes ist es, wenn Freunde oder Verliebte zum ersten Mal „du" zu einander sagen. Das ist gewöhnlich ein großes Ereignis.[3] Wenn zwei sich gut verstehen, dann wird der eine oder andere vorschlagen: „Wollen wir uns nicht duzen?" In den ersten Tagen versprechen sich[4] die beiden natürlich noch oft, aber bald gewöhnen sie sich daran. Und dann weiß jeder, daß die beiden gute Freunde oder Liebesleute[5] sind.

Man kann doch unmöglich sagen: „Ich liebe Sie!" Nur: „ich liebe dich" klingt für einen Deutschen echt. So steht es auch in allen berühmten

[1] "is addressed." [2] it doesn't matter. [3] event. [4] make mistakes in speaking. [5] sweethearts.

Gedichten der Liebe und Freundschaft. Eines der schönsten Liebeslieder Heines [1] beginnt: „Du bist wie eine Blume,“ und Goethe hat nicht nur gesungen: „O Mädchen, Mädchen, wie lieb' ich dich! Wie blickt dein Auge! Wie liebst du mich!“ — er sagt sogar „du“ zu der Liebe selbst: „Krone [2] des Lebens, Glück ohne Ruh', Liebe bist du!“ Eichendorff,[3] der in die Natur verliebt war, steht sogar mit dem Wald auf du und du: [4] „Wer hat dich, du schöner Wald, aufgebaut so hoch da droben?“ Und jeder Deutsche kennt natürlich das alte Lied: „Du, du liegst mir im Herzen, du, du liegst mir im Sinn, du, du machst mir viel Schmerzen,[5] weißt nicht, wie gut ich dir bin.“ [6]

In den alten Tagen waren das „du“ und das „ihr“ auch unter Erwachsenen [7] noch viel gebräuchlicher [8] als heute. Aus dieser Zeit stammt [9] der hübsche Gesang des Nachtwächters,[10] wie man ihn bis vor 100 Jahren noch in jeder deutschen Stadt um zehn Uhr nachts hören konnte:

„Hört, Ihr Herrn, und laßt Euch sagen,
Die Glock' hat zehne geschlagen,
Bewahrt das Feuer und auch das Licht,
Damit der Stadt kein Schaden g'schicht,
Und lobet Gott den Herrn!“ [11]

Studieren Sie diese Stunde genau so wie die vorigen!

II. WORTSCHATZ

1. Merke dir's!

a. ***stolz** (**auf** / *acc.*) proud (of)

***das Feuer,** – fire
Haben Sie Feuer? Do you have a light (match)?

***das Licht, –er** light

***der Sinn, –e** sense
im Sinne in mind

gewöhnen (**an** / *acc.*) to accustom (to)
Ich gewöhne mich daran. I am getting accustomed to it.

[1] Heinrich Heine, *German poet, critic, and journalist* (*1797–1856*). [2] crown. [3] Joseph von Eichendorff, *German poet* (*1788–1857*). [4] on a **"du"** basis. [5] pain. [6] "how much I like you." [7] adults. [8] more customary. [9] "comes." [10] night watchman. [11] "Listen, all good gentlemen, / The bell has sounded ten. / Guard your fire and candle, too; / No harm must come to the town or you; / And praise we God the Lord."

*_b._ **loben : tadeln** to praise : to censure, blame
das Lob : der Tadel praise : censure, blame

lohnen : strafen to reward : to punish
der Lohn, ⸚e : die Strafe, –n reward, pay : punishment

_c._ **nützen** (*dat.*) to be helpful (to)
das nützt dir nichts that won't help you
der Nutzen use, usefulness
nützlich useful
benützen (benutzen) to use

***schaden** (*dat.*) to be harmful (to), damage
das schadet dir nichts that won't hurt you
der Schaden, ⸚ harm, damage
(das ist) schade (that is) too bad
schädlich harmful

2. Höfliche Anrede (polite address)

Guten Morgen, Herr Müller.
Guten Morgen, Herr Lehrer / Herr Doktor / Herr Professor / Herr Obersekretär / Herr Rechtsanwalt (*attorney*).
Guten Morgen, Frau Müller. Guten Morgen, gnädige Frau.
Guten Morgen, Frau Lehrer / Frau Doktor / Frau Professor / Frau Obersekretär / Frau Rechtsanwalt.
Guten Morgen, Fräulein Müller.

Herr, Frau, and **Fräulein** correspond to the English *Mr.*, *Mrs.*, and *Miss.* They are used either with the person's name or with his title, if he has one. Such titles are very common, and it is better form to use the title rather than the person's name in addressing him, unless you happen to be a close acquaintance. A titleholder's wife is entitled to be addressed by her husband's title if she has none of her own. This custom, however, is losing favor with the younger generation. —The old-fashioned form **gnädige Frau** is still quite common among the educated classes in Austria.

3. Writing to people

Formal letters usually begin:

Sehr geehrter Herr Doktor! / Sehr geehrte Frau Doktor!
Sehr geehrter Herr Müller! / Sehr geehrte Frau Müller!

and end:

hochachtungsvoll (mit vorzüglicher Hochachtung) "*Respectfully yours*" ("*Sincerely*")

Ihr sehr ergebener / Ihre sehr ergebene
Hans Schmidt / Helene Schmidt

Informal letters often begin:

Lieber Hans! / Liebe Marie!
Lieber Freund! / Liebe Freundin!
Liebes Fräulein Marie!

and end:

mit herzlichen Grüßen (viele Grüße usw.)
Ihr Karl / Ihre Marie
Dein Karl / Deine Marie

If forms of **du** or **ihr** are used in a letter, it is customary to capitalize them: **Du, Dein; Ihr, Euer usw.**

4. More separable prefixes

fort– (**weg**–) "away"

fort-gehen to go away, leave
fort-laufen to run away

mit– "along"

mit-bringen to bring along
mit-nehmen to take along

vor– "ahead, in advance"

vor-haben to intend to do, "have on"
vor-kommen to happen

zusammen– "together"

zusammen-kommen to come together
zusammen-legen to lay together, fold

III. ERLÄUTERUNGEN

1. Duzen

Duzen means to use **du**-forms or **ihr**-forms with the person or persons you are talking to; these forms reveal close friendship or relationship. (Compare the Quaker use of *thou, thee,* in English.) The American student generally will have little occasion to use these familiar forms of address, although he will encounter them frequently in literature. Therefore you should continue to use the polite forms of **Sie,** unless you have a very specific reason to use a familiar form.

The **du**-forms of the verb are used in prayer, to address a close relative or a close friend, a child under about fourteen years of age, or a pet or animal. The **ihr**-forms are used if more than one person is being addressed.

2. The verb forms of familiar address

INFINITIVES: sein, haben, werden; sagen, warten, reisen; gehen, geben, tragen; können, wissen

2ND SING. PRESENT	2ND PL. PRESENT	2ND SING. PAST	2ND PL. PAST
	Auxiliaries		
du bist	ihr seid	du warst	ihr wart
du hast	ihr habt	du hattest	ihr hattet
du wirst	ihr werdet	du wurdest	ihr wurdet
	Regular verbs		
du sagst	ihr sagt	du sagtest	ihr sagtet
du wartest	ihr wartet	du wartetest	ihr wartetet
du reist (reisest)	ihr reist	du reistest	ihr reistet
	Irregular verbs		
du gehst	ihr geht	du gingst	ihr gingt
du gibst	ihr gebt	du gabst	ihr gabt
du trägst	ihr tragt	du trugst	ihr trugt
	Modal auxiliaries and **wissen**		
du kannst	ihr könnt	du konntest	ihr konntet
du weißt	ihr wißt	du wußtest	ihr wußtet

PRESENT PERFECT		PAST PERFECT	
	Verbs with **haben**		
du hast . . .	gehabt	du hattest . . .	gehabt
ihr habt . . .	gesagt usw.	ihr hattet . . .	gesagt usw.

PRESENT PERFECT	PAST PERFECT
Verbs with **sein**	*Verbs with* **sein**
du bist . . . } gewesen ihr seid . . . } geworden usw.	du warst . . . } gewesen ihr wart . . . } geworden usw.

FUTURE	FUTURE PERFECT
All verbs	*Verbs with* **haben**
du wirst . . . } haben ihr werdet . . . } gehen usw.	du wirst . . . } gehabt haben ihr werdet . . . } gesagt haben usw.
	Verbs with **sein**
	du wirst . . . } gewesen sein ihr werdet . . . } geworden sein usw.

- ▶ Regular verbs have the personal endings –**st** in the second person singular and –**t** in the second person plural in the present tense. After a –**t**, or if an unpronounceable consonant cluster would otherwise result, –**est** and –**et** are used (du wart**est**). Similarly, after the –**t**– of the past tense, –**est** and –**et** are used (du sagt**est**, ihr sagt**et**).
- ▶ If the stem of the verb ends in an **s**-sound, the second person singular either drops an –**s**– (du reist) or adds –**est** (du reisest) in the present tense.
- ▶ The personal endings of the irregular verbs in both the present and past are –**st** in the second person singular and –**t** in the second person plural.
- ▶ If the irregular verb or modal auxiliary has a vowel change in the present tense, third person singular (er g**i**bt / tr**ä**gt; er k**a**nn), this change is retained in the second person singular (du g**i**bst / tr**ä**gst; du k**a**nnst).
- ▶ The compound tenses for the second person follow exactly the same patterns as for other persons of the verb, as the examples above show.

3. The familiar imperatives

SINGULAR:	sei!	habe!	werde!	sage!	warte!	trage!	sprich!
PLURAL:	seid!	habt!	werdet!	sagt!	wartet!	tragt!	sprecht!

- ▶ The familiar command form in the singular ordinarily ends in –**e**, but this –**e** is often dropped (**gehe! geh!**).

- ▶ Irregular verbs which show the vowel variation **a–ä** (**au–äu**) in the present tense do not have an umlaut in the singular imperative (**du trägst : trage! du läufst : laufe!**).
- ▶ Irregular verbs which show the vowel variation **e–i** (**ie**) never add **–e** for the singular imperative (**du sprichst : sprich! du liest : lies!**).
- ▶ The command form in the plural is identical with the second person plural of the verb (**seid! sagt! wartet!**).

4. The familiar forms of the personal pronoun and the possessive adjective

Karl, wo bist **du?** Ich sehe **dich** nicht. — Hast du **dir** das Gesicht gewaschen? Zeig mir **deine** Hände!

Kinder, wo seid **ihr?** Ich sehe **euch** nicht. — Habt ihr **euch** das Gesicht gewaschen? Zeigt mir **eure** Hände!

The accusative of **du** is **dich,** the dative is **dir.** The accusative and dative of **ihr** is **euch.** The possessive adjective for **du** is **dein;** the possessive adjective for **ihr** is **euer** (**eur–** when an ending is added).

IV. ÜBUNGEN

A.*a. Change the following sentences to* (*a*) *the third person singular and then* (*b*) *the first person singular:*

z.B.: Du fragst zuviel: **Er fragt** zuviel; **ich frage** zuviel.

1. Du machst es falsch.
2. Du tust nichts.
3. Du antwortest nie.
4. Du sprichst Deutsch.
5. Trägst du einen Hut?
6. Du paßt immer auf.
7. Du mußt etwas tun.
8. Du freust dich sehr.

b. Change the following sentences to the third person plural:

z.B.: Ihr kommt spät: **Sie kommen** spät.

1. Ihr geht zu früh.
2. Ihr könnt das tun.
3. Ihr arbeitet zuviel.
4. Ihr habt nichts zu sagen.
5. Ihr bringt nichts mit.
6. Ihr erkältet euch hier.
7. Ihr unterhaltet euch gut.
8. Seid ihr fertig?

„Wer hat dich, du schöner Wald, aufgebaut so hoch da droben?“ (Eichendorff)

Du, du liegst mir im Herzen

Volkslied, um 1820

Volksweise

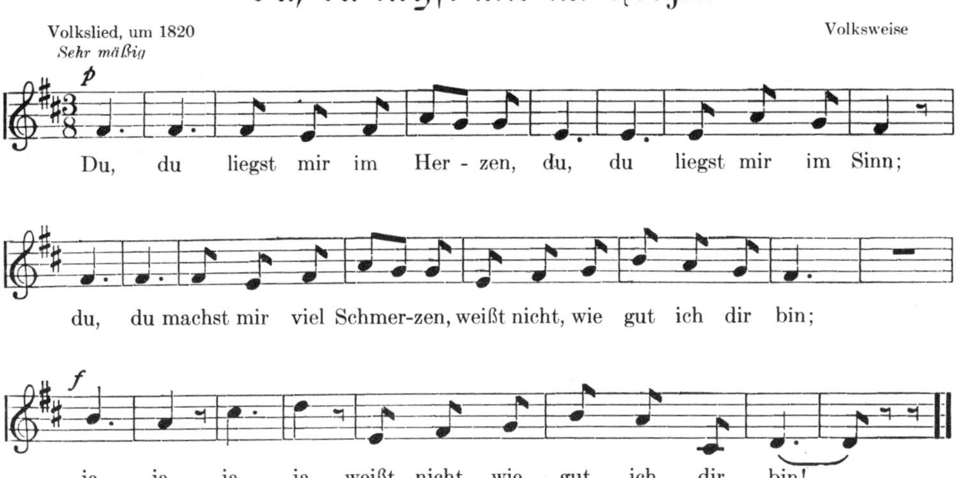

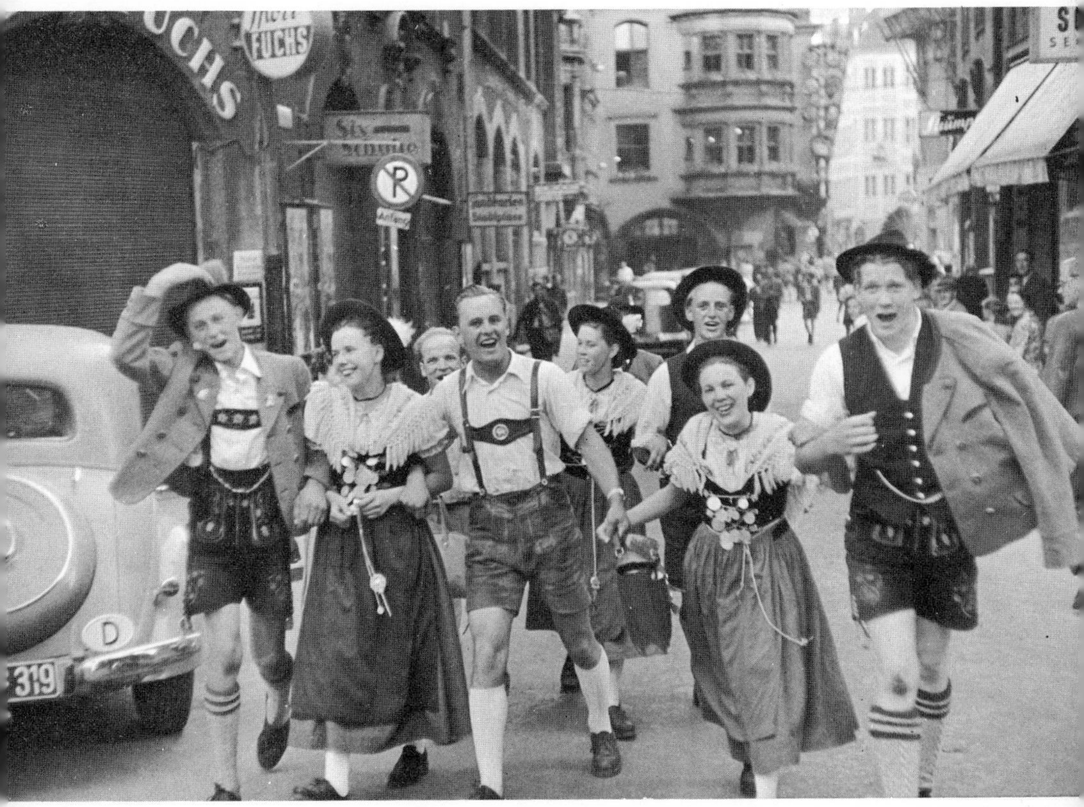

B.*a.* *Read the following passage in the future tense:*

1. Du fährst mit dem Autobus nach Salzburg. 2. Du hast eine sehr interessante Reise. 3. Du triffst dort Freunde. 4. Salzburg gefällt euch sicher sehr gut.

b. *Read the following passage in the past tense:*

1. Du hast eine deutsche Stunde. 2. Du lernst viel. 3. Du liest und sprichst dort viel. 4. Du schreibst auch etwas. 5. Du fragst den Lehrer und er antwortet dir. 6. Du kannst schon recht gut antworten. 7. Du bist zufrieden. 8. Du darfst darauf stolz sein.

c. *Read the following passage in the present perfect tense:*

1. Reist du mit einigen Freunden nach Deutschland? 2. Wann fahrt ihr ab? 3. Nehmt ihr ein Schiff oder fliegt ihr? 4. Wann kommt ihr zurück? 5. Welche Städte besucht ihr? 6. Was willst du alles sehen? 7. Wirst du es sehen?

C. *Replace all the italicized forms of* **du** *and* **dein** *in the following passage with the appropriate forms of* (*a*) **ihr** *and* **euer,** *then of* (*b*) **Sie** *and* **Ihr.** *Be sure to change the verb!*

1. Den ganzen Abend *spielst du* alte Schallplatten. 2. Erst spät *legst du dich* ins Bett. 3. Noch lange geht *dir* die schöne Musik durch den Kopf. 4. Schließlich aber *schläfst du* fest ein.

5. *Du wachst* auf. 6. *Du siehst,* daß die Sonne in *dein* Zimmer scheint. 7. *Du merkst,* daß es schon sehr spät ist. 8. *Weißt du,* wieviel Uhr es ist? 9. *Du kommst* zu spät in die Schule. 10. *Du ziehst dich* schnell an. 11. *Du hast* keine Zeit für *dein* Frühstück. 12. *Du ißt* nur schnell ein Stück trockenes Brot und *trinkst* ein Glas kaltes Wasser.

13. *Du läufst* auf die Straße hinaus. 14. *Du siehst* aber nur wenige Leute. 15. *Du kennst* sie nicht. 16. Endlich *triffst du deine* Nachbarin. 17. *Du redest* sie an. 18. *Du fragst* sie, was los ist. 19. *Du hörst,* daß es Sonntag ist. 20. *Du kannst* also wieder nach Hause gehen. 21. Zuhause *mußt du deinen* Kaffee kalt trinken.

D. *Supply the appropriate imperatives:*

1. Hans, (sprechen) laut und deutlich! 2. Gretl, (bringen) deine Freundin mit! 3. (Geben) mir ein Stück Kuchen, Mutter! 4. (Laufen), Hündchen, (laufen)! 5. Kinder, (kommen) schnell und (waschen) euch die Hände! 6. (Sein) brav und (essen) eure Suppe auf!

E. *Ask yourself and others questions like the following and answer them in German:*

a. Was versteht man unter „Duzen"? Zu wem sagt man „du"? Sagen die Schüler „du" zu ihrem Lehrer? Sagt ein Lehrer „du" zu seinen Schülern? Zu welchen Schülern sagt er „du"? Redet ein Professor seine Studenten mit „ihr" an? Warum tut er das nicht? Sagt man „du" und „ihr" zu seinen Eltern? Zu wem sonst sagt man gewöhnlich „du" oder „ihr"? Werden Sie sich schnell daran gewöhnen?

b. Fragen Sie Ihre Mitschüler: „Wollen wir uns nicht duzen?" Darf ich von jetzt an „du" zu Ihnen sagen? Wollen wir es gleich versuchen? Glauben Sie, wir werden uns oft versprechen?

c. Also, wie geht es dir? Sprichst du gut Deutsch? Sprecht ihr alle gut Deutsch? Bist du immer fleißig? Seid ihr alle fleißig? Paßt du auch immer gut auf? Warum paßt du nicht auf? Du wirst doch nicht in der Schule schlafen? Hast du heute deine Aufgabe gemacht? Habt ihr alle eure Aufgaben gemacht? Was hast du letzten Sonntag getan? Wie viele wart ihr? Habt ihr euch gut unterhalten? Bist du aufs Land gefahren? Oder hast du vielleicht ein Fußballspiel gesehen? Hast du dich gut unterhalten?

d. Wann stehst du gewöhnlich auf? Wann bist du heute aufgestanden? Kannst du am Sonntag lange schlafen? Tust du das auch so gern wie ich? Wohin gehst du heute nach der Schule? Willst du nicht vielleicht mit mir ins Kino gehen? und nach dem Kino in meinem Auto nach Hause fahren? Oder hast du selbst etwas vor? Was hast du vor? Kennt ihr das Lied „Du, du liegst mir im Herzen"? Wollt ihr es lernen und singen?

e. Kennt ihr das deutsche Sprichwort „Heute mir, morgen dir"? Wer hat es schon gehört? Hast du es verstanden? Kannst du es mir erklären? Erkläre es uns, bitte! Habt ihr es jetzt alle verstanden? Hier ist noch ein Sprichwort für euch:

„Wie du mir, so ich dir."

DRITTE WIEDERHOLUNGSSTUNDE

I. „Amerika, du hast es besser ...“

Man kann oft lesen: Amerika ist ein junges Land, Deutschland ist ein altes. Aber das ist nur zum Teil[1] richtig; denn als ein moderner Staat sind die Vereinigten Staaten etwa zweimal so alt wie das Deutsche Reich, das erst aus dem Jahre 1871 stammt.[2]

Auch die Bevölkerung Deutschlands ist natürlich nicht älter als die Bevölkerung Amerikas. Die Amerikaner sind ja nicht plötzlich im Jahre 1776 vom Himmel gefallen, sondern ihre Vorfahren[3] waren fast alle aus dem alten Europa herübergekommen. Wir wissen auch, daß die englische Sprache genau so alt ist wie die deutsche. Dasselbe

I. „Amerika, du haſt es beſſer ...“

Man kann oft leſen: Amerika iſt ein junges Land, Deutſchland iſt ein altes. Aber das iſt nur zum Teil[1] richtig; denn als ein moderner Staat ſind die Vereinigten Staaten etwa zweimal ſo alt wie das Deutſche Reich, das erſt aus dem Jahre 1871 ſtammt.[2]

Auch die Bevölkerung Deutſchlands iſt natürlich nicht älter als die Bevölkerung Amerikas. Die Amerikaner ſind ja nicht plötzlich im Jahre 1776 vom Himmel gefallen, ſondern ihre Vorfahren[3] waren faſt alle aus dem alten Europa herübergekommen. Wir wiſſen auch, daß die engliſche Sprache genau ſo alt iſt wie die deutſche. Dasſelbe kann man auch von der Religion

[1] partly. [2] **das erst aus ... stammt** “which only goes back to.” [3] ancestors.

kann man auch von der Religion sagen. Was in Deutschland älter ist als in den Vereinigten Staaten, das ist die Tradition vieler Einrichtungen [1] und Gebräuche,[2] wie sie sich seit etwa tausend Jahren in dem Land zwischen den Tälern des Rheins und der Oder entwickelt haben.

Oft sieht man der deutschen Landschaft und den deutschen Menschen diese Tradition schon von außen an.[3] Davon, daß [4] deutsche Städte anders aussehen als amerikanische Städte, haben wir schon auf früheren Seiten dieses Buchs gelesen. Es gibt auch in Deutschland noch eine ganze Menge alter Schlösser und Burgen — oft sind sie halb verfallen,[5] dann nennt man sie Ruinen — und in den alten Dörfern und Städten sieht man viele Häuser, die 300 Jahre oder älter sind. Ein Haus, das nicht älter ist als 50 Jahre, wird man gewöhnlich „neu" nennen.

Die Großindustrie und Massenproduktion haben in Deutschland das Leben jedes einzelnen Bürgers noch nicht so stark beeinflußt wie in den Vereinigten Staaten. Obwohl in den letzten Jahren vieles anders geworden ist — Deutschland hat sich, wie man sagt, stark „amerikanisiert" — bestehen [6] doch noch recht große Unterschiede. So sind zum Beispiel elektrische Kühlschränke [7] und fließendes [8] warmes Wasser immer noch beinahe ein Luxus, den sich nur die wohlhabenden [9] Deutschen leisten können. Auch Konserven [10] findet man in Deutschland viel weniger als hierzu-

sagen. Was in Deutschland älter ist als in den Vereinigten Staaten, das ist die Tradition vieler Einrichtungen [1] und Gebräuche,[2] wie sie sich seit etwa tausend Jahren in dem Land zwischen den Tälern des Rheins und der Oder entwickelt haben.

Oft sieht man der deutschen Landschaft und den deutschen Menschen diese Tradition schon von außen an.[3] Davon, daß [4] deutsche Städte anders aussehen als amerikanische Städte, haben wir schon auf früheren Seiten dieses Buchs gelesen. Es gibt auch in Deutschland noch eine ganze Menge alter Schlösser und Burgen — oft sind sie halb verfallen,[5] dann nennt man sie Ruinen — und in den alten Dörfern und Städten sieht man viele Häuser, die 300 Jahre oder älter sind. Ein Haus, das nicht älter ist als 50 Jahre, wird man gewöhnlich „neu" nennen.

Die Großindustrie und Massenproduktion haben in Deutschland das Leben jedes einzelnen Bürgers noch nicht so stark beeinflußt wie in den Vereinigten Staaten. Obwohl in den letzten Jahren vieles anders geworden ist — Deutschland hat sich, wie man sagt, stark „amerikanisiert" — bestehen [6] doch noch recht große Unterschiede. So sind zum Beispiel elektrische Kühlschränke [7] und fließendes [8] warmes Wasser immer noch beinahe ein Luxus, den sich nur die wohlhabenden [9] Deutschen leisten können. Auch Konserven [10] findet man in Deutschland viel weniger als hierzulande. Die Arbeit der Hausfrau ist daher viel schwerer und braucht viel mehr Zeit. Des-

[1] *here:* institutions. [2] customs. [3] **sieht . . . von außen an** "sees . . . by looking at." [4] "of the fact that." [5] **verfallen** to fall into ruins. [6] "there are." [7] **kühl + der Schrank, ⸚e** (cupboard, closet) = icebox, refrigerator. [8] running. [9] well-to-do. [10] preserves, canned goods.

lande. Die Arbeit der Hausfrau ist daher viel schwerer und braucht viel mehr Zeit. Deshalb haben Frauen seltener selbständige [1] Berufe oder Stellungen.

Was das Denken und Fühlen angeht, so trägt jeder Deutsche eine viel größere Last [2] von geschichtlich gewachsenen Gewohnheiten [3] und Vorurteilen mit sich herum als der Amerikaner. Auch den Unterschied zwischen den Ständen fühlt man in Deutschland noch mehr. Die Unterschiede, zum Beispiel, zwischen dem Stand der Gebildeten und dem der Ungebildeten, zwischen dem Arbeiter- und dem Bauernstand, haben auch heute noch eine gewisse Bedeutung. Der Übergang [4] von einem Stand zu dem anderen ist nicht so einfach wie in Amerika.

Schon der große deutsche Dichter Goethe hat gelegentlich mit Neid [5] nach Amerika herübergeschaut, und er hat seinen Neid in den folgenden hübschen Versen zum Ausdruck gebracht:

Amerika, du hast es besser
Als unser Kontinent, der alte.
Hast keine verfallene Schlösser
Und keine Basalte.

Dich stört nicht im Innern
Zu lebendiger Zeit
Unnützes Erinnern
Und vergeblicher Streit.

Benutzt die Gegenwart mit Glück,
Und wenn nun eure Kinder dichten,
Bewahre sie ein gut Geschick
Vor Ritter-, Räuber- und Gespenster-
geschichten.[6]

halb haben Frauen seltener selbständige [1] Berufe oder Stellungen.

Was das Denken und Fühlen angeht, so trägt jeder Deutsche eine viel größere Last [2] von geschichtlich gewachsenen Gewohnheiten [3] und Vorurteilen mit sich herum als der Amerikaner. Auch den Unterschied zwischen den Ständen fühlt man in Deutschland noch mehr. Die Unterschiede, zum Beispiel, zwischen dem Stand der Gebildeten und dem der Ungebildeten, zwischen dem Arbeiter- und dem Bauernstand, haben auch heute noch eine gewisse Bedeutung. Der Übergang [4] von einem Stand zu dem anderen ist nicht so einfach wie in Amerika.

Schon der große deutsche Dichter Goethe hat gelegentlich mit Neid [5] nach Amerika herübergeschaut, und er hat seinen Neid in den folgenden hübschen Versen zum Ausdruck gebracht:

**Amerika, du hast es besser
Als unser Kontinent, der alte.
Hast keine verfallene Schlösser
Und keine Basalte.**

**Dich stört nicht im Innern
Zu lebendiger Zeit
Unnützes Erinnern
Und vergeblicher Streit.**

**Benutzt die Gegenwart mit Glück,
Und wenn nun eure Kinder dichten,
Bewahre sie ein gut Geschick
Vor Ritter-, Räuber- und Gespenster-
geschichten.**[6]

Studieren Sie diese Stunde genau so wie die vorigen!

[1] independent. [2] burden. [3] historically developed habits. [4] transition. [5] envy. [6] "America, thy lot is better / than this old continent's, our own. / No ruined castles thee enfetter, / no lava turned to stone. / Nor useless memory / nor futile strife / perturb thee deeply / in the midst of life. / To present happiness give sway! / And once your children start to write, / may fate be kind and keep away / all tales of robber, ghost and knight."

II. WORTSCHATZ

1. Einige neue Wörter und Ausdrücke

an-gehen, ging an, angegangen to concern
es geht dich nichts an it does not concern you
***bilden** to form, shape; instruct
der Gebildete (*adj. noun*) educated man
die Bildung education; culture
***entwickeln** to develop
die Entwicklung, -en development
unterscheiden, unterschied, unterschieden to distinguish, differentiate
der Unterschied, -e difference

urteilen to judge
das Urteil, -e judgment
das Vorurteil, -e prejudgment, prejudice

der Einfluß, -flüsse influence
beeinflussen to influence
die Gelegenheit, -en opportunity
gelegentlich occasional(ly), on occasion
***die Zukunft** future

***einzeln** single, individual
***einzig** sole, only

2. *Der Staat, -en (state)

die Republik', -en republic
***das Reich, -e** empire; realm
die Religion', -en religion
der Stand, ⸗e class; profession; position
***das Volk, ⸗er** people; folk
die Bevölkerung, -en population

3. *Das Gebäude, – (building, structure)

die Burg, -en castle, citadel
der Dom, -e cathedral; dome
der Palast', ⸗e palace
die Rui'ne, -n ruin
das Schloß, Schlösser castle; palace

4. Verwandte Wörter (related words; cognates)

English and German are both members of the Germanic branch of the Indo-European family of languages. The close relationship of the two languages is evident in the great number of related words in them. Hundreds of these cognates are so obvious that they need no further explanation: **Haus, Maus, singen, senden usw.**

Many other cognates are easily recognized if you know what consonants or vowels correspond to each other in the two languages, even though the cognates may have drifted apart somewhat in meaning. A few examples are given below; can you add to the lists?

GERMAN	ENGLISH COGNATE & MEANING
t	*d*
a. Blu**t**	bloo*d*
lei**t**en	lea*d*
No**t**	nee*d*
Ta**t**	*d*ee*d*
un**t**er	un*d*er

GERMAN	ENGLISH COGNATE	ENGLISH MEANING
z	*t*	
b. **Z**ahl	*t*ale (*t*ally)	number
Zaun	*t*own	fence
Zeit	(Yule)*t*ide	time
Zoll	*t*oll	toll, customs
Zweig	*t*wig	twig, branch

III. DAS WICHTIGSTE AUS DEN ERLÄUTERUNGEN

1. The basic verb patterns

a. In the present and past tense — a regular verb (**machen**); an irregular verb (**geben**); a verb with a separable prefix (**zu-hören**); a modal auxiliary (**können**):

PRESENT

ich	mache	/ gebe	/ höre zu	/ kann
er, es, sie	macht	/ gibt	/ hört zu	/ kann
du	machst	/ gibst	/ hörst zu	/ kannst
wir, sie, Sie	machen	/ geben	/ hören zu	/ können
ihr	macht	/ gebt	/ hört zu	/ könnt

PAST

ich, er, es, sie	machte	/ gab	/ hörte zu	/ konnte
du	machtest	/ gabst	/ hörtest zu	/ konntest
wir, sie, Sie	machten	/ gaben	/ hörten zu	/ konnten
ihr	machtet	/ gabt	/ hörtet zu	/ konntet

b. In the future tense — all verbs:

FUTURE

ich werde.	
er, es, sie wird.	
du wirst.	machen / geben / zuhören / können
wir, sie, Sie werden. . .	
ihr werdet.	

c. In the perfect tenses — verbs with **haben** and verbs with **sein**:

PRESENT PERFECT

ich habe.		ich bin.	
er, es, sie hat.	gemacht	er, es, sie ist.	gefolgt
du hast.	gegeben	du bist.	gegangen
	angezogen		abgereist
wir, sie, Sie haben. . . .	besucht	wir, sie, Sie sind. . . .	verschwunden
ihr habt.		ihr seid.	

PAST PERFECT

ich, er, es, sie hatte. . .	gemacht	ich, er, es, sie war. . .	gefolgt
du hattest.	gegeben	du warst.	gegangen
wir, sie, Sie hatten. . . .	angezogen	wir, sie, Sie waren. . .	abgereist
ihr hattet.	besucht	ihr wart.	verschwunden

FUTURE PERFECT

ich werde.		
er, es, sie wird.	gemacht haben	gefolgt sein
du wirst.	gegeben haben	gegangen sein
	angezogen haben	abgereist sein
wir, sie, Sie werden. . .	besucht haben	verschwunden sein
ihr werdet.		

2. To summarize:

In German

▶ verbs may be regular:

machen, mach**te**, gemacht

▶ or irregular:

singen, s**a**ng, ges**u**ngen

In the second and third person singular, present tense

▶ most irregular verbs have normal forms:

gehen: er geht, du gehst

▶ a few irregular verbs show a vowel variation:

geben: er **gibt**, du **gibst**
tragen: er **trägt**, du **trägst**

Many regular and irregular verbs

▶ have a separable prefix:

zu-hören, hörte **zu,** hat **zu**gehört
an-ziehen, zog **an,** hat **an**gezogen

▶ have an inseparable prefix:

besuchen, **be**suchte, hat **be**sucht
verschwinden, **ver**schwand, ist **ver**schwunden

In the perfect tenses

▶ most verbs have the auxiliary **haben:**

hören: er **hat** gehört
singen: er **hat** gesungen
besuchen: er **hat** besucht
an-ziehen: er **hat** angezogen

▶ many common verbs have the auxiliary **sein:**

folgen: er **ist** gefolgt
gehen: er **ist** gegangen
ab-reisen: er **ist** abgereist
verschwinden: er **ist** verschwunden

A few verbs fit neither pattern exactly: the auxiliaries **sein, haben, werden;** the modal auxiliaries and **wissen;** the hybrids; **tun.**

3. About German word order

▶ Elements in initial position

(*a*) "Normal" word order: 1. Subject. 2. Inflected verb.

Die Amerikaner sind nicht vom Himmel gefallen. — *The Americans did not fall from the sky.*

(*b*) "Inverted" word order: 1. Any unit. 2. Inflected verb. 3. Subject.

Oft sind die Burgen halb verfallen. — *Often the castles are half in ruins.*
Diesen Unterschied fühlt man noch sehr. — *One still feels this difference very much.*

A unit of the sentence other than the subject may stand in first position. Since the subject then follows the verb, we now have an important grouping of *three* words or phrases at the head of the sentence.

▶ Elements in final position

(*a*) Normal or inverted word order:

Das geht mich nichts **an.**	*That does not concern me.*
Vorurteile kann man sich nicht **leisten.**	*One can not afford prejudices.*
Wir haben das schon **gelesen.**	*We have already read that.*

In final position in simple sentences you find the separable prefix, the infinitive, the perfect participle; all are elements of the sentence which are indispensable to its understanding.

(*b*) "Transposed" word order:

Das Deutsche Reich, das erst aus dem Jahre 1871 **stammt . . .**	*The German Empire, which only goes back to the year 1871 . . .*

In all subordinate clauses even the inflected verb shifts to final position.

▶ Initial and final position

In brief, then, the basic German sentence is suspended between two poles, so to say, between initial and final position. It might be described as a sandwich, except that the meat is on the outside and the bread in the middle. To carry the metaphor further: when you take a bite of this German sandwich-sentence, you must take a whole bite, a bite which includes both of the outside elements, both the beginning and end of the sentence.

IV. WIEDERHOLUNGSÜBUNGEN

A. *Join the following clauses or sentences with the italicized conjunctions as indicated, changing the position of the inflected verb forms whenever necessary:*

z.B.: Er kommt nicht, *weil* . . . er hat keine Zeit: Er kommt nicht, **weil** er keine Zeit **hat.**

1. Ich muß mein Auto verkaufen, *denn* . . . ich brauche Geld. 2. Du kannst dir kein Auto kaufen, *da* . . . du hast nicht genug Geld. 3. *Nachdem* . . . du hast genug Geld, . . . du wirst dir ein neues Auto kaufen.

„In den alten Dörfern und Städten sieht man viele Häuser, die 300 Jahre oder älter sind."

„Es gibt in Deutschland noch eine ganze Menge alter Schlösser und Burgen.“

4. Ihr habt davon gelesen, *daß* ... deutsche Städte sehen anders aus als amerikanische Städte. 5. Das kommt daher, *daß* ... die deutschen Städte sind gewöhnlich älter. 6. In Deutschland muß ein Haus über 50 Jahre alt sein, *wenn* ... man nennt es alt.

7. Ich habe Susan einige Tage nicht gesehen, *da* ... ihre Mutter ist krank und liegt im Bett. 8. Ich kann es kaum erwarten, *bis* ... ich werde Susan wiedersehen. 9. Leider kann ich sie nicht sehen, *während* ... ihre Mutter ist krank. 10. Ich freue mich sehr auf das Kostümfest, *obwohl* ... ich habe noch nie mit Susan getanzt.

11. *Indem* ... man liest oft die Zeitung, ... man lernt die Politik besser verstehen. 12. Wir haben die Zeitung oft gelesen, *damit* ... wir haben die Politik besser verstehen können.

B. *Supply the proper form of the relative pronoun:*

1. Der Tisch, —— hier vor Ihnen steht, ist für den Lehrer. 2. Der Tisch, —— Sie dort an der Wand sehen, ist für Bücher und Blumen. 3. Die Landkarte, —— hier neben der Tafel hängt, zeigt Europa. 4. Das Land, —— hier in der Mitte Europas liegt, ist Deutschland.

5. Die oberen Klassen des Gymnasiums sind für die Deutschen ungefähr, —— für uns das Junior College ist. 6. Den Studenten, —— seinen Doktor gemacht hat, begrüßen die Mitmenschen mit „Herr Doktor."

7. Die Brüder Grimm sammelten die berühmten Märchen, —— heute die ganze Welt kennt. 8. Sie waren aber auch bedeutende Menschen und Bürger, —— die Freiheit liebten und für sie kämpften.

9. Der Frühling ist die Jahreszeit, in —— in Deutschland das Wetter gewöhnlich am schönsten ist. 10. Die Städte, —— Klima am schlechtesten ist, sind oft die größten und wichtigsten. 11. Der Freund, —— Briefe ich oft aus Deutschland bekomme, heißt Richard. 12. Er ist derselbe, —— ich oft nach Deutschland schreibe.

13. Eine Frau, —— Hausarbeit nicht schwer ist, hat mehr Zeit für einen Beruf. 14. —— alle diese Übungen richtig machen kann, ist ein sehr guter Schüler.

C. *Reread the following passage, changing all italicized verbs to the past tense:*

1. Mein Freund Hans *wohnt* erst seit kurzer Zeit in Amerika. 2. Wir *wollen*, daß er mit uns Baseball spielt. 3. Er *fragt* uns, was man da tun muß. 4. Wir *erklären* ihm: „Du mußt nur den Ball so weit wie möglich ins Feld hinausschlagen.“ 5. „Gut,“ *sagt* er. 6. Gleich sein erster Ball *landet* wirklich weit draußen im Feld. 7. Hans *steht* nur da und *lächelt*. 8. Wir alle *rufen* ihm *zu*: „Lauf doch!“ 9. Aber er *versteht* nicht, was wir *wollen*. 10. Endlich *versteht* er es, aber dann *ist* es schon zu spät. 11. Nun *lachen* wir alle. 12. Aber Hans *wird* ganz böse und *meint*: „Ich *kann* doch unmöglich wissen, daß man auch laufen muß.“

D. *Reread, changing all italicized verbs to the future tense:*

1. Nanni machte mir heute einen Vorschlag: „Morgen abend *gehen* wir ins Konzert. 2. Es *gefällt* dir sicher sehr gut, denn man *spielt* nur klassische Musik. 3. Da *kannst* du ruhig einschlafen. 4. Du *ziehst* natürlich deinen neuen dunklen Anzug *an*. 5. Dein Bruder und seine Frau Shirley *kommen* auch. 6. Nachher *setzen* wir uns in ein Café. 7. Ihr beide *könnt* dann eure Zigarren rauchen und euch über Politik unterhalten. 8. Ich *spreche* mit Shirley über Kleider. 9. So *wird* es sehr nett für uns alle.“ 10. Ich *tue* natürlich alles genau so, wie Nanni es will. 11. Ihr *glaubt* doch nicht, daß ich „nein“ *sage*, wenn Anna Maria mir etwas vorschlägt?

E. *Reread, changing all italicized verbs to the present perfect tense:*

1. Heinrich *gibt* nicht gern Geld *aus*. 2. Seine Frau *mag* das nicht, denn sie *kauft* sich immer gern etwas Schönes. 3. Eines Tages *bekommt* sie einen schönen Ring von ihrer Großmutter. 4. Sie *zeigt* ihn ihrem Mann. 5. „Was, glaubst du, wird so ein Ring kosten?“ *fragt* sie ihn. 6. Heinrich *nimmt* den Ring in die Hand und *sieht* ihn genau *an*. 7. „Nun, *kostet* er vielleicht zehn Dollar?“ 8. „Zehn Dollar!“ *ruft* seine Frau da, „vierhundert Dollar *mußte* Großmutter dafür ausgeben.“ 9. Nur langsam *kommt* Heinrich wieder zu Wort: „So, vierhundert Dollar? *Ist* auch nicht teuer . . .“

F. *Reread, changing all italicized verbs to the past perfect tense:*

1. Nachdem das Telegramm *ankam*, *fuhr* ich sogleich zum Flugplatz. 2. Zuerst *konnte* ich Richard gar nicht finden. 3. Alle Passagiere *stiegen aus*,

und doch *sah* ich Richard nicht. 4. Nachdem ich in den Wartesaal *eintrat, fand* ich ihn aber sofort. 5. Richard *war* zwei Jahre in Deutschland. 6. Er *wuchs* in diesen zwei Jahren ein wenig. 7. Ehe mir Richard sehr viel erzählen *konnte, mußte* er schon wieder abreisen. 8. Leider *blieb* er nur einige Stunden hier.

G. *Ask yourself and others questions like the following and answer them in German:*

a. Wie alt sind die Vereinigten Staaten? Aus welchem Jahr stammt das moderne Deutschland? Ist es eine Republik? War das Deutsche Reich im Jahr 1871 eine Republik? Ist die deutsche Sprache älter als die englische? Woher sind die meisten Amerikaner gekommen?

b. Gibt es in Deutschland viele Häuser, die älter sind als hundert Jahre? Möchten Sie in einem solchen Haus wohnen? Wird ein solches Haus gewöhnlich einen Aufzug haben? Wird es fließendes warmes Wasser haben? Was meinen Sie?

c. Warum haben Frauen in Deutschland selten selbständige Berufe? Haben Frauen in Deutschland soviel Einfluß wie hier? Welche Stände findet man in Deutschland heute noch? Sind die Unterschiede zwischen den Ständen groß? Gibt es in den Vereinigten Staaten einen Bauernstand?

d. Haben Sie Goethes Verse über Deutschland und Amerika verstanden? Wie haben sie Ihnen gefallen? Hat uns Amerikaner das Geschick wirklich vor „Ritter-, Räuber- und Gespenstergeschichten“ bewahrt? Haben Sie Edgar Allan Poe gelesen? Lesen Sie gern Detektivromane? Lesen Sie Geschichten von Reisen zum Mond? — Wie groß ist die Bevölkerung des Planeten Mars?

e. Sie duzen sich jetzt wohl alle, nicht wahr? Vielleicht versuchen Sie einmal, die Fragen unter *d* an einen Ihrer Freunde zu stellen, wie folgt: „Weißt du, wer Goethe war? Hast du Goethes Verse verstanden? Wie haben sie dir gefallen?“ — Das gibt Ihnen Gelegenheit, die „du-Formen” zu üben, nicht wahr?

„Vorgetan und nachgedacht
Hat manchem schon viel Leid gebracht.“

DIE ZWANZIGSTE STUNDE

I. Ein literarischer Brief aus Deutschland

München, den 10. Juni 1958

Lieber Hans!

Herzlichen Dank für Deinen lieben Brief! Ich habe mich wirklich sehr darüber gefreut, daß Dir die Beschreibung meines Ausflugs[1] ins Salzkammergut so gut gefallen hat: „geteilte Freud' ist doppelte Freud'," wie man hier so hübsch sagt. Ich hoffe, Du wirst all das auch mal[2] sehen können. Könntest[3] Du nicht vielleicht in Deinen Ferien eine Studienreise nach Deutschland machen und so das Nützliche mit dem Angenehmen verbinden?

Du scheinst ja das Studium der deutschen Sprache wirklich ernst zu nehmen. Aber Du erwartest wohl etwas zuviel von mir. Über die deutsche Literatur möchtest[4] Du etwas von mir wissen? Du hast recht, ich kann Deutsch jetzt schon gut lesen — aber meistens fehlt mir leider die Zeit dazu. Aber Du hast Glück! Ich habe nämlich letzten Winter eine Reihe

[1] excursion. [2] = **einmal.** [3] could. [4] would like.

von Vorlesungen über deutsche Literatur gehört. Allerdings sind wir nicht viel über Goethe und Schiller hinausgekommen.

Du weißt ja, daß Goethe [1] und Schiller [2] die größten Repräsentanten der Periode sind, die man die ,,klassische" nennt. So nennt man sie wegen des großen Einflusses, den die Alten, besonders die alten Griechen, in dieser Zeit auf die deutsche Literatur gehabt haben. Goethe gilt allgemein als der größte deutsche Dichter. Seine gesammelten Werke umfassen über 100 Bände und enthalten außer den lyrischen und epischen Gedichten eine lange Reihe von Dramen, Romanen und Schriften [3] auf fast allen Gebieten der Kunst und Wissenschaft. Schiller war ein Freund Goethes. Er ist jung gestorben und ist der Dichter der deutschen Jugend [4] geblieben. Seine Hauptthemen waren Freiheit, Menschlichkeit [5] und die Ideale des Wahren und Schönen. Sein reiner Idealismus hat die besten seiner vielen Dramen und Gedichte zeitlos [6] gemacht.

Goethes bekanntestes Werk ist das poetisch-philosophische Drama *Faust*. Mir persönlich haben die lyrischen Gedichte besonders gut gefallen. Einige davon kann man noch heute als Lieder hören. Mehrere von Schillers Dramen habe ich auf der Bühne gesehen. *Don Carlos* und *Wallenstein* haben auf mich den größten Eindruck gemacht.

So, mein Lieber, das ist das Beste, was ich als literarische Beraterin [7] für Dich tun kann. Laß Dir's gut gehen und schreib bald wieder! Herzliche Grüße von Deiner alten

Marie

Studieren Sie diese Stunde genau so wie die vorigen!

II. WORTSCHATZ

1. Merke dir!

enthalten (enthält), enthielt, enthalten to contain

***fehlen** to be lacking

Es fehlt mir immer an Geld. I always lack money.

Wer fehlt heute? Who is absent today?

der Fehler, – error

***gelten (gilt) galt, gegolten** to be valid, be worth

Er gilt als der größte Dichter. He is considered the greatest poet.

verbinden, verband, verbunden to connect

die Verbindung, –en connection

[1] Johann Wolfgang von Goethe, geboren 1749, gestorben 1832. [2] Friedrich (von) Schiller, geboren 1759, gestorben 1805. [3] publications. [4] youth. [5] humanity. [6] timeless, ageless. [7] advisor.

***allerdings** to be sure, of course
allgemein general
im allgemeinen in general
außer except (for)
***doppelt** double
ernst : komisch earnest, serious : funny, comical

***die Person′, –en** person
persön′lich personal
die Persön′lichkeit, –en personality
***die Vorlesung, –en** lecture

2. Die Dichtung, –en (literature, poetry, creative writing)

***dichten** to write (*creatively*)
der Dichter, – writer, poet
das Gedicht, –e poem
***fassen** to seize, grasp
umfassen to include
verfassen to write, compose
der Verfasser, – author

der Band, ⸚e volume
die Bühne, –n stage

das Drama, Dramen drama
die Literatur′, –en literature
litera′risch literary
die Novel′le, –n "Novelle" ("novelette")
der Roman′, –e novel
das Schauspiel, –e play
der Schauspieler, – actor
***das Werk, –e** work

3. Wörter aus dem Lateinischen und Griechischen (words from Latin and Greek)

Although German often prefers to construct compounds of its own (**der Eindruck** *impression*), in the areas of the arts and of modern inventions especially it makes wide use of words derived from Latin and Greek which are immediately comprehensible to the speaker of English. Be sure to give these words their German pronunciation when you use them! — Can you add to the examples below?

modern′
poe′tisch
das Thema
die Epik; episch
die Klassik; klassisch
die Lyrik; lyrisch

das Ideal′; der Idealis′mus
die Perio′de; perio′disch
die Philosophie′; philoso′phisch
die Elektrizität′; elek′trisch
das Radio
die Mas′senproduktion′ usw.

Do not conclude that all such words are identical in meaning. For instance, **die Propagan′da** is *publicity* as well as *propaganda;* **die Technik** means *technical science, technology, industry* as well as *technique.*

Friedrich Schiller

Marbach/Neckar:
the house in which Schiller was born

Johann Wolfgang von Goethe

Frankfurt: corner of study in the Goethe House

III. ERLÄUTERUNGEN

1. More about numerals

a. der, das, die erste / dritte / achte — *the first / third / eighth*

der, das, die zwei**te** / vier**te** / fünf**te** usw. bis zum neunzehn**ten**
der, das, die zwanzig**ste** / einundzwanzig**ste** usw.

Ordinals are numerical adjectives. Up to 20 they are formed by adding –**t**– to the cardinal; from 20 on –**st**– is added. They add the same case endings as descriptive adjectives.

b. erstens, zweitens, drittens usw. — *first(ly), second(ly), etc.*

c. **der Bruch, ⸚e** (fraction)

die Hälfte	*half*
das Drittel / Viertel / Fünftel usw.	*third / fourth / fifth, etc.*
das Zwanzigstel / Einundzwanzigstel usw.	*twentieth / twenty-first, etc.*

Fractions are formed with the suffix –**tel** up to 20; from 20 on –**stel** is used. Note that this suffix is related to **teilen** *to divide* and to **der Teil, –e** *part, share.*

d. München, den 10. Juni 1957 (den zehn**ten** Juni)

2,7 (zwei Komma sieben)

2 000 000

A period (.) after a numeral indicates the ordinal; a comma (,) is used as a decimal point; a space is left to separate hundreds from thousands, etc., if necessary. — Notice that dates at the head of a letter are written in the accusative.

e. Der wievielte ist heute? (Den wievielten haben wir heute?) — *What is today's date?*

2. The adjective formed from the infinitive ("present participle")

a. **singen : singend**

der singende Vogel; ein singender Vogel; singende Vögel usw. — *the singing bird; a singing bird; singing birds, etc.*

folgen : folgend

die folgende Frage; die folgenden Fragen (folgende Fragen) usw.	*the following question; the following questions, etc.*

Any infinitive can be transformed into an adjective by merely adding **-d.** The same adjective endings apply as for descriptive adjectives.

b. **ein** laut singender **Vogel**	*a loudly singing bird*
der in seinen letzten Jahren noch dichtende **Goethe** . . .	*Goethe, who was still writing in his last years, . . .*

In the first example given above **laut** has no ending; therefore it can not be an adjective in this position, but must be an adverb. Similarly, **in seinen letzten Jahren** is an adverbial phrase. Such "participial constructions" are far more common in German than in English, where we would use a subordinate clause instead of a long participial construction.

3. The perfect participle as an adjective

a. das gesprochene / geschriebene Wort	*the spoken / written word*
geteilte Freude ist doppelte Freude	*pleasure shared is double pleasure*

As in English, the perfect participle may be used as an adjective in German. The same adjective endings apply as for descriptive adjectives.

b. **der** ernst gemeinte **Rat**	*the seriously-meant advice, the advice which is (was) meant seriously*
ein in der ganzen Welt bekanntes **Drama**	*a drama known in the entire world*

In the first example above **ernst** has no ending and must therefore be an adverb. Similarly, **in der ganzen Welt** is an adverbial phrase. We are again dealing with participial clauses in German which are comparatively rare in English.

Notice the "polar" aspect of these participial constructions; the clause is suspended, so to say, between two poles. The first and the last elements must in effect be grasped simultaneously, together with the participle and its modification, in order to be comprehended easily. For the German this is not difficult, since he is used to waiting for the end of the clause or sentence anyway, and since he automatically reacts to adjective endings — or the absence of such endings!

4. Adjectives as nouns

der Reisende; die Reisende; die Reisenden (Reisende)	*the traveling man; the (woman) traveler; the travelers (travelers)*
der Verwandte; die Verwandte; die Verwandten (Verwandte)	*the (male) relative; the (female) relative; the relatives (relatives)*
das schon Gesagte	*that which has already been said*
die Ideale des Wahren und Schönen	*the ideals of the true and the beautiful*
„und so das Nützliche mit dem Angenehmen verbinden"	*"and thus combine profit and pleasure"*

You have encountered many adjectives used as nouns already (*Neunte Stunde*, III, 2). — Both the present participle and the perfect participle may also be used as nouns. Remember: the adjective used as a noun is capitalized and uses normal descriptive adjective endings. Furthermore: the adjectival **der**-noun refers to a man, the **die**-noun to a woman, and the plural noun to people. The adjectival **das**-noun refers to things in general.

5. The infinitive of the verb as a noun

Arbeiten, Essen, Schlafen	*working, eating, sleeping*
Radfahren ist als Sport beliebt.	*Bicycle riding is popular as a sport.*
Das Fischen macht uns Spaß.	*We enjoy fishing.*
das Lachen ihrer Augen	*the laughter in her eyes*
Reden ist Silber, **Schweigen** ist Gold.	*Speech is silver, silence gold.*

German regularly uses the infinitive of the verb as a noun. The infinitive in this usage is always a **das**-noun and is capitalized, of course. The English verb with the suffix *-ing* (the gerund) usually, but not always, corresponds to these German verbal nouns.

IV. ÜBUNGEN

A. *Supply endings as indicated:*

a. Anreden:

1. An einen Mann: Mein Lieb–! Mein Gut–!
2. An eine Frau: Meine Lieb–! Meine Liebst–!
3. An zwei oder mehr Leute: Meine Lieb–! Meine Best–!

b. 1. Unter den deutsch– Dichtern gilt Goethe als der Größt–. 2. Schiller ist auch ein Groß–. 3. Rilke ist vielleicht kein– der ganz Groß–, aber einige seiner lyrisch– Gedichte gehören zum Best– der deutsch– Literatur. 4. Plato glaubte an das Wahr–, Gut– und Schön–. 5. Schiller meinte, daß das Wahr– auch das Schön– sein muß.

c. 1. Es gibt auf der Welt Klug– und Dumm–, Arm– und Reich–. 2. Die Reich– sind wahrscheinlich nicht glücklicher als die Arm–. 3. Aber das Gleich– gilt nicht für die Klug– und die Dumm–. 4. Der Klug– denkt mehr, und das Denken macht ihn oft unzufrieden. 5. Ist der Klug– aber deshalb unglücklicher? 6. Ein Dumm– kann mehr fragen, als zehn Klug– beantworten können.

d. 1. Das gesprochen– Wort ist oft leichter zu verstehen als das geschrieben–. 2. Die lachend– Augen meiner Freundin Susan gefallen mir gut. 3. Die Mona Lisa ist vor allem wegen ihr– lächelnd– Mundes berühmt. 4. Dieser vor drei Wochen geschrieben– Brief ist erst heute angekommen. 5. Mein gestern hier angekommen– Freund muß morgen schon wieder abfahren. 6. Er fährt zu sein– im Westen lebend– Eltern. 7. „Bellend– Hunde beißen nicht" ist ein allgemein bekannt– Sprichwort. 8. Das wichtigste in diesem Band enthalten– Stück ist *Iphigenie.*

B. *Read in German:*

a. 1. Die 2. Übung dieser Stunde war sehr schwer. 2. Außer im Februar ist der 30. oder 31. Tag eines jeden Monats der letzte Tag des Monats. 3. Der 12. Monat des Jahres ist der Dezember. 4. Die letzte Woche eines jeden Jahres ist die 52. Woche. 5. In Amerika ist der Sonntag der 1. Tag der Woche, in Deutschland ist der Sonntag der 7. und der Montag der 1. Tag der Woche.

6. George Washington war der 1. Präsident der Vereinigten Staaten, Abraham Lincoln der 16., Franklin D. Roosevelt der 32. 7. Der 3. und letzte Kaiser des modernen Deutschland(s) war Wilhelm II. 8. Die jetzige Königin von England ist Elisabeth II.

b. 1. Der 4. Juli ist immer ein Feiertag in den Vereinigten Staaten. 2. In Deutschland beginnen die Sommerferien gewöhnlich am 15. Juli. 3. Am 15. September fängt die Schule wieder an. 4. Der 1. Januar eines jeden

Jahres ist der Neujahrstag. 5. In Deutschland nennt man den Abend des 31. Dezember den Silvesterabend.

c. 1. Goethe ist am 28. August 1749 geboren; er ist am 22. März 1832 gestorben. 2. George Washington ist am 22. Februar 1732 geboren; er ist am 14. Dezember 1799 gestorben. 3. Friedrich Schiller ist am 10. November 1759 geboren und am 9. Mai 1805 gestorben.

d. 1. München, den 10. Oktober 1953. 2. Berlin, den 3. Juli 1871. 3. Frankfurt, den 23. Februar 1957. 4. Bonn, den 14. August 1949.

e. $\frac{1}{3}$ $\frac{2}{5}$ $\frac{4}{7}$ $\frac{7}{10}$ $\frac{11}{20}$ $\frac{29}{100}$; 21,2 79,71 133,27

C. *Ask yourself and others questions like the following and answer them in German:*

a. Wann sind Sie geboren? Wo sind Sie geboren? Sprechen Sie manchmal Deutsch mit Ihren Freunden? Sagen Sie „Sie" oder „du" zu ihnen? Zu welchen Freunden sagt ein Deutscher „du"? Duzen Sie den Lehrer? warum nicht?

b. Wie viele Studenten sind heute hier? Sind alle hier oder fehlen einige? Wer fehlt heute? Seit wann studieren Sie Deutsch? Ist gesprochenes oder geschriebenes Deutsch leichter für Sie? Was ist im allgemeinen leichter zu verstehen, Gesprochenes oder Geschriebenes? Fällt Ihnen Schreiben oder Sprechen schwerer? Was ist Ihnen angenehmer, ein leise gesungenes Wiegenlied oder ein laut gespielter Tanz? Wissen Sie bestimmt, ob bellende Hunde beißen oder nicht? Wer ist stiller, ein ruhig schlafendes Kind oder ein schlecht vorbereiteter Student?

c. Der wievielte ist heute? Der wievielte ist morgen? Mit welchem Tag beginnt die Woche für uns? Mit welchem Tag beginnt sie in Deutschland? Der wievielte Monat ist März? Der wievielte Präsident war Washington?

d. Wer gilt als der größte deutsche Dichter? Kennen Sie die Namen einiger anderer Großen der deutschen Literatur? Wissen Sie, wann Goethe geboren ist? Wann ist er gestorben? Haben Sie schon ein wenig in Goethes Werken gelesen? Kennen Sie einige Gedichte von Goethe? Was hat Goethe noch geschrieben?

e. Glauben Sie, daß das Wahre auch das Schöne ist? Welcher deutsche Dichter hat das geglaubt? Haben Sie schon ein wenig in den Werken von Schiller gelesen? Haben Sie ein Drama von Schiller auf der Bühne gesehen? welches? Welches ist das erste Drama gewesen, das Schiller geschrieben hat? Welches war sein letztes? Wer weiß das? Wann ist Schiller gestorben? Ist er sehr alt geworden?

f. Lesen Sie viel? Lesen Sie lyrische Gedichte gern? Oder lesen Sie Romane und Novellen lieber? Was lesen Sie am liebsten? Welche Dichter kennen Sie? Kennen Sie sie persönlich oder nur aus ihren Werken?

g. Wie schreibt man die Anrede eines Briefes? Wie schreibt man die Adresse? Wie schreibt man das Datum? Wie schließt man einen Brief? Haben Sie schon einmal versucht, einen deutschen Brief zu schreiben? Versuchen Sie es heute!

„Das Bessere ist der Feind des Guten.“

DIE EINUNDZWANZIGSTE STUNDE

I. Ein Interview

Ich fragte Richard, ob er mir nicht noch ein wenig mehr von Deutschland erzählen wolle;[1] er erklärte, er wolle das gern tun; aber da wir so wenig Zeit hätten, meinte er: „Wie wäre es mit einem Interview?[2] Du fragst und ich antworte. Ich gebe dir zehn Minuten.“ So machten wir's — und hier ist das Ergebnis.[3]

ICH: Ich habe so viel von Weihnachten gehört; könntest[4] du mir kurz das deutsche Weihnachtsfest beschreiben?

RICHARD: Ja natürlich! Weihnachten ist das wichtigste der drei großen religiösen Feste des Jahres. Es beginnt am Abend des 24. Dezember. Das ist der Weihnachtsabend. Da wird der Christbaum zum ersten Mal angezündet.[5] Danach versammelt sich[6] die Familie um den Baum und singt Weihnachtslieder.

ICH: Könntest du mir vielleicht noch . . .

RICHARD: Einen Augenblick, bitte! Ich darf nicht vergessen zu er-

[1] **ob er . . . wolle** "whether he would." [2] "How about an interview?" [3] result. [4] could. [5] **wird . . . angezündet** is lighted. [6] assembles.

wähnen,[1] daß die Kerzen[2] am Baum wirklich brennen. Ein Baum mit elektrischen Kerzen wäre[3] gar kein richtiger Christbaum.

ICH: Was sagt denn da die Feuerpolizei dazu?

RICHARD: Gar nichts. Man hat mir gesagt, daß es fast nie einen Brand[4] gäbe.[5] Die brennenden Kerzen am Weihnachtsbaum sind eine so alte Tradition, daß alle Leute von Kind auf daran gewöhnt sind, vorsichtig[6] zu sein. Außerdem sind in Deutschland — wenigstens in den Städten — alle Häuser aus Stein.

ICH: Du hast von den drei großen Festen des Jahres gesprochen. Das zweite Fest ist wohl Ostern. Aber welches wäre[7] das dritte?

RICHARD: Das ist Pfingsten, „das liebliche[8] Fest," wie es Goethe genannt hat; den Deutschen ist dieses Fest nämlich besonders lieb, weil es in den schönen warmen Frühsommer fällt.

ICH: Du hast vorher erwähnt, daß „wenigstens in den Städten" alle Häuser in Deutschland aus Stein seien.[9] Wo sind sie denn nicht aus Stein?

RICHARD: In den Dörfern. In Deutschland besteht[10] ein großer Unterschied zwischen Stadt und Dorf. Die Dörfer sind die Bauerngemeinden.[11] Ein Dorf ist kleiner als eine Stadt, und seine Häuser sind oft ganz oder teilweise[12] aus Holz; aber ein Dorf hat Straßen und Plätze[13] wie eine Stadt. Die Bauern wohnen da zusammen ähnlich wie die Städter in der Stadt und nicht ein jeder auf seinem eigenen Grundbesitz,[14] wie die meisten unserer „farmers". — Aber die zehn Minuten sind jetzt um[15] . . .

ICH: Richtig, und vielen Dank für das interessante Interview!

Studieren Sie diese Stunde genau so wie die vorigen!

II. WORTSCHATZ

1. Einige wichtige Feiertage (some important holidays)

(das) **Ostern** *or* (die) **Ostern** (*pl.*) Easter
Fröhliche Ostern! Happy Easter!
(das) **Pfingsten** *or* (die) **Pfingsten** (*pl.*) Whitsuntide
(das) **Weihnachten** *or* (die) **Weihnachten** (*pl., but requires sing. verb*) Christmas
Fröhliche Weihnachten! Merry Christmas!

(das) **Neujahr** New Year
(ein) **glückliches Neujahr!** Happy New Year!
(der) **Silves'terabend, -e** New Year's Eve

schenken to give (*a present*)
das Geschenk, -e present, gift

[1] mention. [2] candles. [3] would be. [4] fire. [5] "is." [6] cautious. [7] "is." [8] gracious. [9] "are." [10] exists. [11] **der Bauer + die Gemeinde** (community; parish). [12] partly. [13] squares. [14] property. [15] "up."

2. Zeitung und Zeitschrift

Eine Zeitung bringt die neuesten Nachrichten. Der Journalist schreibt Artikel für eine Zeitung oder eine Zeitschrift.

Eine Zeitung oder eine Zeitschrift mit vielen Bildern ist eine illustrierte Zeitung oder Zeitschrift, oder einfach eine „Illustrierte". Die „Berliner Illustrierte" und die „Münchner Illustrierte" sind sehr bekannt.

In den deutschen Zeitungen stehen die Leitartikel gewöhnlich auf der ersten Seite; Reklamen und Anzeigen stehen hinten.

die Anzeige, -n ad; announcement
der Arti'kel, - article
  der Leitartikel, - editorial
das Interview, -s interview
der Journalist', -en journalist

die Nachricht, -en news
die Rekla'me, -n advertising; advertisement
die Zeitschrift, -en magazine, periodical

illustrie'ren to illustrate

3. Einige wichtige Metalle und andere Stoffe

das Metall', -e metal
  das Alumi'nium aluminum
  ***das Eisen** iron
  ***das Gold** gold
  das Kupfer copper
  ***das Silber** silver
  der Stahl steel

***der Stoff, -e** material
  der Gummi rubber
  ***das Holz, ⸚er** wood
  ***die Kohle, -n** coal
  ***der Stein, -e** stone
  ***die Wolle** wool
    die Baumwolle cotton

4. Stadt und Dorf

In der Stadt	**Im Dorf**
wohnen die Städter oder Bürger;	wohnen die Bauern;
lebt man meistens in Wohnungen;	hat jede Bauernfamilie gewöhnlich ihr eigenes Haus;
sind die Gebäude aus Stein;	sind die Bauernhäuser oft ganz oder teilweise aus Holz;
sind Warenhäuser, Hotels und Restaurants;	sind nur kleine Geschäfte und einige Wirtshäuser;
sind die Fabriken und Industrien.	sind die Scheunen und Ställe für die Pferde und das Vieh.

***der Bürger, –** citizen
die Fabrik', –en factory
***das Hotel', –s** hotel
die Industrie', –n industry
der Städter, – city dweller
das Warenhaus, ⸚er department store

***der Bauer, –n (die Bäuerin, –nen)** peasant
***das Dorf, ⸚er** village
***der Wirt, –e (die Wirtin, –nen)** innkeeper, host
das Wirtshaus, ⸚er inn

***der Hof, ⸚e** court; courtyard; farm
der Bauernhof, ⸚e farm
die Scheune, –n shed, barn
***der Stall, ⸚e** barn, stable

***der Esel, –** donkey
***die Gans, ⸚e** goose
***die Kuh, ⸚e** cow
***das Pferd, –e** horse
***das Schwein, –e** pig
***das Vieh** cattle

III. ERLÄUTERUNGEN

1. A note about subjunctive forms

In the text of this lesson, and occasionally in previous lessons, you have met with such verb forms as **sei, hätte, würde, wolle, möchte, gäbe.** These are *subjunctive* forms, while the verb forms you have already studied are called *indicative* forms.

In modern English distinctive subjunctive forms have almost disappeared. To be sure, refined usage still preserves a very few of them, as when we say "If he *were* only here!" instead of "If he *was* only here," and such forms as *could, should, would, might, ought to* are still significant to us. In general, however, tense usage has taken over the functions of the subjunctive forms. Compare:

He *will* if he *can* : He *would* if he *could.*
I *shall* not do it : I *should* not do it.
If I *have*, I *will tell* you : If I *had*, I *would tell* you.
He said he *will do* it : He said he *would do* it.

Modern German does have more specific subjunctive forms left than modern English, even though German also shows a tendency to use indicative rather than subjunctive forms, particularly in colloquial speech and informal situations. The current lesson will give you a survey of the subjunctive forms in German; their principal uses will be taken up in the two following lessons.

Upper Bavaria: Reit im Winkel

Partenkirchen: Floriansbrunnen

Das Weihnachtsfest

Nuremberg: Christmas market

2. A survey of subjunctive forms

INFINITIVES: sein, haben, werden; sagen, warten; gehen, sprechen, tragen; können, sollen; wissen; tun

a. PRESENT SUBJUNCTIVE:

Singular		*Plural*	
ich, er, es, sie	**–e**	wir, sie, Sie	**–en**
sei / habe / werde sage / warte gehe / spreche / trage könne / solle / wisse tue		seien / haben / werden sagen / warten gehen / sprechen / tragen können / sollen / wissen tuen	
du	**–est**	ihr	**–et**
seiest / habest / werdest sagest / wartest gehest / sprechest / tragest könnest / sollest / wissest tuest		seiet / habet / werdet saget / wartet gehet / sprechet / traget könnet / sollet / wisset tuet	

▶ Inflected verbs regularly have the endings **–e, –est, –en, –et** in the subjunctive. Note that there are no irregularities in the present subjunctive except for **sein: ich, er, es, sie sei.**

b. PAST SUBJUNCTIVE:

Singular		*Plural*	
ich, er, es, sie	**–e**	wir, sie, Sie	**–en**
wäre / hätte / würde sagte / wartete ginge / spräche / trüge könnte / sollte / wüßte täte		wären / hätten / würden sagten / warteten gingen / sprächen / trügen könnten / sollten / wüßten täten	
du	**–est**	ihr	**–et**
wärest / hättest / würdest sagtest / wartetest gingest / sprächest / trügest könntest / solltest / wüßtest tätest		wäret / hättet / würdet sagtet / wartetet ginget / sprächet / trüget könntet / solltet / wüßtet tätet	

▶ The auxiliaries **sein, haben, werden** all have an umlaut in the past subjunctive.
▶ The past "subjunctive" forms of the regular verbs are identical with their indicative forms!
▶ Irregular verbs all have an umlaut in the past subjunctive if the vowel of their past tense form permits it. Note the full subjunctive endings!
▶ The modal auxiliaries **dürfen, können, mögen, müssen** have an umlaut in the past subjunctive, as do **wissen** and **tun**; **sollen** and **wollen** do not.[1]
▶ Notice the following past subjunctive forms:

stehen: st**ä**nde *or* st**ü**nde	sterben: st**ü**rbe
helfen: h**ü**lfe	werfen: w**ü**rfe

c. The compound tenses:

PRESENT PERFECT SUBJUNCTIVE

Verbs with **haben**

ich, er, es, sie habe...	gehabt
du habest...........	gesagt
wir, sie, Sie haben....	getragen
ihr habet............	usw.

Verbs with **sein**

ich, er, es, sie sei...	gewesen
du seiest..........	geworden
wir, sie, Sie seien...	gegangen
ihr seiet...........	usw.

PAST PERFECT SUBJUNCTIVE

Verbs with **haben**

ich, er, es, sie hätte...	gehabt
du hättest...........	gesagt
wir, sie, Sie hätten....	getragen
ihr hättet............	usw.

Verbs with **sein**

ich, er, es, sie wäre...	gewesen
du wärest...........	geworden
wir, sie, Sie wären....	gegangen
ihr wäret............	usw.

FUTURE SUBJUNCTIVE

ich, er, es, sie werde...	sein
du werdest...........	haben
wir, sie, Sie werden....	tragen
ihr werdet............	usw.

FUTURE CONDITIONAL

ich, er, es, sie würde...	sein
du würdest...........	haben
wir, sie, Sie würden....	tragen
ihr würdet............	usw.

[1] The past subjunctive forms of **bringen** and **denken** have umlauts: **brächte, dächte**; the rest of the hybrids have –e–: **kennte, nennte usw.**

FUTURE PERFECT SUBJUNCTIVE

Verbs with **haben**

ich, er, es, sie werde . . .	gehabt haben
du werdest	gesagt haben
wir, sie, Sie werden . . .	getragen haben
ihr werdet	usw.

Verbs with **sein**

ich, er, es, sie werde . . .	gewesen sein
du werdest	geworden sein
wir, sie, Sie werden . . .	gegangen sein
ihr werdet	usw.

FUTURE PERFECT CONDITIONAL

Verbs with **haben**

ich, er, es, sie würde . . .	gehabt haben
du würdest	gesagt haben
wir, sie, Sie würden . . .	getragen haben
ihr würdet	usw.

Verbs with **sein**

ich, er, es, sie würde . . .	gewesen sein
du würdest	geworden sein
wir, sie, Sie würden . . .	gegangen sein
ihr würdet	usw.

▶ The compound tenses of the subjunctive are formed in exactly the same way as those of the indicative, except that *subjunctive* forms of **sein, haben,** and **werden** are used.

▶ Note that the "conditional" forms of the future and of the future perfect use the past tense of **werden.** Compare:

He *will* say : he *would* say.
He *will* have said : he *would* have said.

3. A note on terminology

For convenience in dealing with certain aspects of the subjunctive later on, we may group the tenses of the subjunctive according to whether the inflected verb is in the present or the past tense, as follows:

TYPE I	TYPE II
Present er habe	*Past* er hätte
Present Perfect er habe . . . gehabt	*Past Perfect* er hätte . . . gehabt
Future er werde . . . haben	*Future Conditional* er würde . . . haben
Future Perfect er werde . . . gehabt haben	*Future Perfect Conditional* er würde . . . gehabt haben

IV. ÜBUNGEN

A. *In the following passage, replace the italicized subjunctive forms with forms of the present indicative:*

z.B.: Goethe, sagte er, *sei* der größte deutsche Dichter: Goethe, sagte er, **ist** der größte deutsche Dichter.

1. Gestern hörte ich eine Vorlesung über Goethe und Schiller. Goethe, sagte der Professor, *gelte* als der größte deutsche Dichter. 2. Er *sei* im Jahr 1749 geboren und *sei* 83 Jahre alt geworden. 3. Er *habe* eine große Menge Gedichte, Romane und anderes geschrieben. 4. Seine Gesammelten Werke *umfaßten* über 100 dicke Bände. 5. In ihnen *finde* man die schönsten Verse und die größte Weisheit, die es in der deutschen Sprache *gebe.*

6. Das Werk Goethes, das man im Ausland am besten *kenne, sei* der Faust. 7. Dieses Drama, das Goethe selbst ,,eine Tragödie" genannt *habe, enthalte* viel von Goethes Philosophie. 8. Die Gedichte *seien* im Ausland weniger bekannt, weil man sie nicht in fremde Sprachen übersetzen *könne;* in der Übersetzung *verlören* sie zuviel. 9. In Deutschland selbst *lebten* noch heute viele seiner Gedichte als Lieder.

10. Schiller, so fuhr der Professor fort, *sei* zehn Jahre jünger gewesen als Goethe. 11. Er *sei* nur 45 Jahre alt geworden. 12. Man *nenne* Schiller oft den Dichter der deutschen Jugend. 13. Die meisten von Schillers Dramen *könne* man noch heute oft auf der Bühne sehen. 14. Aus ihnen und aus Schillers Gedichten *spreche* der höchste Idealismus.

B. *Can you give the subjunctive forms required below?*

a. Present Subjunctive and Past Subjunctive:

ich, er, es, sie (machen; lesen; wollen)
du (können; aus-sehen)
wir, sie, Sie (folgen; fahren; verstehen)
ihr (finden; verfassen)

b. Present Perfect Subjunctive and Past Perfect Subjunctive:

ich, er, es, sie (schenken; geben)
du (können; versprechen)
wir, sie, Sie (auf-hören; werden)
ihr (erzählen; ein-schlafen)

c. Future Subjunctive and Future Conditional:

ich, er, es, sie (packen; schweigen) — wir, sie, Sie (haben; gehen)
du (versuchen; bringen) — ihr (ab-holen; an-kommen)

d. Future Perfect Subjunctive and Future Perfect Conditional:

ich, er, es, sie (hoffen; arbeiten) — wir, sie, Sie (versuchen; essen)
du (aus-geben; laufen) — ihr (öffnen; singen)

C. *The following passage as it stands is quite acceptable German, but informal in its use of indicative forms. If you now replace all italicized forms with subjunctive forms in the same tense, the passage will correspond to literary usage. (Note that in most cases either one of two subjunctive forms may be used.)*

z.B.: Richard sagte, er *weiß* (*wußte*) das schon: Richard sagte, er **wisse** (**wüßte**) das schon.

1. Richard sagte, er *kommt* (*kam*) direkt von Frankfurt. 2. Er *freut* sich, Amerika wiederzusehen. 3. Er dankte mir dafür, daß ich ihn abgeholt *hatte*. 4. Er sagte weiter, er *ist* (*war*) geflogen, weil er sehr wenig Zeit *hat* (*hatte*). 5. Er *macht* diese Reise zum Vergnügen. 6. Er *will* auch seine Eltern besuchen. 7. Er *wird* morgen früh gleich weiterfahren, und zwar *wird* er fliegen; denn er *muß* (*mußte*) in zwei Wochen wieder in Frankfurt sein.

8. Ich fragte Richard, ob er mir nicht ein wenig von Deutschland erzählen *kann* (*konnte*). 9. Er meinte, da *gibt* (*gab*) es so viel zu erzählen, daß er gar nicht *weiß* (*wußte*), wo er anfangen *soll*. 10. Zuerst erzählte er mir dann von den alten Städten, die er gesehen *hat* (*hatte*). 11. Dann sprach er von den drei großen Festen des Jahres und davon, was der Weihnachtsabend für die Deutschen *bedeutet*.

12. Dann aber wollte Richard wissen, wie es mir *geht* (*ging*). 13. Er fragte, was ich die ganze Zeit getan *hatte*, ob ich verliebt *bin* (*war*), und ob ich nicht nächsten Sommer nach Deutschland reisen *will*. 14. Er *hofft*, daß mir die Reise sehr gut gefallen *wird*.

D. *Ask yourself and others questions like the following and answer them in German:*

a. Wie heißen die drei großen religiösen Feste in Deutschland? Welches dieser Feste ist das wichtigste und schönste? Was tut eine deutsche Familie am

Weihnachtsabend? Kennen Sie ein deutsches Weihnachtslied? In welche Jahreszeit fällt Ostern? Wann ist Pfingsten?

b. Kennen Sie den Unterschied zwischen Stadt und Dorf? Wer lebt in der Stadt und wer auf dem Dorf? Gibt es Dörfer in den Vereinigten Staaten? Sind alle Häuser in amerikanischen Städten aus Stein? in deutschen Städten? Gibt es in einem deutschen Dorf Warenhäuser und Hotels? Wo wohnt und ißt ein Fremder in einem Dorf? Wo hält der Bauer seine Pferde und sein Vieh? Wozu hält ein Bauer Pferde? Wozu hält er Kühe? wozu Schweine?

c. Haben Sie schon einmal eine deutsche Zeitung gesehen? Haben Sie versucht, sie zu lesen? Haben Sie es schwer gefunden? Sind deutsche Zeitungen so groß und dick wie unsere Zeitungen? Was ist der Unterschied zwischen einer Zeitung und einer Zeitschrift? Was kann man in einer Zeitung lesen? in einer Zeitschrift?

d. Kennen Sie deutsche Automobile? Sind deutsche Automobile so groß wie amerikanische? Welcher Motor braucht mehr Benzin und Öl? Gibt es in Deutschland soviel Benzin und Öl wie hier?

e. Gibt es in Deutschland Eisen und Stahl? Hat Deutschland soviel Stahl und Eisen wie die Vereinigten Staaten? Hat es soviel Holz? soviel Kohle? Wozu benützt man Kohle?

f. In welchen Ländern findet man heutzutage Gold? Silber? Wo gibt es Kupfer? Wer hat Geographie studiert? Wer weiß, aus welchem Land der meiste Gummi kommt? Haben wir viel Aluminium in den Vereinigten Staaten? Woraus macht man Stahl? Gibt es heute noch Geld aus Gold und Silber? Woraus ist das Geld heute gewöhnlich?

„Eines schickt sich nicht für alle!
Sehe jeder, wie er's treibe,
Sehe jeder, wo er bleibe,
Und wer steht, daß er nicht falle."

Johann Wolfgang von Goethe

DIE ZWEIUNDZWANZIGSTE STUNDE

I. Wenn das Wörtchen „wenn" nicht wär' . . .

Gestern ist Richard auf der Rückreise[1] nach Deutschland wieder hier durchgekommen. Wir haben ein paar Freunde angerufen und sind dann alle zusammen ausgegangen. Es war ein sehr lustiger Abend, denn wir waren alle in bester Stimmung.

Natürlich sprachen wir viel vom Reisen, und ich bekam große Lust, eine Reise um die Welt zu machen. Ich sagte zu Richard: „Wenn ich nur Zeit und Geld hätte, würde ich gleich morgen mit dir wegfahren." „Ja, ja," meinte Richard, der jetzt immer ein deutsches Zitat[2] bei der Hand[3] hat, „wenn das Wörtchen ‚wenn' nicht wär', wär' mein Vater Millionär."

Das brachte uns auf alle möglichen dummen Einfälle, was wir tun würden, wenn wir nur genug Zeit und Geld hätten. Einer sagte, er würde den ganzen Tag schlafen; ein anderer wollte sich den neuesten europäischen Sportwagen kaufen. Ein Dritter meinte ganz mit Recht: „Wie wäre es, wenn es keine Luftschlösser gäbe? Dann würden uns nämlich nicht so

[1] **rück = zurück.** [2] quotation. [3] at hand.

viele dumme Sachen einfallen.“ Das störte uns aber gar nicht in unseren geistreichen [1] Hypothesen.

Schließlich beschlossen [2] wir, daß wir eine Gesellschaft zur Erforschung des Monds gründen würden. Wir würden zuerst ein riesiges [3] Raumschiff bauen,[4] wenn wir nicht vielleicht irgendwo eine gebrauchte Rakete auftreiben [5] könnten. Das Raumschiff müßte groß genug sein, damit wir genug Sauerstoff und Nahrungsmittel [6] mitnehmen könnten, um uns monatelang am Leben zu erhalten.[7] Auch müßten mehrere Automobile hineingehen, damit wir auf dem Mond herumfahren könnten. Natürlich würden wir auch die besten Fotoapparate mitnehmen, und viele Kilometer Film, besonders Farbfilm. Wir würden dann unsere Aufnahmen an eine der großen illustrierten Zeitschriften verkaufen und dadurch die Mittel [8] für weitere Forschungsreisen auf den Mond zusammenbringen.

Richard, der immer einen Apfel oder eine Birne in der Tasche hat, meinte, es wäre keine schlechte Idee, tiefgefrorenes Obst mitzunehmen, denn das gäbe es sicher auf dem Mond nicht. Natürlich müßten wir dann unsere Reise in den Vereinigten Staaten beginnen, denn in Deutschland bekomme man so etwas kaum. Nun hatte jeder von uns etwas anderes vorzuschlagen, und wir besprachen unsere Pläne bis spät in die Nacht.

Als wir dann durch die sternenhellen [9] Straßen nach Hause gingen, grüßte der Mond so freundlich zu uns herunter, als ob [10] er unsere ganze Unterhaltung gehört hätte und als ob er uns zuriefe: „Auf baldiges frohes Wiedersehen!“

Studieren Sie diese Stunde genau so wie die vorigen!

II. WORTSCHATZ

*1. Einige Früchte

die Beere, –n berry
der Busch, ⸗e bush
die Frucht, ⸗e fruit

der Apfel, ⸗ apple
die Birne, –n pear

die Kirsche, –n cherry
das Obst fruit (*of a tree*)
der Obstbaum, ⸗e fruit tree
der Apfelbaum, der Birnbaum, der Kirschbaum

[1] witty. [2] decided. [3] giant. [4] build. [5] procure. [6] food. [7] keep. [8] means. [9] **der Stern, –e** star. [10] as though.

2. *Die Gesellschaft, -en (society, company)

gründen to found
***wählen** to elect, choose; vote
die Wahl, -en election; choice

das Mitglied, -er member
die Stimme, -n vote
***der Verein, -e** club; association

3. Entdecken, Erforschen und Erfinden

***entdecken** to discover
der Entdecker, - discoverer
die Entdeckung, -en discovery
***forschen** to do research
der Forscher, - researcher, scholar
die Forschung, -en research
erforschen to investigate, explore
die Erforschung, -en investigation, exploration
***erfinden, erfand, erfunden** to invent
der Erfinder, - inventor
die Erfindung, -en invention

***der Apparat′, -e** apparatus, device
***die Idee′, -n** idea
***die Kraft, ⸚e** strength, power
***der Plan, ⸚e** plan
***der Raum, ⸚e** space; room
der Sauerstoff oxygen
der Wasserstoff hydrogen

4. Fotografie′ren

die **Aufnahme, -n** photograph, picture
eine **Aufnahme machen** to take a picture
der Film, -e film
das Foto, -s photograph

der Fotograf′, -en, -en photographer
der (Fotogra′fen)apparat′, -e camera
die Kamera, -s camera

knipsen to snap a picture

5. Noch einige verwandte Wörter

GERMAN	ENGLISH COGNATE & MEANING	GERMAN	ENGLISH COGNATE & MEANING
-s, -ss-, -ß	*-t, -t-*	**d**	*th*
aus	ou*t*	beide	bo*th*
das, daß	tha*t*	**D**ing	*th*ing
grüßen	gree*t*	Erde	ear*th*
hassen	ha*t*e	Feder	fea*th*er

Can you add to these lists?

III. ERLÄUTERUNGEN

1. Uses of the subjunctive: contrary-to-fact conditions

Probably the most important use of the subjunctive is in conditional sentences of the following type:

Wenn ich Zeit hätte, würde ich reisen. *If I had time, I would travel.*

The *if*-clause of such sentences states a condition as contrary to fact.[1]

In English, such contrary-to-fact conditions are marked by the use of the past tense in the *if*-clause for present or future time, and by the past perfect tense for past time. Notice also the frequent occurrence of such forms as *could, should, would, might, ought to,* especially in the conclusion.

In German, subjunctive forms are used for contrary-to-fact conditions, commonly in the same tense as in English. Note that only Type II forms can be used, never Type I, in both the **wenn**-clause and the conclusion.

2. The pattern of contrary-to-fact conditions

	if-CLAUSE	CONCLUSION
present or future time	*If he* ***had*** *the money,* Wenn er das Geld **hätte,** English: Past German: Past Subjunctive	*(then) he* ***would give*** *it to me.* (so) **würde** er es mir **geben.*** (so **gäbe** er es mir.) English: Future Conditional German: Future Conditional * (Past Subjunctive)
past time	*If he* ***had had*** *the money,* Wenn er das Geld **gehabt hätte,** English: Past Perfect German: Past Perfect Subjunctive	*(then) he* ***would have given*** *it to me.* (so **würde** er es mir **gegeben haben.**) (so) **hätte** er es mir **gegeben.*** English: Future Perfect Conditional German: (Future Perfect Conditional) Past Perfect Subjunctive *

* Preferred forms.

[1] We are not concerned here with so-called simple conditions which are treated exactly the same in English and in German: Wenn ich Zeit habe, reise ich (werde ich reisen). *If (whenever) I have time, I travel (I'll travel).*

Berchtesgaden: Jenner cable car

„Wenn ich nur Zeit und Geld hätte, würde ich mit dir wegfahren!"

Wuppertal: suspension railway

Frankfurt am Main: narrow gauge trolleys

▶ If you study the preceding table carefully, you will have all the information you need to deal with contrary-to-fact conditions in German. Refer back to it as you read the further comments below.

▶ **Wenn**-clauses are subordinate clauses; therefore the inflected form of the verb stands at the end of the clause.

▶ In the conclusion, if it comes after the **wenn**-clause as in the examples in the preceding table, the subject follows the verb.

3. Why "preferred forms"?

a. Wenn er es wüßte, so **würde** er es Ihnen **sagen.** (so **sagte** er es Ihnen.)	*If he knew it, he would tell you.*

The conclusion of contrary-to-fact conditions in present time may use either the past subjunctive or the future conditional. Since the past subjunctive forms are often identical with the past indicative — for instance, regular verbs in the past tense are the same in both indicative and subjunctive — German usually employs the future conditional.

b. Wenn er das gewußt hätte, so **hätte** er es Ihnen **gesagt.** (so **würde** er es Ihnen **gesagt haben.**)	*If he had known that, he would have told you.*

The German preference for the past perfect subjunctive in the conclusion in past time may be due to the fact that such forms as **er hätte es gesagt** and **er wäre gekommen** are always clearly subjunctive. At the same time they are not as awkward as the future perfect conditional: **er würde es gesagt haben, er würde gekommen sein.**

4. Isolated "if-clauses" and conclusions

Wenn es nur wärmer wäre!	*If it were only warmer!*
Wenn wir nur studiert hätten!	*If only we had studied!*
Das würde ich nicht sagen.	*I wouldn't say that.*
Sie hätte es nicht geglaubt.	*She wouldn't have believed it.*

Either the *if*-clause or the conclusion of a conditional sentence may stand by itself. Tense usage follows the pattern given in the preceding table.

5. The omission of *wenn*

Käme er, so würden wir uns freuen.	***If he came,*** *we would be happy.*
Hätte er es gewußt, so hätte er es gesagt.	***Had he*** *known it, he would have said so.*
Wären wir nur früher gekommen!	***Had we*** *only come earlier!*

As you know, German frequently omits **wenn** (*Vierzehnte Stunde,* III, 3b). This omission is indicated by putting the inflected part of the verb in first position in the sentence. — English sometimes uses the same device to indicate the omission of *if*.

6. An important pattern

Ich **hätte** eine Aufnahme **machen sollen.**	*I should have taken a picture.*
Du **hättest** mich **rufen können.**	*You could have called me.*

The German pattern of the past perfect subjunctive of the modal auxiliary with other verbs has no exact parallel in English, which has to use such phrasings as *could have done, should have done, would have liked to do, would have been able to do, etc.* Notice the double infinitive construction in German (*Fünfzehnte Stunde,* III, 4).

7. The subjunctive in polite requests

(Können) Könnten Sie mir sagen . . .	*(Can) Could you tell me . . .*
(Werden) Würden Sie so gut sein . . .	*(Will) Would you be so good . . .*
(Darf) Dürfte ich Sie bitten . . .	*(May) Might I ask you . . .*

The past subjunctive is frequently used when one wishes to be especially polite or formal in making a request.

IV. ÜBUNGEN

A. *Change the following contrary-to-fact conditions to simple conditions by substituting present tense indicative forms for the italicized subjunctive forms. Be sure you understand the difference!*

z.B.: Wenn es kalt *wäre, würde* sie einen Mantel tragen. (*If it* ***were*** *cold, she* ***would*** *wear a coat.*) : Wenn es kalt **ist, wird** sie einen Mantel tragen. (*If it* ***is*** *cold, she* ***will*** *wear a coat.*)

1. Wenn Sie Platz *hätten, würden* wir mitfahren. 2. Es *würde* uns sehr leid tun, wenn du nicht kommen *könntest.* 3. Wenn ich plötzlich reich *würde,* dann *wollte* ich ein Flugzeug haben. 4. Wenn das Wetter schön gewesen *wäre, wäre* ich spazierengegangen. 5. *Spräche* er langsamer, so *würde* man ihn besser verstehen. 6. Wenn Susan mehr Zeit *hätte,* dann *könnten* wir öfters zusammen ausgehen. 7. Wenn es nicht zu spät *wäre, riefe* ich Susan an. 8. Wir *unterhielten* uns besser, wenn wir ein paar Schallplatten *hätten.*

B. *Change the following simple conditions to contrary-to-fact conditions in (a) present time and (b) past time:*

z.B.: Wenn wir nichts lernen, wird der Lehrer böse:

(a) Wenn wir nichts lernten, **würde** der Lehrer böse.
würde der Lehrer böse **werden.**
(b) Wenn wir nichts gelernt hätten, **wäre** der Lehrer böse **geworden.**

1. Wenn ich genug Geld habe, dann kaufe ich ein Auto. 2. Wenn das Wetter schön ist, brauche ich keinen Regenschirm. 3. Wenn ich nicht arbeiten muß, gehe ich ins Kino. 4. Ich freue mich, wenn du mit mir gehst. 5. Er geht zum Arzt, wenn er krank ist. 6. Können Sie fotografieren, wenn Sie eine Kamera haben? 7. Wenn ich Ferien habe, dann kann ich fischen gehen. 8. Wenn wir etwas erfinden, so werden wir vielleicht reich.

C. *Omit* **wenn** *in the following sentences, beginning each sentence with the verb:*

z.B.: Wenn ich reich wäre, würde ich mir ein Flugzeug kaufen: **Wäre ich** reich, (so) würde ich mir ein Flugzeug kaufen.

1. Wenn ich Zeit hätte, würde ich nach Deutschland fahren. 2. Wenn er heute nicht kommt, kommt er morgen. 3. Wenn du das nur nicht gesagt hättest! 4. Wenn die Sonne scheint, mag man nicht zu Hause bleiben. 5. „Wenn es keine Löffel gäbe, so müßte man die Suppe mit der Gabel essen."

D. *Begin each of the following sentences with the "if-clause":*

z.B.: Ich würde spazierengehen, wenn das Wetter schön wäre: **Wenn** das Wetter schön wäre, **würde ich** spazierengehen.

1. Ich würde ihn besser verstehen, wenn er langsamer spräche. 2. Ich kann ihm nicht helfen, wenn er selbst nichts tun will. 3. Ich hätte das nicht geglaubt, wenn ich es nicht selbst gesehen hätte. 4. Wir hätten ihn gefunden, wenn es nicht so dunkel gewesen wäre. 5. Man kann eine Sprache nicht lernen, wenn man nicht viel übt.

E. *The following two folk songs are charming examples of contrary-to-fact conditions; study them carefully!*

a. Wär' ich ein Vögelein,
Wollt' ich bald bei dir sein.
Scheut' Falk' und Habicht nicht,[1]
Flög' hin zu dir.
Schöss'[2] mich ein Jäger[3] tot,
Fiel' ich in deinen Schoß.[4]
Säh'st du mich traurig an, —
Gern stürb' ich dann.

b. Wenn ich ein Vöglein wär'
Und auch zwei Flüglein[5] hätt',
Flög' ich zu dir. —
Weil's aber nicht kann sein,
Bleib' ich allhier.

F. *Ask yourself and others questions like the following and answer them in German:*

a. Könnten wir nicht besser arbeiten, wenn die Luft in diesem Zimmer besser wäre? Wie wäre es also, wenn wir die Fenster aufmachten? Wäre das nicht eine gute Idee? Herr Müller, würden Sie so freundlich sein (wären Sie so freundlich), das Fenster dahinten aufzumachen? Nun, ist es jetzt nicht viel angenehmer?

b. Oder stört Sie jetzt der Lärm von der Straße? Würden Sie mich besser verstehen (Verstünden Sie mich besser), wenn wir das Fenster wieder zumachten? Was ist Ihnen lieber, schlechte Luft oder der Straßenlärm?

c. Was würden Sie tun, wenn Sie plötzlich reich würden? Was würden Sie sich kaufen? Wem würden Sie auch etwas kaufen? was? Würden Sie viel

[1] "would not fear falcon and hawk." [2] **schießen** to shoot. [3] hunter.
[4] lap. [5] little wings.

reisen? Möchten Sie eine Reise um die Welt machen? Wohin würden Sie am liebsten reisen? Würden Sie den Mond erforschen wollen? den Ozean? die Stratosphäre?

d. Nennen Sie die Namen einiger bekannter Forscher und Erfinder! Haben Sie schon etwas über das Leben von Columbus gelesen? von Marco Polo? Welche Gegend ist von Lewis und Clark erforscht worden? Wann war das? Was hat der berühmte deutsche Forscher Schliemann gefunden? Wer hat das Grammophon erfunden? Wer erfand den Dieselmotor?

e. Gibt es in Deutschland so viel Obst und Gemüse wie in den Vereinigten Staaten? warum nicht? Wo wächst in Deutschland das beste Obst und Gemüse? Wer weiß das? Welches Obst essen Sie am liebsten? Auf welchem Baum wächst es? Essen Sie auch Beeren gern?

f. Fotografieren Sie gern? viel? Sind Sie ein guter Fotograf? Haben Sie Ihre eigene Kamera? Was für einen Apparat haben Sie? Können Sie farbige Aufnahmen damit machen? Möchten Sie nicht vielleicht Ihren Apparat einmal in die deutsche Stunde mitbringen? Wäre es nicht nett, wenn Sie eine Gruppenaufnahme der ganzen Klasse machten?

„Lernt' ich was, so wüßt' ich was."

DIE DREIUNDZWANZIGSTE STUNDE

I. Besuch in der Schweiz

Heute kam ein großer Luftpostbrief von Richard. Er ist gut drüben angekommen. Er bedankt sich [1] herzlich für die freundliche Aufnahme,[2] die er bei uns gefunden habe, und er schreibt, er hoffe, daß ich ihn bald drüben besuchen könne. — Ich wollte, ich hätte das Reisegeld schon beisammen! [3]

In dem Brief beschreibt Richard auch seine Reise. Er fuhr mit einem italienischen Schiff und landete in Genua. Von dort fuhr er in die Schweiz und blieb einige Tage zu Besuch bei Freunden in Bern.

Die Schweiz hat ihm sehr gut gefallen. Wie er schreibt, habe er allerdings wenig von den berühmten Bergbahnen,[4] Aussichtspunkten,[5] Gletschern,[6] Wasserfällen und Hotels gesehen. Aber diese sogenannte Fremdenindustrie,[7] diese tolle Touristenjagd [8] über die Berge, habe ihn auch nicht besonders interessiert.

Was ihm zuerst aufgefallen sei, schreibt er, war die Sprache. Er habe wohl ohne Schwierigkeit die Zeitungen der deutschen Schweiz lesen können,

[1] thanks (us). [2] reception. [3] = **zusammen.** [4] mountain railways. [5] "views." [6] glaciers. [7] tourist industry. [8] mad tourist chase.

aber wenn man mit ihm sprach, habe er anfangs fast nichts verstehen können. Der Dialekt der Deutsch-Schweizer, das sogenannte „Schwyzer-Dütsch," klinge zuerst, als wäre es eine fremde Sprache; mit der Zeit gewöhne man sich freilich daran. Dann sei ihm die Sauberkeit in Stadt und Dorf aufgefallen. Sogar die Straßen und die Fußböden [1] seien so sauber, daß man von ihnen essen könnte.

Am meisten aber habe er sich für das tägliche Leben der Menschen und deren Meinungen interessiert; denn die Schweiz ist ja die älteste moderne Republik und Demokratie. Toleranz und die Liebe für Freiheit und Frieden sind dort zuhaus.

Daß die Schweizer Stadt Genf der Sitz des ersten internationalen Parlaments — des Völkerbunds [2] — gewesen ist, habe ich natürlich gewußt. Aber ich hatte nicht gewußt, daß, wie Richard schreibt, das internationale Rote Kreuz von einem Schweizer ins Leben gerufen wurde.[3]

Zum Schluß erwähnt Richard noch ein paar der bedeutendsten Schweizer auf den Gebieten der Literatur, Kunst und Wissenschaft, wie den Erzieher Pestalozzi,[4] den Geschichtsschreiber Jakob Burckhardt,[5] die Maler Arnold Böcklin [6] und Paul Klee,[7] die Dichter Konrad Ferdinand Meyer [8] und Gottfried Keller.[9] Des letzteren Erzählungen, so meint Richard, gehörten zu den schönsten der deutschen Literatur. Sobald ich genug Deutsch könne, schreibt er, müsse ich beginnen, sie zu lesen.

Studieren Sie diese Stunde genau so wie die vorigen!

II. WORTSCHATZ

1. Einige nützliche Wörter

a. **auf-fallen (fällt auf), fiel auf, ist aufgefallen** to strike, be striking
es fällt mir auf it strikes me
***erziehen, erzog, erzogen** to educate, bring up
der Erzieher, - educator
die Erziehung education

kreuzen to cross
das Kreuz, -e cross
die Kreuzung, -en crossing
malen to paint
der Maler, - painter
die Malerei' painting

***der Platz, ⸚e** place, seat; public square

***vorher : nachher** before : later, afterwards

[1] floors. [2] League of Nations. [3] was called. [4] 1746–1827. [5] 1818–1897. [6] 1827–1901. [7] 1879–1940. [8] 1825–1898. [9] 1819–1890.

b.* Arnold Böcklin und Gottfried Keller waren Schweizer. **Der erstere (Jener) war Maler, **der letztere (dieser)** war Dichter.

der erstere : der letztere } the former : the latter
jener : dieser }

2. Staat und Regierung

regie'ren to govern, rule
die Regie'rung, -en government

die Demokratie', -n democracy
***das Land, ⸚er** country, land; state
***die Macht, ⸚e** power
die Monarchie', -n monarchy
***das Rathaus, ⸚er** city hall

***der Fürst, -en, -en** prince
***der Kaiser, -** emperor; kaiser
***der Kanzler, -** chancellor
***der König, -e** king
das Parlament', -e parliament
der Präsident', -en, -en president

3. *Die*-nouns in *-heit* and *-keit*

gesund : die Gesundheit healthy : health
krank : die Krankheit sick, ill : sickness; disease
neu : die Neuheit new : newness; novelty
ähnlich : die Ähnlichkeit similar : similarity
sauber : die Sauberkeit clean : cleanliness
schwierig : die Schwierigkeit difficult : difficulty

Many abstract German nouns, always **die**-nouns with **-en** in the plural, are formed from adjectives with **-heit** or **-keit.** They often correspond to English nouns in *-ty* or *-ness.*

4. Verbs of expression

***denken, dachte, gedacht** to think
der Gedanke, -ns, -n[1] thought, idea
***glauben** to believe, think
der Glaube, -ns[1] belief; faith
***meinen** to believe, think; express *or* have an opinion; "mean"
die Meinung, -en opinion

***behaupten** to state, assert, maintain
die Behauptung, -en assertion, contention
***bemerken** to remark
die Bemerkung, -en remark
berichten to report
der Bericht, -e report
***erzählen** to relate, tell
die Erzählung, -en story, narrative

The exact meaning of these verbs of expression becomes clearer if you associate them with the related nouns as given above.

[1] *A few nouns have the ending* **-ns** *in the genitive and* **-n** *in all other cases except the nominative* (*also* **der Friede(n), -ns** peace; **der Name(n), -ns, -n; das Herz, -ens, -en**).

Besuch in der Schweiz

The Matterhorn

Lucerne

Zurich: street scene

III. ERLÄUTERUNGEN

1. The subjunctive of indirect discourse

The secondhand report of someone's words or thoughts is called indirect discourse. Compare: *He said, "I am coming"* and: *He said that he was (is) coming.*

In English, subjunctive *forms* seldom occur any more in indirect discourse, although *tense* usage is still reminiscent of older language habits. In German, subjunctive forms in indirect discourse are still quite common, although there is also a strong tendency to be satisfied with the indicative. This is especially true for colloquial and informal speaking or writing. But even in the formal language the subjunctive of indirect discourse is commonly used today only when the introductory word of saying or thinking is in the past tense or implies past time.

2. Synopses of the subjunctive of indirect discourse

a. Original Statement	Er sagte:
Present:	„Ich **lerne** Deutsch."
Indirect Discourse	Er sagte,
Present Subjunctive:	daß er Deutsch **lerne.**
or Past Subjunctive:	(daß er Deutsch **lernte**).
Original Statement	Er sagte:
Any past tense:	„Ich **lernte** Deutsch."
	„Ich **habe** Deutsch **gelernt."**
	„Ich **hatte** Deutsch **gelernt."**
Indirect Discourse	Er sagte,
Present Perfect Subjunctive:	daß er Deutsch **gelernt habe.**
or Past Perfect Subjunctive:	daß er Deutsch **gelernt hätte.**
Original Statement	Er sagte:
Future:	„Ich **werde** Deutsch **lernen."**
Indirect Discourse	Er sagte,
Future Subjunctive:	daß er Deutsch **lernen werde.**
or Future Conditional:	daß er Deutsch **lernen würde.**

Original Statement	Er sagte:
Future Perfect:	„Ich **werde** Deutsch **gelernt haben.**“
Indirect Discourse	Er sagte,
Future Perfect Subjunctive:	daß er Deutsch **gelernt haben werde.**
or Future Perfect Conditional:	daß er Deutsch **gelernt haben würde.**

▶ Note that you always have a choice between a Type I form and a Type II form to report a statement indirectly. Although either form is quite acceptable, the rule for formal or literary usage is: use that form which is clearly a subjunctive form, that is, which could not be taken for an indicative. —In our synopses the forms which are not clearly subjunctive are given in parentheses.

b. Er sagte, er lerne Deutsch / **daß** er Deutsch **lerne.**

The indirect statement has normal sentence structure unless it is headed by **daß** *that.* After **daß** we have a subordinate clause, of course, and the inflected part of the verb stands at the end of the sentence.

c. Original Question	Sie fragte uns:
Present:	„Haben Sie ein Auto?“
Indirect Question	Sie fragte uns,
Present Subjunctive:	(**ob** wir ein Auto **haben**).
or Past Subjunctive:	**ob** wir ein Auto **hätten.** usw.

▶ Indirect discourse may also involve questions introduced by such words as **ob** *whether,* **wann?** *when?* **wo?** *where?* **wer?** *who?* etc. Since we then have subordinate clauses, the inflected part of the verb stands at the end.

d. Original Command	Er sagte mir:
Present:	„Lernen Sie Deutsch!“
	„Lerne Deutsch!“
Indirect Discourse	Er sagte mir,
Present Subjunctive:	ich solle Deutsch lernen.
or Past Subjunctive:	(ich sollte Deutsch lernen).

To render a command in indirect discourse, the appropriate forms of **sollen** are used. Compare: *He told me, "Learn German!"* with: *He told me I should learn German.*

3. Als wenn, als ob (as if, as though)

Er tut, als wenn (als ob) er mich nicht **sähe** (**sehe**) / als **sähe** (**sehe**) er mich nicht.	*He acts as if he didn't (doesn't) see me.*
Er tat, als wenn (als ob) er mich nicht gesehen **hätte** (**habe**) / als **hätte** (**habe**) er mich nicht gesehen.	*He acted as if he had not seen me.*

In clauses introduced by **als wenn** (**wie wenn**), **als ob** subjunctive forms are the rule. As in indirect discourse, either a Type I or a Type II form is possible, although Type II forms are generally preferred. — Formal or literary usage requires the choice of that form which is clearly subjunctive.

As in conditional sentences, **wenn** (or **ob**) may be omitted; in this case the inflected verb does not stand at the end of the clause, but follows **als** directly (*Zweiundzwanzigste Stunde*, III, 5).

4. Some uses of the present subjunctive

a. Lang **lebe** die Königin!	*Long live the queen!*
Gott **erhalte** unsere Republik!	*God preserve our republic!*
Gott **gebe** es!	*God grant it! (May God grant it!)*
Er **lebe** hoch! hoch! hoch!	*Three cheers (for him)!*

The subjunctive forms of the present tense, usually in the third person singular, occur in certain traditional formulas which express wishes.

b. Man nehme zwei Eier . . .	*Take two eggs . . .*
Man mische . . .; man gieße . . .	*Mix . . .; pour . . .*

The third person singular of the present subjunctive is commonly used with **man** to give directions for recipes, prescriptions, etc.

c. Beten wir! (Laßt uns beten!)	*Let us pray!*
Essen wir! (Laßt uns essen!)	*Let us eat!*
Gehen wir! (Laßt uns gehen!)	*Let's go!*

The first person plural of the present subjunctive is often used for suggestions and mild commands. **Wir** follows the verb in this usage.

IV. ÜBUNGEN

A. *Supply subjunctive forms in the following passages as directed:*

a. Reread the following passage, first replacing all italicized verb forms with the present subjunctive and then with the past subjunctive:

z.B.: Er sagte, Hans *kommt*: Er sagte, Hans **komme.**
Hans **käme.**

Karls Mutter schrieb mir: 1. Karl *steht* jeden Morgen um halb sieben Uhr auf. 2. Um acht Uhr *geht* er aus dem Haus. 3. Karl *hat* am Vormittag drei Stunden. 4. Um zwölf Uhr *ißt* er in einem Restaurant nahe der Schule. 5. Am Nachmittag *hat* er wieder drei Stunden. 6. Am Abend *muß* er noch seine Aufgaben machen. 7. Gewöhnlich *liest* er zwei bis drei Stunden im Bett, ehe er *einschläft.* 8. Karl *arbeitet* zuviel. 9. Hoffentlich *wird* er nicht krank.

b. Reread the following passage, first replacing all italicized verb forms with the present perfect subjunctive and then with the past perfect subjunctive:

z.B.: Er sagte, er *hat* es *gesehen*: Er sagte, er **habe** es **gesehen.**
er **hätte** es **gesehen.**

Der Schutzmann berichtete: 1. Es *ist* wohl des Professors eigene Schuld *gewesen.* 2. Das Automobil *kam* um diese Ecke. 3. Der Herr Professor *ging* eben über die Straße. 4. Er *dachte* wohl an Schiller oder Goethe. 5. Auf einmal *lag* er auf der Straße. 6. Man *hat* zuerst *geglaubt,* daß er sich einen Arm und ein Bein *gebrochen hatte.* 7. Man *hat* ihn daher gleich ins Krankenhaus *gebracht.* 8. Dort *hat* aber der Arzt sofort *gesehen,* daß ihm nichts *geschehen war.* 9. Nach kurzer Zeit *hat* er das Krankenhaus *verlassen können.* 10. Natürlich *ist* er dann zu spät zu seiner Vorlesung *gekommen.*

c. Reread the following passage, replacing all italicized verb forms first with the future subjunctive and then with the future conditional:

z.B.: Er sagte, er *wird kommen*: Er sagte, er **werde kommen.**
er **würde kommen.**

Er dachte bei sich: 1. Marie *wird* jetzt in Salzburg *sein.* 2. Sie *wird* ohne besonderes Ziel durch die Straßen *wandern.* 3. Vielleicht *wird* sie ein Museum oder Mozarts Geburtshaus *besuchen.* 4. Nachher *wird* sie sich in ein Café *setzen.* 5. Dort *wird* sie eine Zeitung *lesen* oder sie *wird* Briefe *schreiben.* 6. Oft *wird* sie auch mit Freunden über Musik oder das Theater *sprechen.* 7. Die berühmte österreichische Gemütlichkeit *wird* ihr sicher gut *gefallen.*

B. *Read the following passages as indirect discourse:*

z.B.: Er schrieb: „Ich habe kein Geld mehr“:
Er schrieb, **er habe** kein Geld mehr (**daß er** kein Geld mehr **habe**).
or: **er hätte** kein Geld mehr (**daß er** kein Geld mehr **hätte**).

a. 1. Richard schrieb mir aus Frankfurt: „Ich hatte eine angenehme Reise. 2. Von Genua reiste ich in die Schweiz. 3. Dort hat es mir sehr gut gefallen. 4. Zuerst ist mir die Sprache aufgefallen. 5. Ich konnte fast nichts verstehen, aber ich habe mich daran gewöhnt. 6. Nun muß ich wieder arbeiten. 7. Komme nur bald und besuche mich hier!“

b. 1. Der Schutzmann fragte den Herrn Professor: „Haben Sie denn das Auto nicht gesehen?“ 2. Er fragte ihn auch: „Warum sind Sie denn über die Straße gegangen?“ —3. Der Professor antwortete: „Es tut mir sehr leid. 4. Ich habe nicht aufgepaßt. 5. Ich schreibe nämlich ein deutsches Lehrbuch, und das ist kein Spaß.“ 6. Dann sagte der Schutzmann: „Sie sind eben ein Professor! 7. Da kann man nichts machen. 8. Das nächste Mal passen Sie bitte besser auf!“

C. *Ask yourself and others questions like the following and answer them in German:*

a. Was erzählt Richard von der Schweiz? Was ist ihm dort besonders aufgefallen? Wie nennt man den Dialekt der Deutsch-Schweizer? Welche Sprachen spricht man in der Schweiz? Können Sie die Namen einiger bekannter Schweizer nennen? Warum sind diese Männer berühmt? Haben Sie einige Novellen von Gottfried Keller gelesen? Was sagt Richard über diese Novellen? Haben Sie Bilder von Böcklin gesehen? von Paul Klee? Haben Sie abstrakte Kunst gern?

b. Wissen Sie, ob die Schweiz eine Monarchie oder eine Republik ist? Wissen Sie, wer Wilhelm Tell war? Wer hat das bekannte Drama *Wilhelm Tell* geschrieben? Wer hat die Musik zu der Oper *Wilhelm Tell* geschrieben? Wissen Sie, ob Schiller je in der Schweiz gewesen ist? Woher hat er so viel von der Schweiz gewußt?

c. Mit was für einem Schiff ist Richard zurückgefahren? Wenn Sie nach Europa wollten, würden Sie mit einem Schiff fahren? Oder möchten Sie fliegen? Was geht schneller? Was ist billiger? Welche Art des Reisens ist gefährlicher? Werden Sie leicht seekrank oder luftkrank?

d. Wie viele Einzelstaaten gibt es in den Vereinigten Staaten? Welche deutschen Länder kennen Sie? Sind die Vereinigten Staaten eine Monarchie? Hat Westdeutschland einen Kaiser? Bis wann hatte Deutschland einen Kaiser? Welche Monarchien gibt es heute noch? Wer regiert in einer Monarchie? Wer regiert in einer Republik? Wer wählt den Präsidenten?

e. Haben Sie einen guten Platz in der Klasse? Sitzen Sie beim Fenster oder bei der Tür? Sitzen Sie rechts oder links? vorn oder hinten? Wo sitzen Sie lieber? Sitzen Sie gern mit gekreuzten Beinen? Haben Sie auffallende Kleider gern? Wollen Sie gern auffallen, wenn Sie auf der Straße sind? Fallen Sie in der deutschen Stunde durch Ihre guten Antworten auf?

„Edel sei der Mensch,
Hilfreich und gut!
Denn das allein
Unterscheidet ihn
Von allen Wesen,
Die wir kennen.“

Goethe, *Das Göttliche*

DIE VIERUNDZWANZIGSTE STUNDE

I. Es wird musiziert [1]

Richard hat sich bei seinem Besuch sehr darüber gewundert, daß hier fast jede Familie ihren Fernseher [2] hat. In Deutschland ist das Fernsehen noch nicht so verbreitet.[3] Es gibt dort auch nur eine einzige Rundfunkstation in jeder größeren Stadt. Daher hat man natürlich eine viel geringere Programmauswahl. Allerdings werden die Programme auch weniger von Reklameansagern gestört; denn der Rundfunk wird in Deutschland vom Staat betrieben und von den Empfängern bezahlt.

Dafür wird aber in Deutschland mehr musiziert als hier. Es wird besonders noch viel sogenannte „Hausmusik" getrieben. Freunde und Bekannte kommen regelmäßig [4] zusammen, um zu musizieren. Da werden dann all die vielen klassischen und modernen Trios, Quartette und dergleichen gespielt, an denen die deutsche Musikliteratur so reich [5] ist. Freilich werden manchmal auch Walzer und andere Tänze gespielt, wenn man lustig ist.

Richard ist oft zu solchen musikalischen Abenden eingeladen worden.

[1] **musizie'ren** to make music; take part in an informal musical performance.
[2] (**fern** + **sehen**) television set. [3] widespread. [4] regularly. [5] **reich an** (*dat.*) rich in.

Er sagt, was da geboten [1] wurde, war natürlich bei weitem [2] nicht so vollendet [3] wie die Konzerte großer Musiker und die ausgezeichneten Schallplatten, die man hier täglich am Radio hören kann. Aber die Spielenden lernen auf diese Weise die Musik viel besser kennen als durch bloßes [4] Zuhören; auch macht ihnen das Spielen als solches die allergrößte Freude. Wenn zum Beispiel einem der Spieler ein besonders schöner Ton gelingt, dann kann man ihn zufrieden lächeln sehen. Sogar die Gäste und Zuhörer fühlen dann ebenfalls etwas von dieser Zufriedenheit.[5]

Ein wichtiger Teil des Abends kommt nach dem Ende der Musik, wenn bei einem Glas Bier oder Wein und belegten Brötchen [6] — oder auch bei einer Tasse Kaffee oder Tee und Kuchen — alle Höhepunkte und alle Fehler der gespielten Stücke genau besprochen werden.

Dieses Musizieren im eigenen Heim ist ein Teil dessen, was die Deutschen ,,musikalische Kultur" oder überhaupt ,,Kultur" nennen. Wenigstens hat es Richard so verstanden.

Studieren Sie diese Stunde in der wohlbekannten Weise!

II. WORTSCHATZ

*1. Gib acht!

acht-geben (gibt acht), gab acht, achtgegeben (auf/*acc.*) to watch out (for); pay attention (to)

gelingen, gelang, ist gelungen to turn out (well)
- **es gelingt mir** I succeed
- **der Ton ist ihm gelungen** he was successful with the tone, "he got the right tone"

treiben, trieb, getrieben to drive; engage in
- **betreiben, betrieb, betrieben** to carry on, operate

sich wundern (über/*acc.*) to be amazed, be astonished (at)
- **ich wundere mich über ihn** I am amazed at him

der Gast, ⸚e guest
das Heim, -e home
die Jugend youth, young people
die Kultur′, -en culture; civilization

ebenfalls, gleichfalls likewise
wenigstens at least
auf diese Weise *or* **auf diese Art (und Weise)** in this way

[1] **bieten** to offer. [2] by far. [3] perfect. [4] mere. [5] satisfaction.
[6] (open-face) sandwiches, canapés.

2. Der deutsche Rundfunk

In Deutschland sind die Rundfunksender öffentliche Unternehmungen (*public enterprises*). Es gibt gewöhnlich nur eine Radiostation oder einen Rundfunksender für eine deutsche Stadt oder Gegend. Wer ein Radio besitzt, zahlt jährlich eine bestimmte Gebühr (*fee*). Dafür hört man aber fast nie Reklame am deutschen Radio.

an-sagen to announce
der Ansager, – announcer
***empfangen (empfängt), empfing, empfangen** to receive
der Empfang, ⸚e reception
der Empfänger, – receiver; radio set

senden, sandte, gesandt to send
der Sender, – sender, transmitter

***das Programm′, –e** program
***das Radio, –s** radio; radio set
am Radio on the radio
der Rundfunk radio; radio network

3. *Die*-nouns in *⸚e*

früh : die Frühe early : early morning
hoch : die Höhe high : height
lang : die Länge long : length
nah : die Nähe near : nearness
naß : die Nässe damp : dampness
rot : die Röte red : redness

Many German nouns showing quality are derived directly from adjectives by means of the ending **–e.** They are always **die**-nouns and always have an umlaut, if possible. —Form similar nouns from **breit, fremd, groß, gut, hart, kalt, kurz, tief!**

4. Krieg und Frieden

In einem modernen Krieg wird auf dem Land, im Wasser und in der Luft gekämpft. Auf dem Lande kämpfen die Armeen (die Heere), im Wasser kämpfen die Flotten, und in der Luft kämpfen die Luftflotten. Wer den Krieg gewinnt, ist der Sieger; wer ihn verliert, ist der Besiegte. In manchen Kriegen gibt es weder Sieger noch Besiegte. Nach dem Krieg wird Frieden geschlossen.

***kämpfen** to fight, struggle
  der Kampf, ⸗e battle, struggle
 marschie'ren to march
  der Marsch, ⸗e march
***siegen** to win, be victorious
  der Sieg, –e victory
  der Sieger, – victor
  besiegen to defeat, conquer
***streiten, stritt, gestritten** to fight; quarrel
  der Streit, –e fight; quarrel

***der Krieg, –e** war
  (den) Krieg erklären to declare war
***der Friede(n), –ns** peace
  (den) Frieden schließen to make peace

***der Feind, –e** enemy
***die Schlacht, –en** battle

***die Waffe, –n** weapon
 die Armee', –n army
***das Heer, –e** army
 die Flotte, –n fleet
 die Luftwaffe, –n air force

***der Soldat', –en** soldier
 der Matro'se, –n sailor
 der Flieger, – flier
***der Offizier', –e** officer

III. ERLÄUTERUNGEN

1. Active and passive

a. ACTIVE: Der Junge **warf** den Ball.
*The boy **threw** the ball.*

PASSIVE: Der Ball **wurde** von dem Jungen **geworfen.**
*The ball **was thrown** by the boy.*

Both English and German make use of two verb inflections, or voices: the active voice, in which the subject usually is the performer of the action expressed by the verb, and the passive voice, in which the person or thing acted upon is the grammatical subject. Note that *ball*, the direct object in the active construction, is the grammatical subject in the corresponding passive construction. The agent, if stated at all in the passive, is introduced by the preposition *by* in English, by **von** or **durch** in German.

b. Er schenkte **mir** ein Buch. — *He gave **me** a book.*
Ein Buch wurde **mir** geschenkt. — *A book was given **to me**.* or ***I** was given a book.*
(**Mir** wurde ein Buch geschenkt.)

In English, the indirect object of an active construction frequently appears as the grammatical subject of the corresponding passive construction:

"*I* was given a book." This is not possible in German. If an indirect object occurs in the active construction, it also occurs as the indirect object in the comparable passive construction: „**Mir** wurde ein Buch geschenkt."

2. The forms of the passive

	ENGLISH	GERMAN
a. Present:	*It is (being) said*	Es wird.....gesagt
Past:	*It was (being) said*	Es wurde...gesagt
Present Perfect:	*It has been said*	Es ist......gesagt worden
Past Perfect:	*It had been said*	Es war.....gesagt worden
Future:	*It will be said*	Es wird.....gesagt werden
Future Perfect:	*It will have been said*	Es wird......gesagt worden sein

b. The present tense:

Singular		*Plural*	
ich werde.......	gesehen	wir, sie, Sie werden...	gesehen
er, es, sie wird...		ihr werdet..........	
du wirst........			

c. To summarize:

▶ In English, the passive is formed with the desired tense and person of the verb *to be* + the perfect participle of the main verb.

▶ In German, the passive is formed with the desired tense and person of **werden** + the perfect participle of the main verb.[1] — Note that **worden** is used instead of **geworden** in the perfect tenses.

3. The agent

Der Rundfunk wird **von** den Empfängern bezahlt.	*Radio is paid for* **by** *the people who receive the programs.*
Der Empfang wurde **durch** einen Sturm gestört.	*The reception was disturbed* **by** *a storm.*

[1] The passive may also occur in the subjunctive, of course. In that case, the subjunctive forms of **werden** are used: **es werde ... gesagt, es würde ... gesagt, es sei ... gesagt worden usw.**

In German, the preposition **von** *by* is used to indicate the agent in the passive. If the agent is inanimate, the preposition **durch** *by, by means of, through* is generally used.

4. The modal auxiliaries and the passive

Das kann leicht getan werden.	*That can be done easily.*
Es mußte gesagt werden.	*It had to be said.*
Wir dürfen nicht gesehen werden.	*We must not be seen.*

The modal auxiliaries are frequently used with the passive infinitive in both English and German.

5. The perfect participle with *sein*

Das Fenster **wurde** eben geschlossen; es **war** noch nicht geschlossen.	*The window was just being closed; it was not yet closed.*
Der Brief **wird** jetzt geschrieben; er **ist** schon geschrieben.	*The letter is being written now; it is already written.*

German often uses forms of the verb **sein** with the perfect participle instead of the passive when merely describing the end result of an action rather than the action itself.

6. A common pattern

Es wird sich alles wenden. Alles wird sich wenden.	*Everything will change.*
Es ist nichts gesagt worden. Nichts ist gesagt worden.	*Nothing was said.*
Es wurde nachher gegessen. Nachher wurde gegessen.	*Later there was food. Later they (we) ate.*

Es often introduces sentences in German when no specific subject is stated or when the stated subject is a rather indefinite word such as **alles, nichts,** or **etwas.** This construction is also common in the passive.

Notice that in this function **es** is only used when it starts the sentence. Compare the English: "*It* takes time to learn a language; to learn a language takes time."

IV. ÜBUNGEN

A. *Read the following passive sentences (a) in the past, (b) in the present perfect, and then (c) in the future:*

z.B.: Es wird gesungen: Es **wurde** gesungen.
Es **ist** gesungen **worden.**
Es **wird** gesungen **werden.**

1. Es wird hier nicht geraucht. 2. Sie wird viel bewundert. 3. Die Post wird vom Briefträger gebracht. 4. Wir werden um 6 Uhr gerufen. 5. Du wirst nicht verstanden. 6. Du wirst gelobt, und ich werde gestraft. 7. Ihr werdet freundlich empfangen. 8. Mir wird von meinen Eltern eine Kamera geschenkt.

B. *Read the following passages over carefully; then reread in the tense indicated. Remember: only* **werden** *is inflected in the passive; the perfect participle of the main verb does not change.*

Aus einer alten deutschen Zeitung, den „Hinterhauser Nachrichten":

a. Reread in the future tense:

Aus dem politischen Teil auf der ersten Seite: 1. Der Bundeskanzler ist heute auf seiner Amerikareise in Washington angekommen, wo er von dem Präsidenten der Vereinigten Staaten empfangen *wurde.* 2. Er *wurde* mit seiner Tochter zum „Dinner" im Weißen Haus eingeladen. 3. Nachher *wurde* der Kanzler von den versammelten Journalisten der amerikanischen Hauptstadt um ein Interview gebeten.

b. Reread in the past tense:

Aus dem Detektivroman, der auf der dritten Seite steht: 1. Leise *wird* die Tür aufgemacht und ein kleiner schwarzer Koffer *wird* auf die Straße hinausgeworfen. 2. Der Koffer *wird* sofort von einem jungen Mann aufgenommen und fortgetragen. 3. Der junge Mann *wird* von niemand gesehen.

c. *Reread in the present tense:*

Aus den Gesellschaftsnachrichten auf Seite vier: 1. Im Bierkeller des Gasthauses „Zur Linde" in dem nahen Städtchen Vorderhausen *wurde* am Sonntag eine Feier zu Ehren des Herrn Xaver Hofmaier abgehalten. 2. Herr Hofmaier *wurde* als Sieger in dem Boxkampf gefeiert, in welchem der weltberühmte Boxer Rudolf Steinmüller von ihm besiegt worden war. 3. Zu dem Fest *waren* die führenden Bürger der Stadt eingeladen worden. 4. Es *wurde* mit dem Spielen eines strammen (*rousing*) Marsches begonnen. 5. Dann *wurde* gegessen und getrunken. 6. Von der Brauerei Rumpel *waren* drei hl (Hektoliter) Bier dem Fest zum Geschenk gemacht worden. 7. Nach dem Essen *wurde* getanzt und gesungen. 8. Zum Schluß *wurde* Herr Hofmaier von seinen Freunden auf den Schultern nach Hause getragen.

d. *Reread in the present perfect tense:*

Aus dem Polizeibericht auf der fünften Seite: 1. Im Keller eines durch Feuer zerstörten Hauses *wurde* gestern von spielenden Kindern ein Kasten gefunden, worin Gold und Silber im Werte von ungefähr 100 000 Mark enthalten *war*. 2. Der Kasten *war* während des letzten Krieges versteckt (*hidden*) und dann vergessen worden.

Aus den Personalnachrichten auf der sechsten und letzten Seite: 3. Dem Großbauern Michael Blumenweiler von Mittelhausen *wurde* heute nacht ein zehnter Sohn geboren. Herzliche Glückwünsche!

C. *Change the following passive sentences into active sentences:*

z.B.: Die Übung wird vom Lehrer gelesen: Der Lehrer **liest** die Übung.

1. Der deutsche Rundfunk wird vom Staat betrieben. 2. Er wird von den Empfängern bezahlt. 3. Die Programme werden nicht durch Reklame gestört.

4. Vom Lehrer wurde ein Kasten in die deutsche Stunde gebracht.

5. Automobile werden durch Motore getrieben. 6. Wagen werden von Pferden gezogen.

7. Amerika ist von Columbus entdeckt worden. 8. Der Völkerbund ist von Woodrow Wilson ins Leben gerufen worden. 9. Das Rote Kreuz wurde von einem Schweizer gegründet.

Bayreuth festival building

Richard Wagner

Lohengrin, scene from Act III

Vienna: Opernring with Opera House

D. *Change the following active sentences into passive sentences:*

z.B.: Die deutsche Jugend liebt Schiller: Schiller **wird** von der deutschen Jugend **geliebt.**

1. Der Lehrer fragt die Schüler. 2. Er fragt uns alle. 3. Natürlich fragt er mich auch. 4. Die Mutter wird das brave Kind loben. 5. Das böse Kind muß der Vater strafen. 6. Die Mutter gab dem braven Kind einen Apfel. 7. Richard schrieb mir viele Briefe. 8. Er hat mich auch nach Deutschland eingeladen. 9. Bismarck hat das moderne Deutsche Reich gegründet. 10. Viele Deutsche bewundern Bismarck. 11. Schiller hat das Drama *Wilhelm Tell* geschrieben.

E. *Ask yourself and others questions like the following and answer them in German:*

a. Wird in Deutschland viel musiziert? Was für Musik wird dort am liebsten gespielt? Wird in Deutschland auch viel gesungen? Kennen Sie auch einige Walzer? Von wem wurden die berühmtesten Wiener Walzer komponiert?

b. Wird am deutschen Radio so viel Reklame gemacht wie hier? warum nicht? Von wem wird der deutsche Rundfunk bezahlt? Werden in Deutschland so viele Filme gemacht wie in Amerika? Wird dort so viel Sport getrieben wie hier?

c. Werden heute noch viele Mozartopern gegeben? Werden die Dramen von Schiller heute noch gespielt? Wird Goethe noch viel gelesen? Wann wurde Goethe geboren? Wo wurde er geboren?

d. Wann wurde das moderne Deutsche Reich gegründet? Von wem wurde es gegründet? Von wem wurde es regiert? Ist Deutschland heute eine Monarchie? Was ist es? Wo ist der Sitz der Regierung?

e. Wann wurde der letzte Krieg begonnen? Wann endete er? Wurde nur auf dem Land gekämpft? Wo wurde sonst noch gekämpft? Wann wurde der Frieden nach dem ersten Weltkrieg geschlossen? wo? Wer war damals Präsident der Vereinigten Staaten? Wer regierte in Deutschland? —Was ist ein Bürgerkrieg?

f. Von wem ist das Rote Kreuz gegründet worden? Von wem wurde Amerika entdeckt? Von wem wurde das Grammophon erfunden? Wer war der Erfinder der Fotografie?

g. Wann wurde diese Schule gegründet? Wissen Sie, von wem sie gegründet worden ist? Werden Sie viel auf deutsch gefragt? Wissen Sie jetzt, was das „Passiv" bedeutet? Ist es Ihnen gelungen, das alles zu verstehen?

„Wo man singt, da laß dich ruhig nieder!
Böse Menschen haben keine Lieder."

DIE FÜNFUNDZWANZIGSTE STUNDE

I. Ferien vom Ich [1]

Lebe wohl,[2] liebes Notizbüchlein, wenigstens auf einige Zeit! Das Semester ist bald zu Ende, und während des Sommers will ich eine Stellung annehmen und körperlich arbeiten. Im übrigen will ich „Ferien vom Ich" nehmen und ein paar Monate lang gar nichts schreiben. Meine Hand tut mir schon weh von all dem vielen Schreiben der letzten Wochen und Monate.

Bevor wir uns trennen, will ich noch schnell niederschreiben, was inzwischen [3] geschehen ist. Mit den vielen Prüfungen und allem, was sonst zu tun war, sind meine persönlichen Angelegenheiten [4] etwas zu kurz gekommen.[5]

An Richard und Marie habe ich geschrieben, daß ich bestimmt vorhabe, nächsten Sommer nach Deutschland zu fahren. (Alles, was ich diesen Sommer verdiene, werde ich für diese Reise sparen!) Beide ließen mich sofort wissen, wie sehr sie sich über meinen Plan freuten. Sie haben auch

[1] "vacation from myself." [2] farewell. [3] in the meantime. [4] affairs.
[5] **sind . . . zu kurz gekommen** "were neglected."

die Absicht,[1] mich in der Hafenstadt[2] abzuholen, in der ich ankomme. Am liebsten möchten sie mich mit einem Wagen abholen und dann mit mir den Rhein entlang zuerst nach Frankfurt und dann nach München fahren. Bis jetzt hat zwar keiner von den beiden einen eigenen Wagen, aber sie glauben, das werde sich schon irgendwie machen lassen. — Es ist schon was wert,[3] wenn man solch gute Freunde hat. Ein deutsches Sprichwort sagt zwar „Viel' Feind', viel Ehr'," aber mir sind viele Freunde trotzdem lieber als viele Feinde!

Ich habe den beiden allerdings noch nichts davon geschrieben, daß ich wahrscheinlich nicht allein kommen werde. Ein paar Freunde und Freundinnen von mir haben nämlich eine kleine Gruppe gebildet und wir haben vor, zusammen zu reisen. Das ist lustiger, interessanter und auch billiger. Ich brauche dir wohl nicht zu sagen, liebes Büchlein, daß Susan zu der Gruppe gehören wird. Sie und ich waren inzwischen mehrere Male zusammen aus und wir verstehen uns immer besser. Sie scheint mich als ihren bevorzugten[4] Freund zu akzeptieren. So ist im Augenblick alles in schönster Ordnung.[5] Nun hoffe ich nur, daß ich auch alle meine Prüfungen gut bestehen werde.

Nachwort:[6] Ende gut, alles gut. Hurra! Alle Prüfungen gut bestanden! Auf Wiedersehen, liebes Büchlein, im nächsten Jahr!

Studieren Sie auch diese Stunde wieder in der altbekannten Weise!

II. WORTSCHATZ

*1. Zum letzten Mal: Muß ist eine harte Nuß

an-nehmen (**nimmt an**), **nahm an, angenommen** to accept; assume

bestimmen to determine
  bestimmt definite(ly)

ehren to honor
  die Ehre, -n honor

weh-tun, tat weh, wehgetan to hurt
  der Kopf tut mir weh my head hurts (me)

übrig remaining, rest of
  im übrigen besides, moreover

wahrscheinlich probable, probably

[1] intention. [2] **der Hafen, ⸗** harbor. [3] "worth something." [4] favorite. [5] order. [6] "postscript."

2. Die Arbeit

Es gibt viele Arten von Arbeit und Arbeitern. Auf deutsch unterscheidet man oft zwischen Kopfarbeitern und Handarbeitern. Jene arbeiten geistig, diese arbeiten körperlich. Eine arbeitende Frau ist natürlich eine Arbeiterin. Ein Mädchen, das in einem Haushalt arbeitet, nennt man gewöhnlich ein Dienstmädchen.

Wenn man arbeitet, verdient man Geld. Das Geld, das man mit körperlicher Arbeit verdient, nennt man den Lohn. Der Lohn wird stündlich, täglich, wöchentlich oder auch monatlich bezahlt.

Ein Arbeitnehmer, der regelmäßig für denselben Arbeitgeber arbeitet, hat eine feste Stelle oder Stellung.

Den Teil des Lohns, den man nicht zum Leben braucht, spart man. Man legt dieses Geld auf eine Sparkasse, auf eine Bank, oder auch unter die Matratze (*mattress*).

***dienen** (*dat.*) to serve
  der Diener, – servant
  der Dienst, –e service
***verdienen** to earn
  der Verdienst, –e gain; merit
***lohnen** to pay
  es lohnt sich (*acc.*) it pays, it is worth while
  der Lohn, ⸗e pay, wages

***sparen** to save
  die Sparkasse, –n savings bank
***die Bank, –en** bank

der Arbeitgeber, – employer
der Arbeitnehmer, – employee
***der Geist, –er** mind; intellect; spirit
  geistig mental; intellectual; spiritual
die Stelle, –n place; position; job
die Stellung, –en position; job

3. *Die*-nouns in *–schaft*

bekannt : die Bekanntschaft known : acquaintance
der Feind : die Feindschaft enemy : enmity, hostility
verwandt : die Verwandtschaft related : relationship, relatives
wissen : die Wissenschaft to know : science, branch of knowledge

Nouns ending in **–schaft** usually convey the idea of a collective unit, group, or enterprise (cf. English *–ship* and *–scape*). They are always **die**-nouns and so end in **–en** in the plural. — Form similar nouns from **der Freund, der Geselle, der Kamerad, das Land!** What do they mean?

4. *Das*-nouns in *–nis*

denken : das Gedächtnis, –nisses to think : memory
geheim : das Geheimnis, –nisses, –nisse secret (*adj.*) : secret
verstehen : das Verständnis, –nisses to understand : understanding

Quite a few **das**-nouns in German end in **–nis.** Try to connect such nouns with the words from which they are derived.

5. Zum Schluß noch einige Gruppen verwandter Wörter

	GERMAN	ENGLISH COGNATE & MEANING		GERMAN	ENGLISH COGNATE & MEANING
	pf	*p(p)*		**–f(f)**	*–p(p)*
a.	**Apf**el	a*pp*le	*b.*	ho**ff**en	ho*p*e
	Pfad	*p*ath		Scha**f**	shee*p*
	Pfeife	*p*ipe		tie**f**	dee*p*
	Pflanze	*p*lant		Wa**ff**e	wea*p*on
	–ch	*–k*		**k–**	*ch–*
c.	Ei**ch**e	oa*k*	*d.*	**K**apelle	*ch*apel
	ko**ch**en	coo*k*		**K**äse	*ch*eese
	wa**ch**en	wa*k*e		**K**asten	*ch*est

Can you add to these groups?

III. ERLÄUTERUNGEN

Substitutes for the passive

German tends to use the passive far less than English; it prefers to employ one of the active constructions discussed below. In this sense these constructions may be termed "substitutes for the passive."

a. The active verb with **man:**

Man sagt . . .	*It is said . . . / One says . . . / They say . . .*
Hier spricht **man** Deutsch.	*German is spoken here.*

Man hat mir alles erzählt.	*I was told everything.*
Wie sagt **man** das auf deutsch?	*How is that said in German? / How do you say that in German? / How does one say that in German?*
Das tut **man** nicht.	*That is not done. / You don't do that. / One does not do that.*

Notice that English may use *people, they, you,* or *one* to refer to the vague and indefinite person or persons expressed in German by **man.**

b. The active verb with **sich:**

Das sagt **sich** leicht.	*That is easily said.*
Die Tür schloß **sich** leise.	*The door (was) closed softly.*
Das versteht **sich** (von selbst).	*That goes without saying. / That is obvious. / That is understood.*

c. **sich lassen** + infinitive = *can be* + participle:

Es **läßt sich** nicht **sagen,** daß . . .	*It* ***can*** *not* ***be said*** *that . . .*
Das wird **sich** schon **machen lassen.**	*That* ***can be done*** *all right.*
Diese Frage **ließ sich** nicht **beantworten.**	*This question* ***could*** *not* ***be answered.***

d. **lassen** + infinitive = *to have* + participle or infinitive:

Ich **lasse** Sie **rufen.**	*I'll* ***have*** *you* ***called.***
Er **läßt** sich neue Schuhe **machen.**	*He* ***is having*** *new shoes* ***made*** *for himself.*
Sie **ließ** uns **kommen.**	*She* ***had*** *us* ***come.***
Sie werden mich **abholen lassen.**	*They will* ***have*** *me* ***picked up.***
Er hat uns lange **warten lassen.**	*He* ***had*** *(****made****) us* ***wait*** *a long time.*

e. Some form of **sein** + **zu** + infinitive:

Was **ist** denn da **zu tun?**	*What is* ***to be done*** *then?*
Das **ist** aber nicht **zu glauben.**	*But that is unbelievable.*
Es **war** nichts mehr **zu sagen.**	*There was nothing more* ***to say.*** */ . . .* ***to be said.***
. . . mit allem, was sonst **zu tun war . . .**	*. . . with everything there was* ***to do*** *(****to be done****) besides . . .*

IV. ÜBUNGEN

A. *Read the following passage over several times, paying special attention to the italicized constructions:*

1. Dieses Restaurant *wird* von einem russischen Fürsten *betrieben.* 2. Es *wird* von allen Berühmtheiten der Stadt *besucht.* 3. Die Gäste *lassen* sich an der Tür vom Fürsten selbst *empfangen.* 4. Sie *lassen* sich auch von ihm an den Tisch *führen.*

5. Vor dem Essen *wird* Vodka *getrunken.* 6. Dann *läßt man* sich ein großes Essen *bringen.* 7. Natürlich *können* nur die besten und ältesten Weine *bestellt werden.* 8. Während des Essens *ist* klassische und moderne Musik *zu hören.* 9. Dazwischen *werden* von einem Kosakenchor russische Lieder *gesungen.* 10. Nach dem Essen *werden* den Damen russische Zigaretten *angeboten.* 11. Den Herren *bietet man* Zigarren aus Kuba an.

12. All das habe ich mir *erzählen lassen,* denn ich Armer *bin* ja nie dorthin *mitgenommen worden.* 13. *Es ist* mir auch *erzählt worden,* der Fürst *lasse* sich dafür fürstlich *bezahlen.* 14. *Es läßt sich* also wohl *ausrechnen,* wie lange die Leute, von denen das Restaurant *besucht wird,* reich bleiben.

B. *Read the following passages in the tenses indicated:*

a. *Reread in the present tense:*

1. Richard *lebte* bei einer deutschen Familie. 2. In dieser Familie *arbeitete* man sehr viel. 3. Aber man *feierte* auch gern. 4. An Weihnachten *hatte* man einen großen Christbaum. 5. Man *machte* sich schöne Geschenke und man *sang* alte Lieder. 6. An Ostern *malte* man Eier. 7. An Pfingsten *ging* man spazieren oder man *saß* in einem Biergarten. 8. Im Sommer *reiste* man ans Meer oder in die Berge.

b. *Reread in the past tense:*

1. Wenn es am Abend *regnet, geht* man gern ins Kino. 2. Man *kauft* seine Eintrittskarte und *tritt* in den dunklen Raum ein. 3. Man *bleibt* stehen, denn man *kann* zuerst gar nichts sehen. 4. Dann *wird* man an seinen Platz geführt. 5. Man *setzt* sich und *wartet,* bis der Film *beginnt.* 6. Man *fühlt* sich wohl. 7. Es *ist* nur schade, daß man nicht rauchen *darf.*

Munich: Marienplatz

Cologne Cathedral

The Rhine and vineyards of Aßmannshausen

c. Reread in the present perfect tense:

1. In der ganzen Schweiz *kannte* man den Tell als einen Freund der Freiheit und einen Mann von Ehre. 2. Man *wußte* auch, daß der Tell der beste Jäger im Lande *war*. 3. Die Geschichte vom Tell *erzählt* man sich in der Schweiz seit vielen hundert Jahren.

4. Vor einigen Jahren *kannte* ich einen schönen Mann. 5. Er *ließ* alle seine Anzüge von einem bekannten Schneider machen. 6. Seine Schuhe *ließ* er aus Italien kommen. 7. Er *ließ* sich jeden Tag fotografieren. 8. Der Mann *war* natürlich ein Filmschauspieler.

C. *Replace the italicized forms with a substitute for the passive as indicated, always retaining the same tense:*

a. Replace with **man** *and an active verb:*

z.B.: *Es wird* dort viel *gesungen*: **Man singt** dort viel.

1. Hier *wird* Deutsch *gesprochen*. 2. Im Kriege *wird* gegen den Feind *gekämpft*. 3. *Es wurde behauptet*, er habe all sein Geld verloren. 4. Die Wohnung *war saubergemacht worden*. 5. *Bist du* auch *eingeladen worden?* 6. In einem Nichtraucher *darf* nicht *geraucht werden*. 7. Heute *wird* mit dem Auto *gefahren*; vor 100 Jahren *wurde* mit Pferd und Wagen *gefahren*. 8. Heute *wird gegessen*, wenn man Hunger hat; vor 100 Jahren *wurde* auch *gegessen*, wenn man Hunger hatte.

b. Replace with an active verb form with **sich:**

z.B.: Die Tür *wird geöffnet*: Die Tür **öffnet sich.**

1. Eine Sprache *wird* schnell *vergessen*. 2. Der Fehler *wurde* gleich *gefunden*. 3. Ein gutes billiges Buch *wird* leicht *verkauft*. 4. Man *ist* gut *unterhalten worden*. 5. Das *wird* leicht *gesagt*, aber es *wird* nicht so leicht *getan*.

c. Replace with the appropriate form of **sich lassen:**

z.B.: Es *kann gesagt werden*: Es **läßt sich sagen.**

1. Das *konnte* nicht *behauptet werden*. 2. Eine gute Stelle *kann* nicht immer *gefunden werden*. 3. Gedichte *sind* schwer *zu übersetzen*. 4. *Man kann* wenig *sparen*, wenn man wenig verdient. 5. Diese Sätze *sind* oft schwer *zu verstehen*.

d. Replace **sich lassen** *with the appropriate form of* **sein + zu** *and the infinitive:*

z.B.: Manche Kinder *lassen sich* schwer *erziehen*: Manche Kinder **sind** schwer **zu erziehen.**

1. So ein altes Auto *läßt sich* nicht *verkaufen.* 2. Die ganze Geschichte *ließ sich* nicht *glauben.* 3. *Läßt* du *dich* oft dort *sehen?* 4. Die Tür *ließ sich* weder *öffnen* noch *schließen.* 5. Die Unterschiede zwischen Deutsch und Englisch *lassen sich* nicht immer leicht *erklären.*

D. *Ask yourself and others questions like the following and answer them in German:*

a. Welche Art von Arbeit ist Ihnen lieber, geistige oder körperliche? Welche Arten von Arbeitern unterscheidet man auf deutsch? Welche Art von Musik haben Sie lieber, klassische oder moderne? Spielen Sie selbst ein Instrument? Wer spielt ein Instrument? welches? Malen oder zeichnen Sie auch ein wenig?

b. Was studieren Sie außer Deutsch? Was wollen Sie werden? Wollen Sie viel Geld verdienen? Mit welcher Art von Arbeit ist das meiste Geld zu verdienen? Verdient ein Lehrer soviel wie ein Filmschauspieler?

c. Können Sie gut sparen? Geben Sie gewöhnlich alles Geld, das Sie verdienen, sogleich aus? Würden Sie mehr sparen, wenn Sie mehr verdienten? Wie spart man am besten? Läßt es sich gut sparen, wenn man wenig verdient? Haben Sie vor, während des Sommers zu arbeiten? Suchen Sie eine Stellung oder haben Sie schon eine? in einer Fabrik? wo? Läßt sich eine gute Stellung heutzutage leicht finden?

d. Welche Art von Sport treiben Sie am liebsten? Wird in Deutschland viel Sport getrieben? Treibt man dort soviel Sport wie in Amerika? Spielt man dort viel Baseball?

e. Gehören Sie zu einem Verein? Was tut man in einem Gesangverein? in einem Theaterverein? in einem Sprachverein? Wer gehört zu einem Bauernverein? einem Arbeiterverein?

f. Hat das deutsche Volk einen Kaiser oder einen König? Gibt es heute noch Fürsten in Deutschland? Kennen Sie den Namen des deutschen Bundespräsidenten? des Bundeskanzlers? Welche Staaten liegen südlich von Deutschland? Welcher Staat liegt im.Westen von Deutschland? In welchen europäischen Staaten spricht man Deutsch?

g. Glauben Sie, daß Sie nun schon ganz gut Deutsch können? Finden Sie, daß sich eine Sprache leicht lernen läßt? Wissen Sie auch, daß sich eine Sprache leicht vergißt, wenn man sie nicht übt? Werden Sie manchmal etwas Deutsch lesen, in ein deutsches Kino gehen oder deutsche Schallplatten hören? — Wenn Sie das tun, werden Sie nicht leicht vergessen, was Sie hier gelernt haben. Das Gelernte wird Ihnen dann auch Vergnügen machen.

„Es ist der Geist, der sich den Körper baut."

Friedrich Schiller, *Wallensteins Tod*

VIERTE WIEDERHOLUNGSSTUNDE

I. Deutsche Persönlichkeiten; ein Brief an den Leser

Lieber Leser!

Wir danken Ihnen, daß Sie uns bis hierher gefolgt sind und hoffen, daß Sie aus unserem Buch ein wenig Nutzen gezogen und dabei auch etwas Spaß gehabt haben. Ehe wir nun den „deutschen Stunden" Lebewohl sagen, wollen wir noch einen Blick auf einige bedeutende deutsche Persönlichkeiten werfen.

Es ist eine alte Streitfrage, ob die Geschichte von großen Männern gemacht wird oder ob sie einem Plan folgt; das heißt, ob es ein Weltschicksal gibt oder nicht. Der deutsche Philosoph Hegel hat die Idee eines Weltschicksals berühmt gemacht und dafür die Namen

I. Deutſche Perſönlichkeiten; ein Brief an den Leſer

Lieber Leſer!

Wir danken Ihnen, daß Sie uns bis hierher gefolgt ſind und hoffen, daß Sie aus unſerem Buch ein wenig Nutzen gezogen und dabei auch etwas Spaß gehabt haben. Ehe wir nun den „deutſchen Stunden" Lebewohl ſagen, wollen wir noch einen Blick auf einige bedeutende deutſche Perſönlichkeiten werfen.

Es iſt eine alte Streitfrage, ob die Geſchichte von großen Männern gemacht wird oder ob ſie einem Plan folgt; das heißt, ob es ein Weltſchickſal gibt oder nicht. Der deutſche Philoſoph Hegel hat die Idee eines Weltſchickſals berühmt gemacht und dafür die Namen Weltvernunft und Weltgeiſt er-

Weltvernunft und Weltgeist erdacht.[1] Für Hegel war die Geschichte der Marsch des Weltgeistes durch die sichtbare Welt, der Ausdruck der Vernunft, die die Welt regiert.

Goethe freilich fand diesen Gedanken absurd und meinte:

„Was Ihr den Geist der Zeiten heißt,
Das ist zumeist der Herren eigner Geist."

Von Goethe stammt auch der bekannte Vers: „Höchstes Glück der Erdenkinder ist doch die Persönlichkeit."

Wir halten es mit Goethe. Wir glauben deshalb, daß wir unser erstes Jahr „Deutsch" nicht besser abschließen können, als indem wir Ihnen von einigen Deutschen erzählen, die Geschichte gemacht haben.

Da ist natürlich zuerst Goethe selber, oder — um ihm seinen vollen Namen und Titel zu geben — der Geheime Hofrat [2] Johann Wolfgang von Goethe, der „Shakespeare der deutschen Literatur". Gleich bedeutend sind Ludwig van Beethoven auf dem Gebiet der Musik und Immanuel Kant auf dem der Philosophie.

Kant war der älteste von ihnen, Beethoven der jüngste, doch waren sie eine Art Zeitgenossen.[3] Wenn Sie, lieber Leser, im Jahr 1800 auf der Welt gewesen wären, hätten Sie alle drei als berühmte Männer am Leben gefunden: Goethe, den schon damals weltberühmten Dichter, als Staatsminister und Freund des regierenden Herzogs [4] von Weimar; Kant, den alten Junggesellen,[5] als Professor an der Universität Königs-

dacht.[1] Für Hegel war die Geschichte der Marsch des Weltgeistes durch die sichtbare Welt, der Ausdruck der Vernunft, die die Welt regiert.

Goethe freilich fand diesen Gedanken absurd und meinte:

„Was Ihr den Geist der Zeiten heißt,
Das ist zumeist der Herren eigner Geist."

Von Goethe stammt auch der bekannte Vers: „Höchstes Glück der Erdenkinder ist doch die Persönlichkeit."

Wir halten es mit Goethe. Wir glauben deshalb, daß wir unser erstes Jahr „Deutsch" nicht besser abschließen können, als indem wir Ihnen von einigen Deutschen erzählen, die Geschichte gemacht haben.

Da ist natürlich zuerst Goethe selber, oder — um ihm seinen vollen Namen und Titel zu geben — der Geheime Hofrat [2] Johann Wolfgang von Goethe, der „Shakespeare der deutschen Literatur". Gleich bedeutend sind Ludwig van Beethoven auf dem Gebiet der Musik und Immanuel Kant auf dem der Philosophie.

Kant war der älteste von ihnen, Beethoven der jüngste, doch waren sie eine Art Zeitgenossen.[3] Wenn Sie, lieber Leser, im Jahr 1800 auf der Welt gewesen wären, hätten Sie alle drei als berühmte Männer am Leben gefunden: Goethe, den schon damals weltberühmten Dichter, als Staatsminister und Freund des regierenden Herzogs [4] von Weimar; Kant, den alten Junggesellen,[5] als Professor an der Universität Königsberg in Ostpreußen; Beethoven, den berühmten

[1] conceived. [2] Privy Councilor. [3] contemporaries. [4] Duke. [5] bachelor.

berg in Ostpreußen; Beethoven, den berühmten Komponisten und Dirigenten [1] in Wien, der musikfreudigen [2] Hauptstadt von Österreich. Jeder der drei Männer hatte eine höchst individuelle Persönlichkeit und lebte seinem eigenen Werk. Sie wußten alle von einander, hatten aber kein wirkliches Verständnis für der anderen Leben und Werk.
Die deutsche bildende Kunst [3] ist im Ausland viel weniger bekannt als die deutsche Musik oder Philosophie. Besonders die deutsche Malerei kennt man außerhalb [4] Deutschlands wenig. In Deutschland selbst ist das anders. Die Deutschen nehmen ihre Kunst sehr ernst und sie sind stolz auf die lange Reihe interessanter Malerpersönlichkeiten, von Matthias Grünewald über den großen Albrecht Dürer zu den Impressionisten, Expressionisten und abstrakten Malern unserer Tage.
Auf dem Gebiet der Staatskunst [5] sind die zwei bedeutendsten Persönlichkeiten wohl Friedrich der Zweite, „der Große", von Preußen, und Otto von Bismarck, „der eiserne Kanzler". Friedrich II. hat Preußen groß gemacht und damit den Grund für das moderne Deutschland gelegt. Bismarck, aus der preußischen Junkerklasse hervorgegangen, war der Architekt des neuen Deutschen Reiches, wie es am 18. Januar 1871 nach dem Ende des Deutsch-Französischen Krieges gegründet wurde. Der Wert dieser beiden Staatsmänner für die Politik der Vergangenheit und der Gegenwart wird heute in Deutschland wieder viel erörtert.[6]

Komponisten und Dirigenten [1] in Wien, der musikfreudigen [2] Hauptstadt von Österreich. Jeder der drei Männer hatte eine höchst individuelle Persönlichkeit und lebte seinem eigenen Werk. Sie wußten alle von einander, hatten aber kein wirkliches Verständnis für der anderen Leben und Werk.

Die deutsche bildende Kunst [3] ist im Ausland viel weniger bekannt als die deutsche Musik oder Philosophie. Besonders die deutsche Malerei kennt man außerhalb [4] Deutschlands wenig. In Deutschland selbst ist das anders. Die Deutschen nehmen ihre Kunst sehr ernst und sie sind stolz auf die lange Reihe interessanter Malerpersönlichkeiten, von Matthias Grünewald über den großen Albrecht Dürer zu den Impressionisten, Expressionisten und abstrakten Malern unserer Tage.

Auf dem Gebiet der Staatskunst [5] sind die zwei bedeutendsten Persönlichkeiten wohl Friedrich der Zweite, „der Große", von Preußen, und Otto von Bismarck, „der eiserne Kanzler". Friedrich II. hat Preußen groß gemacht und damit den Grund für das moderne Deutschland gelegt. Bismarck, aus der preußischen Junkerklasse hervorgegangen, war der Architekt des neuen Deutschen Reiches, wie es am 18. Januar 1871 nach dem Ende des Deutsch-Französischen Krieges gegründet wurde. Der Wert dieser beiden Staatsmänner für die Politik der Vergangenheit und der Gegenwart wird heute in Deutschland wieder viel erörtert.[6]

[1] (orchestra) conductor. [2] "musical" ("taking delight in music"). [3] "representational arts." [4] outside of. [5] statesmanship. [6] discussed.

In Naturwissenschaft und Technik ist die Auswahl bedeutender Persönlichkeiten am schwersten. Hier gibt es viele, von denen wir sprechen möchten. Beginnend mit dem berühmten Bürgermeister [1] von Magdeburg, Otto von Guericke, dem es um die Mitte des 17. Jahrhunderts als erstem gelang, mit einer Luftpumpe ein Vakuum herzustellen, bis zu Max Planck und Albert Einstein, den geistigen Vätern der großen Revolution in der modernen Physik, könnten wir eine lange Reihe von bedeutenden Männern vorführen.[2] Leider fehlt uns hier der Raum dazu, und wir müssen Sie, lieber Leser, bitten, diese Lücke [3] selbst auszufüllen. Wir wünschen Ihnen Glück zu diesem Unternehmen, wie auch im übrigen zu erfolgreichem Weiterstudium der deutschen Sprache und andrer deutschen Dinge.

Wir hoffen, daß das nun abgeschlossene Buch Ihnen Mut und Lust zur Fortführung [4] Ihrer Studien gemacht hat.

In dieser Hoffnung begrüßen wir Sie herzlichst

Conrad P. Homberger

John F. Ebelke

In Naturwissenschaft und Technik ist die Auswahl bedeutender Persönlichkeiten am schwersten. Hier gibt es viele, von denen wir sprechen möchten. Beginnend mit dem berühmten Bürgermeister [1] von Magdeburg, Otto von Guericke, dem es um die Mitte des 17. Jahrhunderts als erstem gelang, mit einer Luftpumpe ein Vakuum herzustellen, bis zu Max Planck und Albert Einstein, den geistigen Vätern der großen Revolution in der modernen Physik, könnten wir eine lange Reihe von bedeutenden Männern vorführen.[2] Leider fehlt uns hier der Raum dazu, und wir müssen Sie, lieber Leser, bitten, diese Lücke [3] selbst auszufüllen. Wir wünschen Ihnen Glück zu diesem Unternehmen, wie auch im übrigen zu erfolgreichem Weiterstudium der deutschen Sprache und andrer deutschen Dinge.

Wir hoffen, daß das nun abgeschlossene Buch Ihnen Mut und Lust zur Fortführung [4] Ihrer Studien gemacht hat.

In dieser Hoffnung begrüßen wir Sie herzlichst

Conrad P. Homberger

John F. Ebelke

II. WORTSCHATZ

1. Einige nützliche Wörter

***der Erfolg, –e** success
erfolgreich successful
***der Mut** courage
mutig courageous

die Vernunft reason
vernünftig reasonable
***der Wert, –e** value

[1] mayor. [2] produce. [3] gap. [4] continuation.

2. Wenn Sie nach Deutschland reisen . . .

a. **Maße und Gewichte**

In Deutschland gilt das metrische System. Die Länge wird nach Metern gemessen; die Einheit des Hohlmaßes ist der Liter; die Gewichtseinheit ist das Gramm. Die Temperatur wird nach Celsius, dem berühmten schwedischen Forscher, gemessen. — Aber zwölf Äpfel sind immer noch ein Dutzend Äpfel!

*__messen__ (**mißt**), **maß, gemessen** to measure
das Maß, –e measure, measurement
*__wiegen, wog, gewogen__ to weigh
das Gewicht, –e weight

die Einheit, –en unit
*__das Dutzend, –e__ dozen

der Grad, –e (°) degree
das Gramm (**g**) gram
der *or* **das Liter** (**l**) liter
der *or* **das Meter** (**m**) meter
das Pfund pound (500 grams)

*__hohl__ hollow; concave

Tausend Gramm sind ein Kilo(gramm). 1 000 g = 1 kg = *2.2 pounds*
Hundert Liter sind ein Hektoliter. 100 l = 1 hl = *100.6 quarts*
Tausend Meter sind ein Kilometer. 1 000 m = 1 km = *0.62 miles*

b. **Deutsches Geld**

Eine Mark hat hundert Pfennig. Münzen gibt es im Wert von 1, 2, 5, 10, 20 und 50 Pfennig, auch solche im Wert von 1, 2 und 5 Mark. Von fünf Mark aufwärts werden Geldscheine gebraucht, und zwar Scheine zu 5, 10, 20, 50 und 100 Mark.

*__wechseln__ to change

*__die Mark, –__ mark
*__der Pfennig, –e__ pfennig

das Kleingeld coins, "change"
die Münze, –n coin
der (**Geld**)**schein, –e** bill

c. Geben Sie mir 100 Gramm Kaffee, bitte!	*Give me 100 grams of coffee, please.*
Ich möchte drei Pfund (anderthalb Kilo) Orangen.	*I would like 3 pounds ($1\frac{1}{2}$ kilograms) of oranges.*
Das macht vier Mark fünfzig (Pfennig).	*That comes to four marks fifty (pfennig).*
Es hatte gestern 31° (Grad).	*It was 31° (Centigrade) yesterday.*

Note that the singular forms of units of measurement are used in German when giving quantities or amounts, and that nothing comparable to the English *of* is needed.

3. Schlußwort über zusammengesetzte Wörter (a final word about compound words)

ab-schließen, schloß ab, abgeschlossen to conclude
der Abschluß, -schlüsse conclusion
her-stellen to produce, manufacture
die Herstellung production, manufacture
hervor-gehen, ging hervor, ist hervorgegangen come (forth), stem from, be a scion of
unternehmen (unternimmt), unternahm, unternommen to undertake
die Unternehmung, -en undertaking

endlich : unendlich final, finite: endless, infinite

die Sicht sight, view
die Absicht, -en intention
die Aussicht, -en prospect, view
die Einsicht, -en insight; (*pl.*) views
die Vorsicht caution
sichtbar : unsichtbar visible : invisible
die Streitfrage, -n point of controversy

German frequently uses compound words of native origin where English commonly — but not always! — uses words of Latin or Greek derivation. You can capitalize on this feature of German if you form the habit of analyzing new words in terms of the basic vocabulary you have acquired.

III. DAS WICHTIGSTE AUS DEN ERLÄUTERUNGEN

1. The forms of the subjunctive

a. Present Subjunctive:

ich, er, es, sie wohn**e** / geb**e**
du wohn**est** / geb**est**
wir, sie, Sie wohn**en** / geb**en**
ihr wohn**et** / geb**et**

Past Subjunctive:

ich, er, es, sie wohnt**e** / gäb**e**
du wohnt**est** / gäb**est**
wir, sie, Sie wohnt**en** / gäb**en**
ihr wohnt**et** / gäb**et**

▶ All verbs have the same set of personal endings in both the present and past subjunctive.
▶ The past subjunctive of regular verbs and of **sollen** and **wollen** is identical with the indicative.
▶ All other verbs [1] have an umlaut in the past subjunctive, if possible.

[1] Exception: five verbs of the **kennen**-group, which are written **kennte,** etc. instead of **kännte!**

b. Present Perfect Subjunctive:	*Past Perfect Subjunctive:*
er habe . . . gewohnt / gegeben er sei . . . gefolgt / gelaufen	er hätte . . . gewohnt / gegeben er wäre . . . gefolgt / gelaufen
Future Subjunctive:	*Future Conditional:*
er werde . . . wohnen / laufen	er würde . . . wohnen / laufen
Future Perfect Subjunctive:	*Future Perfect Conditional:*
er werde . . . { gewohnt haben / gelaufen sein }	er würde . . . { gewohnt haben / gelaufen sein }

▶ In all the compound tenses the subjunctive forms of the auxiliaries (**haben, sein, werden**) are used; otherwise the tense structure is like that of the indicative. — Note the two additional tenses made up with the past subjunctive of **werden,** the so-called conditional forms of the future and the future perfect.

2. The uses of the subjunctive

a. Type II forms — contrary-to-fact conditions:

Wenn es wichtig wäre, würde ich es lernen. Wäre es wichtig, (so lernte ich es).	*If it were important, I would learn it.*
Wenn es nicht so schwer gewesen wäre, hätte ich es getan. Wäre es nicht so schwer gewesen, (so würde ich es getan haben).	*If it had not been so hard, I would have done it.*

▶ Contrary-to-fact conditions in present or future time usually have the past subjunctive in the **wenn**-clause and the future conditional in the conclusion. The past subjunctive may be used in the conclusion too, but is ordinarily used only if it is distinctively a subjunctive form.

▶ Contrary-to-fact conditions in past time usually have the past perfect subjunctive in both the **wenn**-clause and the conclusion. The future perfect conditional may be used in the conclusion.

b. The interchangeable use of Type I and Type II forms — indirect discourse:

Sie sagten,	*They said,*
er gehe / er ginge.	*he is going / he was going.*
er sei gegangen / er wäre gegangen.	*he has gone / he had gone.*
er werde gehen / er würde gehen.	*he will go / he would go.*
er werde gegangen sein / er würde gegangen sein.	*he will have gone / he would have gone.*

▶ After introductory expressions of saying, thinking, believing, etc., the subjunctive of indirect discourse is used, especially if the introductory verb suggests past time.

▶ Although either a Type I or Type II form may be used, German prefers the choice of that form which is clearly subjunctive.

c. The present subjunctive in some special uses:

Gott gebe es!	(*May*) *God grant it!*
Man lese . . .	*Read . . .*
Er schweige!	*Let him be silent!*
Seien wir vernünftig!	*Let's be reasonable.*

The present subjunctive is used in a few traditional patterns to express a wish or a mild command.

3. The forms of the passive

Present:	ich werde. . . .gesehen	*I am seen*
Past:	er wurde. . . .gesehen	*he was seen*
Present Perfect:	du bist. . . . . .gesehen worden	*you have been seen*
Past Perfect:	wir waren. . . .gesehen worden	*we had been seen*
Future:	sie werden. . .gesehen werden	*they will be seen*
Future Perfect:	ihr werdet. . . . .gesehen worden sein	*you will have been seen*

▶ The passive in German consists of the appropriate forms of the auxiliary **werden** with the perfect participle of the main verb.

4. Substitutes for the passive

Man glaubt . . .	*It is believed . . .*
Das **lernt sich** leicht.	*That is easily learned.*

Er **ließ** ihn **strafen.**	*He had him punished.*
Es **läßt sich hoffen . . .**	*It can be hoped . . .*
Es **ist zu hoffen . . .**	*It is to be hoped . . .*

▶ The passive is not used as widely in German as in English. The "substitutes for the passive" are alternative constructions which are common in German where we would usually find a passive construction in English.

IV. WIEDERHOLUNGSÜBUNGEN

A. *Read the following sentences (a) as simple conditions, by supplying the proper present indicative form of the verbs in parentheses, and (b) as contrary-to-fact conditions, by supplying the proper past subjunctive forms of the verbs in parentheses:*

z.B.: Wenn es schön (sein), (gehen) ich: (a) Wenn es schön **ist, gehe** ich. (b) Wenn es schön **wäre, ginge** ich.

1. Wenn man nichts Besseres zu tun (haben), (können) man etwa die folgende Unterhaltung zwischen zwei Freunden erfinden: 2. „Was (tun) du, wenn ich dir tausend Mark (geben)?" 3. „Wenn ich tausend Mark von dir (bekommen), (werden) ich mir sofort ein Fernsehgerät [1] kaufen." 4. „Es (gefallen) mir aber nicht, wenn du dir ein solches Gerät (kaufen). 5. Dann (finden) du keine Zeit mehr, mit mir Schach [2] zu spielen." 6. „Dir (sein) wohl ein Raumschiff lieber!" 7. „Selbstverständlich, denn dann (fahren) ich mit dir auf den Mond. 8. Dort (können) uns niemand beim Schachspielen stören."

B. *Read the following sentences as contrary-to-fact conditions in (a) present time and (b) past time:*

z.B.: (a) Wenn er **käme, würde** ich es ihm **sagen** (**sagte** ich es ihm). (b) Wenn er **gekommen wäre, hätte** ich es ihm **gesagt** (**würde** ich es ihm **gesagt haben**).

1. Ich kann keine Post erwarten, wenn ich nicht selber schreibe. 2. Wenn ich Geld verdienen muß, arbeite ich im Sommer. 3. Wenn wir nach Europa

[1] **das Gerät, -e** tool, apparatus; *here:* "set." [2] **das Schach** chess.

Ludwig van Beethoven

Johann Sebastian Bach

Joseph Haydn

Mainz: Gutenberg Monument

Hans Holbein, *The Banker*

Albrecht Dürer, *Johannes und Petrus*

Friedrich Wilhelm von Steuben

Thomas Mann

Carl Schurz

Robert Koch

Wilhelm Konrad Roentgen

Albert Einstein

gehen, werden wir die meiste Zeit in Deutschland verbringen. 4. Unsere Freunde holen uns sogar in Hamburg ab, wenn sie Zeit dazu haben. 5. Wenn ich Kleingeld brauche, lasse ich mir einen größeren Schein wechseln. 6. Er wird das Geschäft aufgeben, wenn er keinen Erfolg hat.

C. *Begin each of the following sentences with the* **wenn**-*clause:*

1. Ich werde dir oft schreiben, wenn du mir antwortest. 2. Diese Kinder würden mehr lesen, wenn sie keinen Fernsehapparat hätten. 3. Sie wüßten nicht, was sie tun sollten, wenn sie keinen Fernseher hätten. 4. Die Feuersgefahr ist geringer, wenn alle Gebäude aus Stein sind. 5. Unser Freund Hans wäre sehr traurig, wenn er Susan nicht mehr sehen könnte.

D. *Omit* **wenn** *in the following sentences, beginning each sentence with the verb:*

z.B.: Wenn er es sagt, glaube ich es: **Sagt** er es, (dann) glaube ich es.

1. Wenn ich mehr lernte, wüßte ich mehr. 2. Wenn man keine Gelegenheit hat, Deutsch zu hören und zu sprechen, sollte man es mehr lesen. 3. Wenn es in Deutschland mehr Konserven gäbe, hätten die Hausfrauen weniger zu tun. 4. Wenn dieser Stoff nicht so teuer wäre, würde sie sich ein paar Meter davon kaufen. 5. Wenn einer höflich gefragt wird, soll er auch eine höfliche Antwort geben.

E. *Read the following sentences as indirect discourse, replacing the verbs in parentheses with the appropriate subjunctive forms:*

1. Die deutsche bildende Kunst, haben wir gelesen, (ist) im Ausland viel weniger bekannt als die deutsche Musik. 2. Besonders die deutsche Malerei (kennt) man wenig. 3. Die Deutschen selber freilich (haben) ihre Kunst immer sehr ernst genommen.

4. Der große deutsche Philologe Otto Behaghel schrieb, man (streitet) sich seit 200 Jahren darüber, ob man die sogenannte Antiqua oder die Fraktur gebrauchen (soll). 5. Er meinte, man (kann) mit der Antiqua schneller schreiben und lesen. 6. Die Fraktur (wurde) früher ganz allgemein in Europa gebraucht.

7. Unser Lehrer hat uns gesagt, er (hofft), daß dieses Buch uns Mut zur

Fortführung unserer deutschen Studien gemacht (hat). 8. Er (erwartet) auch, sagte er, daß jeder seiner Schüler bald gut Deutsch sprechen (wird).

F. *Reread the following sentences, changing all active constructions to the passive:*

z.B.: Er *singt* das Lied: Das Lied **wird** von ihm **gesungen.**

1. Goethe *schrieb* viele schöne Gedichte. 2. Kant *hat* die „Kritik der reinen Vernunft" *geschrieben.* 3. Fraunhofer *entdeckte* die nach ihm genannten Fraunhoferlinien. 4. Alexander von Humboldt *hat* viele Forschungsreisen *unternommen.* 5. Wer *gründete* das Deutsche Reich? 6. Hegel meinte, die Vernunft *regiere* die Welt.

G. *Reread the following sentences, eliminating the passive construction by using any appropriate substitute:*

z.B.: *Es wird geglaubt* . . .: **Man glaubt . . . / Es läßt sich glauben . . .**

1. In Deutschland *wird* die Länge nach Metern *gemessen.* 2. *Wird* in der Schweiz viel Fußball *gespielt?* 3. Die Reise *konnte* schon damals *unternommen werden.* 4. Weihnachten *wird* überall in der westlichen Welt *gefeiert.* 5. Im Jahre 1848 *wurde* in Kalifornien Gold *entdeckt.* 6. *Es ist* uns schon oft *gesagt worden,* daß eine Sprache *geübt werden muß.*

H. . . . *Und zum Schluß noch einige Fragen, die Sie sich selber und anderen stellen können:*

a. Von wem ist *Faust* verfaßt worden? Halten Sie es mit Goethe, daß die Persönlichkeit der Menschen höchstes Glück sei? Welche deutschen Dichter und Denker sind Ihnen noch bekannt? Was hat Thomas Mann geschrieben? Haben Sie etwas von ihm gelesen? Kennen Sie ein Werk von Holbein? An welchen Holbein denken Sie, an den älteren oder den jüngeren? Welche deutschen Musiker sind weltberühmt? welche Forscher? Wofür ist Einstein berühmt?

b. Welches Maß- und Gewichtssystem gebraucht man in Europa? Wie wird nach diesem System die Länge gemessen? Wie weit ist es von München nach Berlin? Wie heißt die Einheit des Gewichts? Was ist die Maßeinheit für Wein, Milch oder Benzin? Wie viele Pfennig hat eine Mark? Wer weiß, wieviel eine Mark in amerikanischem Geld wert ist? Wie mißt man die Temperatur? Könnten Sie mir ausrechnen, wie warm 90° Fahrenheit in Deutschland ist?

c. Fühlen Sie den Mut in sich, Deutsch weiter zu studieren? Möchten Sie auch andere Sprachen, andere Länder und Völker studieren? Was würden Sie einem Freund raten, der eine Fremdsprache lernen will? Was müßte er vor allem tun? Meinen Sie nicht, daß gebildete Menschen wenigstens eine Fremdsprache sprechen sollten? — Nun hören Sie noch, was Goethe Ihnen rät:

„*Willst du ins Unendliche schreiten,*
Geh nur im Endlichen nach allen Seiten."

APPENDICES

APPENDIX I

Translation Exercises

Erste Stunde

1. This is the pencil; it is long. 2. That is the pen; it is also long. 3. What is that over there? Is it a notebook? 4. Who is that? That is Hans. He is not a teacher, he is a student. 5. Who are you? — I am a student; my name is Hilde. 6. Is this a pencil? No, this is not a pencil, this is a piece of chalk. 7. Where are you? We are here, that is, we are in the classroom. 8. The arm, the hand, the finger, and the foot are parts of the body. 9. Paper is often white, a blackboard is often black, and a table is often brown. 10. German and English are often similar; for example, "finger" is "Finger," "hand" is "Hand" in German.

Zweite Stunde

1. The bell rings at ten o'clock and the class begins at once. 2. The teacher comes and says "Good morning." 3. Then the teacher asks questions in German, and I answer at once. 4. Naturally I do not answer quickly, but very slowly. 5. You all do speak German here, don't you? Yes, we usually do speak German here. 6. A teacher teaches, a pupil learns, and a student studies. 7. There to the right are tables and chairs; they are low. 8. Are the sentences long or short? Are the examples easy or hard? 9. Berlin and Vienna are cities; they are large and beautiful. 10. The class is over now. Thank you and good-by!

Dritte Stunde

1. How are you? Fine, thanks, and you? 2. Today we are drawing; we like to draw, of course. 3. Now the teacher quickly draws a little man on the blackboard. 4. The lines are the hair, the circle is the nose, and here is the mouth. 5. First he draws a hat; then he draws an overcoat, gloves, and finally shoes. 6. How many pupils do you have? I usually have twenty, but today they are not all here yet. 7. Whom do you see here? Do you see me? Do you see us? Do you see him? 8. That is a map; do you see it? Here is a hat; do you see it? These are books; do you see them? 9. Pay attention, please! It is late already, and we have one more sentence. 10. Do you hear me well? Do you always answer correctly?

Vierte Stunde

1. Today the teacher brings a box into the room. 2. He puts the box on the table and opens it. 3. Then he says: "Pay attention, please!" 4. Then he plays a few records and we listen. 5. These exercises are very easy, aren't they? 6. Do you want to learn German? Do you like languages? 7. Hans is not an American, but Gretl is an American. 8. They are doing their homework; they have to work diligently. 9. Please repeat the numbers from one to twenty. 10. That is enough for today. Good-by!

Fünfte Stunde

1. Anna has no watch, but Hans usually wears a wrist watch. 2. Therefore she asks him: "What time is it?" 3. He says: "It is eleven minutes to nine, it is early yet." 4. So they sit down and wait. 5. The class begins at five minutes past nine. 6. The teacher often brings pictures for the children. 7. This classroom has only one blackboard. 8. Does Anna read German? Does she also like to speak German? 9. Some words are not at all easy, and one forgets them easily. 10. You are permitted to forget a few words. Only "practice makes perfect."

Sechste Stunde

1. Not all months have thirty-one days; some have thirty days. 2. Every year has twelve months and fifty-two weeks; every week has seven days; how many hours does a day have? 3. Do you have a car? Do you drive to school? 4. Who is coming around the corner there? Do you know him? 5. What sort of coffee is this? It is cold coffee, and I do not like cold coffee at all. 6. Old men are not always rich, but rich men are not always young. 7. Do you have a sister? Yes, and two brothers too. 8. The teacher often plays a few German records for us. We like good music. 9. English is as hard as German for many students; is that possible? 10. Do not fall asleep! The class is not over yet.

Siebte Stunde

1. Please speak clearly! Otherwise I can not understand your questions. 2. I have a good, well-behaved dog; do you have one too? 3. This afternoon we are taking a walk along the river. Do come too! 4. My cat likes to catch and eat mice, to be sure, but she is just an animal, after all. 5. The trees still have their

leaves; yet it is already November. 6. Her room is very pleasant; it has two large windows and its walls are blue. 7. Do you know his uncle and aunt? Their name is Schmidt. 8. She is wearing her coat; why aren't you wearing yours? 9. Our friend Hans hates (the) school, for he often has to study all evening. That is not possible! 10. He always eats his noon meal at home.

Erste Wiederholungsstunde

1. Please sit down and pay attention! Do not fall asleep! 2. The students are asking very intelligent questions about German schools. 3. It is not always easy to answer such questions. 4. Of course, not all students pass the examination; some fail and then they have to repeat the year. 5. Reading, writing, and arithmetic are all very important subjects, aren't they? 6. Our garden is beautiful now; do you have one too? 7. They like to hear records; their professor often plays a few for them. 8. It's already ten minutes to five; we have to go home, for our supper is waiting. 9. I intend to work all evening; I must translate these sentences yet. 10. What German proverbs do you remember? Do you want to hear a few more?

Achte Stunde

1. When did it become light this morning? Were you up already? 2. He brought the book for us, and we practiced the endings. 3. We waited twenty minutes, but our professor did not come. 4. They took their books and went home. 5. They liked to drink strong coffee without cream. 6. Did you see her yesterday? Where was she? What did she say? 7. She did not do anything; she sat there and kept still. 8. What was your brother studying all evening? — He was not studying; he was reading the Sunday paper. 9. We were singing so loudly, we did not hear the bell. 10. Did you fall asleep quickly last night? — I always fall asleep quickly.

Neunte Stunde

1. What book were you just reading? My German book, of course. 2. I did not know anything about the Grimm brothers, but I did know their beautiful fairy tales. 3. Did you see our old teacher yesterday? How does the old fellow look? 4. Here is a pretty post card and a stamp. Don't forget the name and the new address! 5. Many old cities have very narrow streets and interesting little shops.

6. What rooms does your new apartment have? It has a cozy living room, a small bedroom, and a very small kitchen. 7. The poor little boy was not allowed to say a word. 8. Carl Schurz loved political freedom; he became an American citizen. 9. The little girl wanted to go home right away. 10. Were you able to translate all these difficult sentences easily? — Of course!

Zehnte Stunde

1. We hear a lot of German from our German teacher. 2. Does this book belong to you? Please answer me at once! 3. Excuse me, but may I ask you: how long have you been living in Munich? — For a year. 4. In Germany school children often go to school by bicycle. 5. What is a motor scooter? — It is a low bicycle with small fat wheels and a little motor. 6. Her letter told us about the dangerous traffic in the city. 7. He gave the poor man some money, and the latter thanked him. 8. He does not want to go to the doctor, but he has to. 9. I can not afford an expensive hat; I can not spend so much money. 10. Please come home with me after class and help me; I have to do my German sentences.

Elfte Stunde

1. The teacher came into the room and sat down at his desk. 2. Where does Gretl come from? She comes from Germany. 3. Does she want to go back there in the winter? 4. Do you often shop in this store? Yes, the prices are low here. 5. What was he waiting for? For a streetcar; he had to wait for it a long time. 6. Where did you spend Saturday? At a beautiful lake in the mountains. 7. Where is your friend going? He is going to the country. With whom? 8. There are many flowers in the woods and on the meadows now. 9. There is usually snow on the peaks of high mountains. 10. We like to hike. It is good to be out in the fresh air.

Zwölfte Stunde

1. The endings of these words are not always easy, but don't worry; just study hard! 2. This student's car is very old, but he still drives to school with it. 3. We are looking forward very much to the concert. Are you looking forward to it too? 4. When does the opera begin? It begins at 5:30; they are giving Wagner's *Rheingold*, and it is very long. 5. It was only (**erst**) 11:45, but the little boy was hungry already. 6. The hair of little children is often blond, but later it usually turns brown. 7. The bicycles of the two boys were standing against a tree in front

of the house. 8. How did you get to know her? She is the sister of a friend of mine. 9. We can not swim in the lake yet because of the cold weather. 10. During the day he has to work in his father's store, and in the evening he goes to school.

Dreizehnte Stunde

1. There were many clouds in the sky, but the sun was shining more warmly than yesterday. 2. It thundered and lightened, and the wind blew ever stronger. 3. The weather is getting colder, so we must dress more warmly. 4. The highest mountains in Europe are in the Alps. 5. A woman likes to put on her newest dress; most men prefer to wear an older and more comfortable suit. 6. The happiness of the parents lies in the happiness of their children. 7. One is never supposed to drink a cold white wine with red meat. 8. He is exactly as stupid as I, but he earns much more money! 9. Who in this class speaks German best? Who sings loudest? 10. The shortest sentences are not always the easiest.

Zweite Wiederholungsstunde

1. Close the door! Sit down! Open your books, please! 2. He was not able to do his assignment before class yesterday. 3. We have been living in this apartment for six months, and we like it very much. 4. Why is the soup in this restaurant always either too hot or too cold? Waiter! 5. Did your old friend go to the concert? Did he enjoy himself? 6. The color of my new suit is brown. I wear a green tie with it (**dazu**). 7. In the United States the autumn is the most beautiful season of the year. 8. The dog followed his young master down to the lake, and they played there for hours. 9. What is the name of the highest mountain in Europe? Who knows the answer? 10. Do most Germans speak French? Perhaps not most, but many German children study French and also English in school.

Vierzehnte Stunde

1. He drinks a lot of coffee and then he studies until he gets tired. 2. As soon as he woke up at 6 o'clock this morning, he jumped out of bed and got dressed. 3. While he was boiling the eggs, he slowly counted aloud in German; for he had no watch. 4. He quickly put his plate and his cup on the table, also his knife, fork, and spoon. 5. Then he remembered that it was Saturday and that he did not have any classes. 6. She was interested in the Italian language, for she wanted to study music in Italy. 7. We took a walk in the woods yesterday morning

although it rained the whole night. 8. If seven times seven is forty-nine, forty-nine divided by seven is seven. 9. Since fruit and vegetables do not grow well in some areas of Germany, potatoes are very important. 10. You learn more if you listen and if you answer as often as possible.

Fünfzehnte Stunde

In the following sentences use the present perfect tense whenever possible:

1. Susan has begun to study German, but she has not said why. 2. I had not been able to see her for a whole week, for her mother had been sick. 3. It certainly was not my fault that we could not go to the concert together. 4. I told Susan I did not enjoy myself at all, but she did not believe me. 5. Yesterday it rained all morning; but at 12 o'clock Susan called me up, and then the sun came through the clouds. 6. We had not eaten our breakfast yet because I had forgotten to buy the bread and the eggs. 7. She had written him a letter, but he had not received it. 8. They had not seen the old city for years; it still looked very good. 9. Paul was very interested in football, and he explained the game to his friends. 10. Today we had to stop very early; see you soon!

Sechzehnte Stunde

Use the present perfect tense whenever possible!

1. No, we have not seen Paul; he has not been here. 2. Our young friend's name was Werner; he had grown up in the mountains of Switzerland. 3. What has become of him? We have not heard a word from him for years. 4. Perhaps he did not stay in the mountains at all; perhaps he has gone to America. 5. When did they leave from Montreal? When did they arrive in Hamburg? 6. His dog ran under a car yesterday. The poor little fellow did not suffer much; he died at once. 7. They drove to the country early this morning; they have not returned yet. 8. We jumped into the water at once. It was very warm, although the air had become cold. 9. I was sorry that you could not come. 10. It did not occur to him that it was Sunday.

Siebzehnte Stunde

1. In my opinion, the day will soon come when we will fly to the moon. 2. We only hope that we will be able to return to our good old earth again. 3. What are

you going to do to save enough money for your vacation? 4. Hans will have to buy tickets for the dance, for he wants to invite Susan. 5. He will have his hair cut, and he will put on his best blue suit. 6. Susan will go to the hairdresser's; later she will perhaps sit for an hour in front of a mirror, although she is young and pretty. 7. Will they eat in a restaurant first? Will they enjoy themselves? 8. Did you know this opera already? Did you know that the music was so beautiful? 9. I have the feeling that it is high time to stop now. 10. So I suggest that you go on reading for tomorrow.

Achtzehnte Stunde

1. The letter which came this morning was from my friend Marie. 2. It was a letter for which I had waited a long time. 3. Richard and Marie are two friends whose letters are always interesting. 4. The plane in (**mit**) which he is flying to Frankfurt am Main tonight will arrive there tomorrow afternoon already. 5. The traveler had already packed the bag which he was taking along. 6. The goal I have set for myself is: I want to speak the languages of the countries which I am going to visit. 7. Now it is your turn. May I see your passport, please? 8. The many-colored automobiles which we see on the street today almost all come from Detroit. 9. The pen with which I am writing does not belong to me; I forgot mine. 10. He put the money which he had earned in the afternoon in his pocket.

Neunzehnte Stunde

1. Good morning, dear friend! Please come with me, and we shall visit an elementary school in Germany. 2. The teacher is just saying: "Good morning, children! Please sit down and be quiet." 3. Heinz comes in late. "Why are you late, Heinz?" the teacher asks him. 4. "Excuse me, teacher," answers the little one, "I really don't know, but breakfast tasted so good to me this morning, and the weather is so beautiful." 5. The teacher smiles and says: "Sit down, Heinz. I will not punish you today, but next time nothing will help you."

We suggest that you first write the following sentences with **du**; *then with* **ihr**; *finally, with* **Sie**:

6. I see that you are wearing a coat and a hat today. 7. Have you brought your books along today? Please give me your homework now! 8. Please describe for us the American city that you know best! 9. Do you intend to write your friend a letter tonight? 10. Are you getting accustomed to the German language? Are you proud of your German?

Dritte Wiederholungsstunde

1. Many buildings in German cities are three hundred years old, or even older. 2. There also are many old palaces, castles, and ruins everywhere in Europe. 3. We have read about the differences between the cities in the United States and in Germany. 4. Germany today is no longer an empire, but a republic. 5. Why do the Germans have so many songs which sing of the spring? Can you guess? 6. The only river that flows from the west to the east is the Danube. 7. Hello, Thomas. Did you bring me a nice red apple today? 8. We listened, of course, but we could not understand her because she spoke so softly. 9. We know that the English language is exactly as old as German; the two languages belong to a single language family. 10. Although the two languages have developed differently, there still are very many related words in them.

Zwanzigste Stunde

1. Berlin, October 14, 1949. 2. July is the seventh month of the year, August the eighth. 3. Two thirds and three quarters are seventeen twelfths. 4. How many lectures have you heard today? This is the third; I have one more. 5. A novel and a "Novelle" are quite different, at least in German literature. 6. Schiller is the author of the well-known drama, *Die Räuber*. Have you seen it on the stage? 7. The only work written by Goethe that I know is the poem that begins: "Über allen Gipfeln ist Ruh'." 8. A folk song is a song sung by the people, whose author is not known. 9. Growing children need their sleep. 10. Bicycle riding is popular as a sport in Germany.

Einundzwanzigste Stunde

1. Most Americans do not celebrate Whitsuntide, but otherwise the German religious holidays are similar to ours. 2. In the south of Germany the peasants usually live together in villages; in the north there are more single farms. 3. A peasant is rich if he owns many geese, pigs, cows, and horses. 4. Many people come from the country to work in a factory. 5. Today there are many modern buildings of steel, aluminum, and glass in large cities everywhere. 6. What do you read first in the newspaper, the news, the editorials, or the ads?

In the following sentences, retain the same tense structure as in the English sentence, but use subjunctive forms for the italicized verbs in your German translation:

7. He said that iron *is* a more important metal than either gold or silver. 8. She said that she *had read* the magazine already and that I *might have* it. 9. If I *had* the time, I *would come.* 10. If they *were* only here! If they *had* only *known!*

Zweiundzwanzigste Stunde

1. Many German inventors, discoverers, and research scholars are now living in the United States. 2. When one is a member of a club, one usually has a vote. 3. What news do you have from your friend in Salzburg? None. When I get a letter, I'll tell you. 4. If I had a good camera, I could take better pictures. 5. If Columbus had not discovered the New World, somebody else would probably have done it. 6. I could learn German more quickly if I lived in Germany or Austria. 7. You would go to bed at once if you were really tired. 8. Would you eat an apple or a pear if I bought you one, Peter? 9. If only I had been able to find my German book before the examination! 10. I don't know what I ought to do. What would you suggest?

— *Now rewrite sentences 4, 5, and 9, omitting* **wenn.**

Dreiundzwanzigste Stunde

1. Our professor told us that Germany does not have any cotton or rubber. 2. They wanted to know which country was the oldest republic in the world today. 3. We thought that a democracy always had a president, but we had forgotten that England has a king or queen. 4. Did it strike you that almost every city hall in Germany has its own restaurant? 5. I had hoped that you would at least write me a post card. 6. She wrote us that she was coming back on (**mit**) the next ship because she had spent all her money. 7. He talked as if he had not enjoyed his trip to Switzerland at all, which is not true. 8. He asked me whether she was a citizen. 9. He promised that he would pay for the film if I brought my camera. 10. Let's read the sentences which we have translated.

— *Rewrite sentences 5, 6, and 9, omitting* **daß.**

Vierundzwanzigste Stunde

1. Radio reception in the evening is usually better than during the day, isn't it? 2. The window was closed by a student. The door was opened by the wind. 3. By whom was the telephone invented? 4. In a modern war there is much fighting in

the air. 5. We should have made peace much earlier. 6. This photo was taken by a friend of ours. At least, he was a friend until the picture was taken. 7. Our new home is being built now, but the old one has already been sold. 8. This little country will never be ruled by an emperor. 9. I am amazed that our guest has not been given a better room. 10. Did you succeed with the translation of all these exercises?

Fünfundzwanzigste Stunde

1. How can one earn money best during the summer? during the remaining seasons? 2. Money is easy to save if you have a good position and do not spend much. 3. He had to drop his plan to visit Europe in the spring. 4. It goes without saying that he would pick us up if he had a car. 5. She is having another new suit made for herself. 6. I have been invited by them; have you been invited too? 7. I'll have him called at once; please wait for us. 8. A person who does mental work gets just as tired as one who works physically. 9. It can not be assumed that students will study when they do not have to. 10. It pays to speak on every occasion if you want to learn a language.

Vierte Wiederholungsstunde

1. What day of the month is today? I don't know, but it is the last day of the semester. 2. Fruit is usually sold by the kilo or by the pound. 3. How cold was it yesterday? It was about ten degrees, but the sun was shining warmly. 4. When I need change, I have a bill changed, if I have a bill. 5. It is to be hoped that there will not be another war. 6. If you had been here, you would have met the poet personally. 7. There was dancing yesterday evening too. I am sorry that I missed the program. 8. Christmas is celebrated every year on the twenty-fifth of December. 9. A good rain would make the grass grow. My mother always claimed that children also grew when it rained. 10. Your success with German should give you the courage to study more languages.

APPENDIX II

A Summary of Forms

I. The conjugation of the verb

a. **haben (hat), hatte, gehabt** *to have:*

INDICATIVE	*SUBJUNCTIVE*
	PRESENT
ich habe er, es, sie hat du hast	ich, er, es, sie habe du habest
wir, sie, Sie haben ihr habt	wir, sie, Sie haben ihr habet
	PAST
ich, er, es, sie hatte du hattest	ich, er, es, sie hätte du hättest
wir, sie, Sie hatten ihr hattet	wir, sie, Sie hätten ihr hättet
	PRESENT PERFECT
ich habe . . . gehabt er, es, sie hat . . . gehabt du hast . . . gehabt	ich, er, es, sie habe . . . gehabt du habest . . . gehabt
wir, sie, Sie haben . . . gehabt ihr habt . . . gehabt	wir, sie, Sie haben . . . gehabt ihr habet . . . gehabt
	PAST PERFECT
ich, er, es, sie hatte . . . gehabt du hattest . . . gehabt	ich, er, es, sie hätte . . . gehabt du hättest . . . gehabt
wir, sie, Sie hatten . . . gehabt ihr hattet . . . gehabt	wir, sie, Sie hätten . . . gehabt ihr hättet . . . gehabt

INDICATIVE	*SUBJUNCTIVE*
FUTURE	
ich werde . . . haben er, es, sie wird . . . haben du wirst . . . haben	ich, er, es, sie werde . . . haben du werdest . . . haben
wir, sie, Sie werden . . . haben ihr werdet . . . haben	wir, sie, Sie werden . . . haben ihr werdet . . . haben
FUTURE CONDITIONAL	
	ich, er, es, sie würde . . . haben du würdest . . . haben
	wir, sie, Sie würden . . . haben ihr würdet . . . haben
FUTURE PERFECT	
ich werde . . . gehabt haben er, es, sie wird . . . gehabt haben du wirst . . . gehabt haben	ich, er, es, sie werde . . . gehabt haben du werdest . . . gehabt haben
wir, sie, Sie werden . . . gehabt haben ihr werdet . . . gehabt haben	wir, sie, Sie werden . . . gehabt haben ihr werdet . . . gehabt haben
FUTURE PERFECT CONDITIONAL	
	ich, er, es, sie würde . . . gehabt haben du würdest . . . gehabt haben
	wir, sie, Sie würden . . . gehabt haben ihr würdet . . . gehabt haben

FORMAL IMPERATIVE: haben Sie!
INFORMAL IMPERATIVES: habe! habt!

b. **sein (ist), war, ist gewesen** *to be:*

PRESENT	
ich bin er, es, sie ist du bist	ich, er, es, sie sei du seiest
wir, sie, Sie sind ihr seid	wir, sie, Sie seien ihr seiet

INDICATIVE	*SUBJUNCTIVE*
PAST	
ich, er, es, sie war du warst	ich, er, es, sie wäre du wärest
wir, sie, Sie waren ihr wart	wir, sie, Sie wären ihr wäret
PRESENT PERFECT	
ich bin . . . gewesen er, es, sie ist . . . gewesen du bist . . . gewesen	ich, er, es, sie sei . . . gewesen du seiest . . . gewesen
wir, sie, Sie sind . . . gewesen ihr seid . . . gewesen	wir, sie, Sie seien . . . gewesen ihr seiet . . . gewesen
PAST PERFECT	
ich, er, es, sie war . . . gewesen du warst . . . gewesen	ich, er, es, sie wäre . . . gewesen du wärest . . . gewesen
wir, sie, Sie waren . . . gewesen ihr wart . . . gewesen	wir, sie, Sie wären . . . gewesen ihr wäret . . . gewesen
FUTURE	
ich werde . . . sein er, es, sie wird . . . sein du wirst . . . sein	ich, er, es, sie werde . . . sein du werdest . . . sein
wir, sie, Sie werden . . . sein ihr werdet . . . sein	wir, sie, Sie werden . . . sein ihr werdet . . . sein
FUTURE CONDITIONAL	
	ich, er, es, sie würde . . . sein du würdest . . . sein
	wir, sie, Sie würden . . . sein ihr würdet . . . sein
FUTURE PERFECT	
ich werde . . . gewesen sein er, es, sie wird . . . gewesen sein du wirst . . . gewesen sein	ich, er, es, sie werde . . . gewesen sein du werdest . . . gewesen sein
wir, sie, Sie werden . . . gewesen sein ihr werdet . . . gewesen sein	wir, sie, Sie werden . . . gewesen sein ihr werdet . . . gewesen sein

INDICATIVE	*SUBJUNCTIVE*
	FUTURE PERFECT CONDITIONAL
	ich, er, es, sie würde . . . gewesen sein du würdest . . . gewesen sein
	wir, sie, Sie würden . . . gewesen sein ihr würdet . . . gewesen sein

FORMAL IMPERATIVE: seien Sie!
INFORMAL IMPERATIVES: sei! seid!

c. **werden (wird), wurde, ist geworden** *to become:*

PRESENT	
ich werde er, es, sie wird du wirst	ich, er, es, sie werde du werdest
wir, sie, Sie werden ihr werdet	wir, sie, Sie werden ihr werdet
PAST	
ich, er, es, sie wurde du wurdest	ich, er, es, sie würde du würdest
wir, sie, Sie wurden ihr wurdet	wir, sie, Sie würden ihr würdet
PRESENT PERFECT	
ich bin . . . geworden er, es, sie ist . . . geworden du bist . . . geworden	ich, er, es, sie sei . . . geworden du seiest . . . geworden
wir, sie, Sie sind . . . geworden ihr seid . . . geworden	wir, sie, Sie seien . . . geworden ihr seiet . . . geworden
PAST PERFECT	
ich, er, es, sie war . . . geworden du warst . . . geworden	ich, er, es, sie wäre . . . geworden du wärest . . . geworden
wir, sie, Sie waren . . . geworden ihr wart . . . geworden	wir, sie, Sie wären . . . geworden ihr wäret . . . geworden

INDICATIVE	*SUBJUNCTIVE*
FUTURE	
ich werde . . . werden	ich, er, es, sie werde . . . werden
er, es, sie wird . . . werden	du werdest . . . werden
du wirst . . . werden	
wir, sie, Sie werden . . . werden	wir, sie, Sie werden . . . werden
ihr werdet . . . werden	ihr werdet . . . werden
FUTURE CONDITIONAL	
	ich, er, es, sie würde . . . werden
	du würdest . . . werden
	wir, sie, Sie würden . . . werden
	ihr würdet . . . werden
FUTURE PERFECT	
ich werde . . . geworden sein	ich, er, es, sie werde . . . geworden sein
er, es, sie wird . . . geworden sein	du werdest . . . geworden sein
du wirst . . . geworden sein	
wir, sie, Sie werden . . . geworden sein	wir, sie, Sie werden . . . geworden sein
ihr werdet . . . geworden sein	ihr werdet . . . geworden sein
FUTURE PERFECT CONDITIONAL	
	ich, er, es, sie würde . . . geworden sein
	du würdest . . . geworden sein
	wir, sie, Sie würden . . . geworden sein
	ihr würdet . . . geworden sein

FORMAL IMPERATIVE: werden Sie!
INFORMAL IMPERATIVES: werde! werdet!

d. A regular verb — **sagen, sagte, gesagt** *to say:*

PRESENT	
ich sage	ich, er, es, sie sage
er, es, sie sagt	du sagest
du sagst	
wir, sie, Sie sagen	wir, sie, Sie sagen
ihr sagt	ihr saget

INDICATIVE	*SUBJUNCTIVE*
PAST	
ich, er, es, sie sagte du sagtest	ich, er, es, sie sagte du sagtest
wir, sie, Sie sagten ihr sagtet	wir, sie, Sie sagten ihr sagtet
PRESENT PERFECT	
ich habe . . . gesagt er, es, sie hat . . . gesagt du hast . . . gesagt	ich, er, es, sie habe . . . gesagt du habest . . . gesagt
wir, sie, Sie haben . . . gesagt ihr habt . . . gesagt	wir, sie, Sie haben . . . gesagt ihr habet . . . gesagt
PAST PERFECT	
ich, er, es, sie hatte . . . gesagt du hattest . . . gesagt	ich, er, es, sie hätte . . . gesagt du hättest . . . gesagt
wir, sie, Sie hatten . . . gesagt ihr hattet . . . gesagt	wir, sie, Sie hätten . . . gesagt ihr hättet . . . gesagt
FUTURE	
ich werde . . . sagen er, es, sie wird . . . sagen du wirst . . . sagen	ich, er, es, sie werde . . . sagen du werdest . . . sagen
wir, sie, Sie werden . . . sagen ihr werdet . . . sagen	wir, sie, Sie werden . . . sagen ihr werdet . . . sagen
FUTURE CONDITIONAL	
	ich, er, es, sie würde . . . sagen du würdest . . . sagen
	wir, sie, Sie würden . . . sagen ihr würdet . . . sagen
FUTURE PERFECT	
ich werde . . . gesagt haben er, es, sie wird . . . gesagt haben du wirst . . . gesagt haben	ich, er, es, sie werde . . . gesagt haben du werdest . . . gesagt haben
wir, sie, Sie werden . . . gesagt haben ihr werdet . . . gesagt haben	wir, sie, Sie werden . . . gesagt haben ihr werdet . . . gesagt haben

INDICATIVE	*SUBJUNCTIVE*
	FUTURE PERFECT CONDITIONAL
	ich, er, es, sie würde . . . gesagt haben du würdest . . . gesagt haben
	wir, sie, Sie würden . . . gesagt haben ihr würdet . . . gesagt haben

FORMAL IMPERATIVE: sagen Sie!
INFORMAL IMPERATIVES: sage! sagt!

e. An irregular verb — **geben (gibt), gab, gegeben** *to give:*

PRESENT

ich gebe er, es, sie gibt du gibst	ich, er, es, sie gebe du gebest
wir, sie, Sie geben ihr gebt	wir, sie, Sie geben ihr gebet

PAST

ich, er, es, sie gab du gabst	ich, er, es, sie gäbe du gäbest
wir, sie, Sie gaben ihr gabt	wir, sie, Sie gäben ihr gäbet

PRESENT PERFECT

ich habe . . . gegeben er, es, sie hat . . . gegeben du hast . . . gegeben	ich, er, es, sie habe . . . gegeben du habest . . . gegeben
wir, sie, Sie haben . . . gegeben ihr habt . . . gegeben	wir, sie, Sie haben . . . gegeben ihr habet . . . gegeben

PAST PERFECT

ich, er, es, sie hatte . . . gegeben du hattest . . . gegeben	ich, er, es, sie hätte . . . gegeben du hättest . . . gegeben
wir, sie, Sie hatten . . . gegeben ihr hattet . . . gegeben	wir, sie, Sie hätten . . . gegeben ihr hättet . . . gegeben

INDICATIVE	*SUBJUNCTIVE*
FUTURE	
ich werde . . . geben	ich, er, es, sie werde . . . geben
er, es, sie wird . . . geben	du werdest . . . geben
du wirst . . . geben	
wir, sie, Sie werden . . . geben	wir, sie, Sie werden . . . geben
ihr werdet . . . geben	ihr werdet . . . geben
FUTURE CONDITIONAL	
	ich, er, es, sie würde . . . geben
	du würdest . . . geben
	wir, sie, Sie würden . . . geben
	ihr würdet . . . geben
FUTURE PERFECT	
ich werde . . . gegeben haben	ich, er, es, sie werde . . . gegeben haben
er, es, sie wird . . . gegeben haben	du werdest . . . gegeben haben
du wirst . . . gegeben haben	
wir, sie, Sie werden . . . gegeben haben	wir, sie, Sie werden . . . gegeben haben
ihr werdet . . . gegeben haben	ihr werdet . . . gegeben haben
FUTURE PERFECT CONDITIONAL	
	ich, er, es, sie würde . . . gegeben haben
	du würdest . . . gegeben haben
	wir, sie, Sie würden . . . gegeben haben
	ihr würdet . . . gegeben haben

FORMAL IMPERATIVE: geben Sie!
INFORMAL IMPERATIVES: gib! gebt!

f. The passive — **gesehen werden** *to be seen:*

PRESENT	
ich werde . . . gesehen	ich, er, es, sie werde . . . gesehen
er, es, sie wird . . . gesehen	du werdest . . . gesehen
du wirst . . . gesehen	
wir, sie, Sie werden . . . gesehen	wir, sie, Sie werden . . . gesehen
ihr werdet . . . gesehen	ihr werdet . . . gesehen

INDICATIVE	*SUBJUNCTIVE*
PAST	
ich, er, es, sie wurde . . . gesehen du wurdest . . . gesehen	ich, er, es, sie würde . . . gesehen du würdest . . . gesehen
wir, sie, Sie wurden . . . gesehen ihr wurdet . . . gesehen	wir, sie, Sie würden . . . gesehen ihr würdet . . . gesehen
PRESENT PERFECT	
ich bin . . . gesehen worden er, es, sie ist . . . gesehen worden du bist . . . gesehen worden	ich, er, es, sie sei . . . gesehen worden du seiest . . . gesehen worden
wir, sie, Sie sind . . . gesehen worden ihr seid . . . gesehen worden	wir, sie, Sie seien . . . gesehen worden ihr seiet . . . gesehen worden
PAST PERFECT	
ich, er, es, sie war . . . gesehen worden du warst . . . gesehen worden	ich, er, es, sie wäre . . . gesehen worden du wärest . . . gesehen worden
wir, sie, Sie waren . . . gesehen worden ihr wart . . . gesehen worden	wir, sie, Sie wären . . . gesehen worden ihr wäret . . . gesehen worden
FUTURE	
ich werde . . . gesehen werden er, es, sie wird . . . gesehen werden du wirst . . . gesehen werden	ich, er, es, sie werde . . . gesehen werden du werdest . . . gesehen werden
wir, sie, Sie werden . . . gesehen werden ihr werdet . . . gesehen werden	wir, sie, Sie werden . . . gesehen werden ihr werdet . . . gesehen werden
FUTURE CONDITIONAL	
	ich, er, es, sie würde . . . gesehen werden du würdest . . . gesehen werden
	wir, sie, Sie würden . . . gesehen werden ihr würdet . . . gesehen werden
FUTURE PERFECT [1]	
ich werde . . . gesehen worden sein er, es, sie wird . . . gesehen worden sein du wirst . . . gesehen worden sein	ich, er, es, sie werde . . . gesehen worden sein du werdest . . . gesehen worden sein
wir, sie, Sie werden . . . gesehen worden sein ihr werdet . . . gesehen worden sein	wir, sie, Sie werden . . . gesehen worden sein ihr werdet . . . gesehen worden sein

[1] The forms of the Future Perfect and the Future Perfect Conditional are extremely rare in the passive.

SUBJUNCTIVE (*cont.*)

FUTURE PERFECT CONDITIONAL[1]

ich, er, es, sie würde . . . gesehen worden sein
du würdest . . . gesehen worden sein

wir, sie, Sie würden . . . gesehen worden sein
ihr würdet . . . gesehen worden sein

g. The present and past of the modal auxiliaries and **wissen:**

PRESENT INDICATIVE

ich, er, es, sie	darf	kann	mag	muß	soll	will	weiß
du	darfst	kannst	magst	mußt	sollst	willst	weißt
wir, sie, Sie	dürfen	können	mögen	müssen	sollen	wollen	wissen
ihr	dürft	könnt	mögt	müßt	sollt	wollt	wißt

PRESENT SUBJUNCTIVE

ich, er, es, sie	dürfe	könne	möge	müsse	solle	wolle	wisse
du	dürfest	könnest	mögest	müssest	sollest	wollest	wissest
wir, sie, Sie	dürfen	können	mögen	müssen	sollen	wollen	wissen
ihr	dürfet	könnet	möget	müsset	sollet	wollet	wisset

PAST INDICATIVE

ich, er, es, sie	durfte	konnte	mochte	mußte	sollte	wollte	wußte
du	durftest	konntest	mochtest	mußtest	solltest	wolltest	wußtest
wir, sie, Sie	durften	konnten	mochten	mußten	sollten	wollten	wußten
ihr	durftet	konntet	mochtet	mußtet	solltet	wolltet	wußtet

PAST SUBJUNCTIVE

ich, er, es, sie	dürfte	könnte	möchte	müßte	sollte	wollte	wüßte
du	dürftest	könntest	möchtest	müßtest	solltest	wolltest	wüßtest
wir, sie, Sie	dürften	könnten	möchten	müßten	sollten	wollten	wüßten
ihr	dürftet	könntet	möchtet	müßtet	solltet	wolltet	wüßtet

[1] See footnote 1, page 373.

II. The principal parts of the most common irregular verbs [1]

INFINITIVE	3RD SING. PRESENT	1ST & 3RD SING. PAST	PERFECT PARTICIPLE	1ST & 3RD SING. PAST SUBJ.
		A. Verbs with the same vowel in the infinitive and perfect participle		
essen, *eat*	ißt	aß	gegessen	äße
fressen, *eat* (of animals)	frißt	fraß	gefressen	fräße
geben, *give*	gibt	gab	gegeben	gäbe
geschehen, *happen*	geschieht	geschah	ist geschehen	geschähe
lesen, *read*	liest	las	gelesen	läse
messen, *measure*	mißt	maß	gemessen	mäße
sehen, *see*	sieht	sah	gesehen	sähe
treten, *step; walk*	tritt	trat	ist getreten	träte
vergessen, *forget*	vergißt	vergaß	vergessen	vergäße
fahren, *ride; go*	fährt	fuhr	ist gefahren	führe
laden, *load*	lädt	lud	geladen	lüde
schlagen, *beat; strike*	schlägt	schlug	geschlagen	schlüge
tragen, *carry; wear*	trägt	trug	getragen	trüge
wachsen, *grow*	wächst	wuchs	ist gewachsen	wüchse
waschen, *wash*	wäscht	wusch	gewaschen	wüsche
empfangen, *receive*	empfängt	empfing	empfangen	empfinge
fallen, *fall*	fällt	fiel	ist gefallen	fiele
fangen, *catch*	fängt	fing	gefangen	finge
gefallen, *please*	gefällt	gefiel	gefallen	gefiele
halten, *hold*	hält	hielt	gehalten	hielte
lassen, *let; allow*	läßt	ließ	gelassen	ließe
raten, *advise; guess*	rät	riet	geraten	riete
schlafen, *sleep*	schläft	schlief	geschlafen	schliefe
heißen, *be called*	heißt	hieß	geheißen	hieße
kommen, *come*	kommt	kam	ist gekommen	käme
laufen, *run*	läuft	lief	ist gelaufen	liefe
rufen, *call*	ruft	rief	gerufen	riefe

[1] Where two forms are given, they are of about equal standing. Forms that occur only in specific structures and forms of regional or less frequent usage are not included. Only one or two of the major meanings are listed for each verb.

INFINITIVE	3RD SING. PRESENT	1ST & 3RD SING. PAST	PERFECT PARTICIPLE	1ST & 3RD SING. PAST SUBJ.

B. *Verbs with the same vowel in the past tense and perfect participle*

INFINITIVE	3RD SING. PRESENT	1ST & 3RD SING. PAST	PERFECT PARTICIPLE	1ST & 3RD SING. PAST SUBJ.
beißen, *bite*	beißt	biß	gebissen	bisse
bleiben, *stay*	bleibt	blieb	ist geblieben	bliebe
leiden, *suffer*	leidet	litt	gelitten	litte
reiten, *ride* (on an animal)	reitet	ritt	ist geritten	ritte
scheinen, *shine*	scheint	schien	geschienen	schiene
schneiden, *cut*	schneidet	schnitt	geschnitten	schnitte
schreiben, *write*	schreibt	schrieb	geschrieben	schriebe
schreien, *shout*	schreit	schrie	geschrieen	schriee
schreiten, *stride; step*	schreitet	schritt	ist geschritten	schritte
schweigen, *be silent*	schweigt	schwieg	geschwiegen	schwiege
steigen, *climb*	steigt	stieg	ist gestiegen	stiege
streiten, *fight*	streitet	stritt	gestritten	stritte
treiben, *drive; engage in*	treibt	trieb	getrieben	triebe
unterscheiden, *distinguish*	unterscheidet	unterschied	unterschieden	unterschiede
verzeihen, *forgive*	verzeiht	verzieh	verziehen	verziehe
biegen, *bend*	biegt	bog	gebogen	böge
bieten, *offer*	bietet	bot	geboten	böte
fliegen, *fly*	fliegt	flog	ist geflogen	flöge
fliehen, *flee*	flieht	floh	ist geflohen	flöhe
fließen, *flow*	fließt	floß	ist geflossen	flösse
frieren, *freeze; be cold*	friert	fror	gefroren	fröre
gießen, *pour*	gießt	goß	gegossen	gösse
riechen, *smell*	riecht	roch	gerochen	röche
schießen, *shoot*	schießt	schoß	geschossen	schösse
schließen, *close*	schließt	schloß	geschlossen	schlösse
verlieren, *lose*	verliert	verlor	verloren	verlöre
wiegen, *weigh*	wiegt	wog	gewogen	wöge
ziehen, *pull*	zieht	zog	gezogen	zöge
lügen, *tell a lie*	lügt	log	gelogen	löge
stehen, *stand*	steht	stand	gestanden	stünde/ stände
verstehen, *understand*	versteht	verstand	verstanden	verstünde/ verstände

INFINITIVE	3RD SING. PRESENT	1ST & 3RD SING. PAST	PERFECT PARTICIPLE	1ST & 3RD SING. PAST SUBJ.
		C. *Verbs with a progressive vowel change*		
binden, *bind; tie*	bindet	band	gebunden	bände
empfinden, *feel*	empfindet	empfand	empfunden	empfände
finden, *find*	findet	fand	gefunden	fände
gelingen, *succeed*	gelingt	gelang	ist gelungen	gelänge
klingen, *sound*	klingt	klang	geklungen	klänge
singen, *sing*	singt	sang	gesungen	sänge
sinken, *sink*	sinkt	sank	ist gesunken	sänke
springen, *jump; leap*	springt	sprang	ist gesprungen	spränge
trinken, *drink*	trinkt	trank	getrunken	tränke
verschwinden, *disappear*	verschwindet	verschwand	ist verschwunden	verschwände
beginnen, *begin*	beginnt	begann	begonnen	begönne/ begänne
schwimmen, *swim*	schwimmt	schwamm	ist geschwommen	schwömme
brechen, *break*	bricht	brach	gebrochen	bräche
gelten, *be valid; be worth*	gilt	galt	gegolten	gälte
helfen, *help*	hilft	half	geholfen	hülfe
nehmen, *take*	nimmt	nahm	genommen	nähme
sprechen, *speak*	spricht	sprach	gesprochen	spräche
sterben, *die*	stirbt	starb	ist gestorben	stürbe
treffen, *hit; meet*	trifft	traf	getroffen	träfe
werfen, *throw*	wirft	warf	geworfen	würfe
bitten, *ask; beg*	bittet	bat	gebeten	bäte
liegen, *lie; be situated*	liegt	lag	gelegen	läge
sitzen, *sit*	sitzt	saß	gesessen	säße
gehen, *go; walk*	geht	ging	ist gegangen	ginge
	D. *Hybrids: Verbs with regular endings that show a vowel change*			
brennen, *burn*	brennt	brannte	gebrannt	brennte
kennen, *know*	kennt	kannte	gekannt	kennte
nennen, *name*	nennt	nannte	genannt	nennte
rennen, *run*	rennt	rannte	ist gerannt	rennte
senden, *send*	sendet	sandte/ sendete	gesandt/ gesendet	sendete
wenden, *turn*	wendet	wandte/ wendete	gewandt/ gewendet	wendete
bringen, *bring*	bringt	brachte	gebracht	brächte
denken, *think*	denkt	dachte	gedacht	dächte

INFINITIVE	3RD SING. PRESENT	1ST & 3RD SING. PAST	PERFECT PARTICIPLE	1ST & 3RD SING. PAST SUBJ.
		E. *Modal Auxiliaries and* **wissen**		
dürfen, *be permitted; may*	darf	durfte	gedurft	dürfte
können, *be able; can*	kann	konnte	gekonnt	könnte
mögen, *like; may*	mag	mochte	gemocht	möchte
müssen, *be obliged; must*	muß	mußte	gemußt	müßte
sollen, *be supposed to; should*	soll	sollte	gesollt	sollte
wollen, *want to; intend to*	will	wollte	gewollt	wollte
wissen, *know*	weiß	wußte	gewußt	wüßte
		F. *Special verbs*		
haben, *have*	hat	hatte	gehabt	hätte
sein, *be*	ist	war	ist gewesen	wäre
tun, *do; make*	tut	tat	getan	täte
werden, *become*	wird	wurde	ist geworden	würde

III. The declension of the noun

a. Nouns which have –, ⸚ in the plural:

	SINGULAR			
Nom.	der Garten	das Messer	das Mädchen	die Mutter
Acc.	den Garten	das Messer	das Mädchen	die Mutter
Dat.	dem Garten	dem Messer	dem Mädchen	der Mutter
Gen.	des Gartens	des Messers	des Mädchens	der Mutter
	PLURAL			
Nom.	die Gärten	die Messer	die Mädchen	die Mütter
Acc.	die Gärten	die Messer	die Mädchen	die Mütter
Dat.	den Gärten	den Messern	den Mädchen	den Müttern
Gen.	der Gärten	der Messer	der Mädchen	der Mütter

b. Nouns which have **–e, ⸚e** in the plural:

	SINGULAR			
Nom.	der Tag	das Jahr	die Nacht	der Monat
Acc.	den Tag	das Jahr	die Nacht	den Monat
Dat.	dem Tag(e)	dem Jahr(e)	der Nacht	dem Monat
Gen.	des Tag(e)**s**	des Jahr(e)**s**	der Nacht	des Monat**s**
	PLURAL			
Nom.	die Tag**e**	die Jahr**e**	die Nächt**e**	die Monat**e**
Acc.	die Tag**e**	die Jahr**e**	die Nächt**e**	die Monat**e**
Dat.	den Tag**en**	den Jahr**en**	den Nächt**en**	den Monat**en**
Gen.	der Tag**e**	der Jahr**e**	der Nächt**e**	der Monat**e**

c. Nouns which have –**er**, ¨**er** in the plural:

	SINGULAR		PLURAL	
Nom.	das Kind	der Wald	die Kind**er**	die Wäld**er**
Acc.	das Kind	den Wald	die Kind**er**	die Wäld**er**
Dat.	dem Kind(e)	dem Wald(e)	den Kind**ern**	den Wäld**ern**
Gen.	des Kind**es**	des Wald(e)**s**	der Kind**er**	der Wäld**er**

d. **Die**-nouns which have –**en** (–**n**, –**nen**) in the plural:

	SINGULAR		
Nom.	die Karte	die Zeit	die Freundin
Acc.	die Karte	die Zeit	die Freundin
Dat.	der Karte	der Zeit	der Freundin
Gen.	der Karte	der Zeit	der Freundin
	PLURAL		
Nom.	die Karte**n**	die Zeit**en**	die Freundin**nen**
Acc.	die Karte**n**	die Zeit**en**	die Freundin**nen**
Dat.	den Karte**n**	den Zeit**en**	den Freundin**nen**
Gen.	der Karte**n**	der Zeit**en**	der Freundin**nen**

e. A few **der**-nouns have –**en** (–**n**) in all forms except the nominative singular:

	SINGULAR			
Nom.	der Mensch	der Junge	der Student	der Herr
Acc.	den Mensch**en**	den Junge**n**	den Student**en**	den Herr**n**
Dat.	dem Mensch**en**	dem Junge**n**	dem Student**en**	dem Herr**n**
Gen.	des Mensch**en**	des Junge**n**	des Student**en**	des Herr**n**

PLURAL

Nom.	die Mensch**en**	die Jung**en**	die Student**en**	die Herr**en**
Acc.	die Mensch**en**	die Jung**en**	die Student**en**	die Herr**en**
Dat.	den Mensch**en**	den Jung**en**	den Student**en**	den Herr**en**
Gen.	der Mensch**en**	der Jung**en**	der Student**en**	der Herr**en**

f. A few **der-**nouns and **das-**nouns have –**s** (–**es**) in the genitive singular and –**en** (–**n**) throughout the plural:

SINGULAR

Nom.	der See	der Staat	der Doktor	das Auge
Acc.	den See	den Staat	den Doktor	das Auge
Dat.	dem See	dem Staat(e)	dem Doktor	dem Auge
Gen.	des See**s**	des Staat(e)**s**	des Doktor**s**	des Auge**s**

PLURAL

Nom.	die See**n**	die Staat**en**	die Doktor**en**	die Auge**n**
Acc.	die See**n**	die Staat**en**	die Doktor**en**	die Auge**n**
Dat.	den See**n**	den Staat**en**	den Doktor**en**	den Auge**n**
Gen.	der See**n**	der Staat**en**	der Doktor**en**	der Auge**n**

g. A few **der-**nouns and **das-**nouns show variations from the above patterns:

SINGULAR

Nom.	der Name(n)	das Herz	das Studium	das Geheimnis
Acc.	den Namen	das Herz	das Studium	das Geheimnis
Dat.	dem Namen	dem Herz**en**	dem Studium	dem Geheimnis
Gen.	des Namens	des Herz**ens**	des Studium**s**	des Geheimnis**ses**

PLURAL

Nom.	die Namen	die Herz**en**	die Stud**ien**	die Geheimnis**se**
Acc.	die Namen	die Herz**en**	die Stud**ien**	die Geheimnis**se**
Dat.	den Namen	den Herz**en**	den Stud**ien**	den Geheimnis**sen**
Gen.	der Namen	der Herz**en**	der Stud**ien**	der Geheimnis**se**

IV. The declensional endings of adjectives

a. Unpreceded adjective endings — **der; dieser; jeder; jener; mancher; solcher; welcher:**

	SINGULAR			PLURAL
	with **der**-*nouns*	*with* **das**-*nouns*	*with* **die**-*nouns*	*with all nouns*
Nom.	dieser Tag	dieses Haus	diese Stadt	diese Leute
Acc.	diesen Tag	dieses Haus	diese Stadt	diese Leute
Dat.	diesem Tag(e)	diesem Haus(e)	dieser Stadt	diesen Leuten
Gen.	dieses Tag(e)s	dieses Hauses	dieser Stadt	dieser Leute

b. Unpreceded adjective endings — **ein, kein,** and the possessive adjectives have the same endings as **dieser** except:

	SINGULAR		
	with **der**-*nouns*		*with* **das**-*nouns*
Nom.	ein Freund	*Nom. & Acc.*	ein Buch

c. Unpreceded adjective endings — descriptive adjectives not preceded by a **dieser**-adjective or by an inflected form of an **ein**-adjective have the same endings as **dieser:**

	SINGULAR			PLURAL
	with **der**-*nouns*	*with* **das**-*nouns*	*with* **die**-*nouns*	*with all nouns*
Nom.	guter Wein ein guter Freund	kaltes Wasser ein neues Buch	rote Tinte	alte Leute
Acc.	guten Wein	kaltes Wasser ein neues Buch	rote Tinte	alte Leute
Dat.	gutem Wein(e)	kaltem Wasser	roter Tinte	alten Leuten
Gen.	(guten Wein(e)s)	(kalten Wassers)	roter Tinte	alter Leute

d. Preceded adjective endings — descriptive adjectives preceded by a **dieser**-adjective or by an inflected form of an **ein**-adjective:

	SINGULAR			PLURAL
	with **der**-*nouns*	*with* **das**-*nouns*	*with* **die**-*nouns*	*with all nouns*
Nom.	der schöne Tag	das rote Buch	die lange Stunde	die guten Leute
Acc.	den schönen Tag	das rote Buch	die lange Stunde	die guten Leute
Dat.	dem schönen Tag(e)	dem roten Buch(e)	der langen Stunde	den guten Leuten
Gen.	des schönen Tag(e)s	des roten Buch(e)s	der langen Stunde	der guten Leute

V. The declension of pronouns

a. The personal pronoun:

	SINGULAR					PLURAL			
Nom.	ich	er	es	sie	du	wir	sie	Sie	ihr
Acc.	mich	ihn	es	sie	dich	uns	sie	Sie	euch
Dat.	mir	ihm	ihm	ihr	dir	uns	ihnen	Ihnen	euch
Gen.	(meiner)	(seiner)	(seiner)	(ihrer)	(deiner)	(unser)	(ihrer)	(Ihrer)	(euer)

b. The relative pronoun:

	SINGULAR			PLURAL
referring to:	**der**-*nouns*	**das**-*nouns*	**die**-*nouns*	*all nouns*
Nom.	der; welcher	das; welches	die; welche	die; welche
Acc.	den; welchen	das; welches	die; welche	die; welche
Dat.	dem; welchem	dem; welchem	der; welcher	denen; welchen
Gen.	dessen	dessen	deren	deren

c. The interrogative pronoun:

	SINGULAR	
	(*who?*)	(*what?*)
Nom.	wer?	was?
Acc.	wen?	was?
Dat.	wem?	(wobei? womit? usw.)
Gen.	wessen?	(wovon?)

VOCABULARY

About the Vocabulary

NOUNS: The nominative singular, genitive singular, and nominative plural of **der-**nouns and **das-**nouns are given. No genitive singular is given for **die-**nouns.

Only the most common **die-**nouns ending in **–in** are given since these nouns can be readily formed from the corresponding **der-**nouns.

VERBS: Only the infinitive is given for regular verbs. The principal parts of irregular verbs are given as follows: **nehmen** (infinitive); **nimmt** (third singular, present tense, given only if it is irregular); **nahm** (first and third singular, past tense); **genommen** (perfect participle).

Verbs with a separable prefix are given with a hyphen: **aus-gehen.**

Verbs which use the auxiliary **sein** in the perfect tenses are marked (**s**); if their principal parts are listed, the perfect participle is given with **ist: ist gekommen.**

ADJECTIVES: The comparative and superlative forms of the adjective are given only if some change or irregularity occurs: **alt, älter, ältest–.** — A dash at the end of a word indicates that the form listed never occurs as such, but always with the appropriate ending.

STRESS MARKS: A stress mark is used after the syllable having the principal stress whenever a word is not stressed on the first syllable: **Student′, studie′ren.**

ABBREVIATIONS:

acc.	accusative
adj.	adjective
adj. n.	adjectival noun
adv.	adverb
coord. conj.	coordinating conjunction
dat.	dative
def. art.	definite article
dem. pron.	demonstrative pronoun
gen.	genitive
indef. art.	indefinite article
interr. pron.	interrogative pronoun
inv.	invariable
nom.	nominative
pers. pron.	personal pronoun
poss. adj.	possessive adjective
prep.	preposition
rel. pron.	relative pronoun
sing.	singular
sub. conj.	subordinating conjunction
usw.	etc.

GERMAN-ENGLISH VOCABULARY

A

ab off; **ab und zu** now and then
der **Abend, -s, -e** evening; **am Abend** in the evening; **abends** in the evening; evenings
das **Abendessen, -s, -** evening meal
aber *coord. conj.* but; however
ab-fahren (fährt ab), fuhr ab, ist abgefahren to ride off; drive off; leave
ab-holen to call for; fetch
das **Abitur', -s, -e** end examination (*of the "Gymnasium"*)
ab-reisen (s) to leave on a trip; depart; die **Abreise, -n** departure
ab-schließen, schloß ab, abgeschlossen to lock
der **Abschluß, -schlusses, -schlüsse** conclusion
ab-senden, sandte ab (sendete ab), abgesandt (abgesendet) to send off; send away; der **Absender (Abs.), -s, -** sender; remitter; "from"
die **Absicht, -en** intention
abstrakt' abstract
absurd' absurd
ach! oh! oh dear! alas!
acht eight; der **achte** *usw.* eighth
acht: sich (*acc.*) **in acht nehmen (nimmt sich in acht), nahm sich in acht, sich in acht genommen** to watch out; take care
achten to esteem
acht-geben (gibt acht), gab acht, achtgegeben (auf / *acc.*) to pay attention (to)
achtzehn eighteen; der **achtzehnte** *usw.* eighteenth
achtzig eighty
die **Adres'se, -n** address
ähnlich similar; die **Ähnlichkeit, -en** similarity
der **Akade'miker, -s, -** person with university education
akzeptie'ren to accept
all all; **vor allem** above all
allein' *adv.* alone; only; *coord. conj.* but; only
allerdings' to be sure; at any rate
der **allergrößte** *usw.* greatest (of all)
allerlei all sorts of
(das) **Allgäu, -s** southwestern German Alpine region
allgemein general; common; **im allgemeinen** in general
die **Alpen** Alps
als *sub. conj.* when; as; (*in comparisons*) than; **als ob, als wenn** as though; as if
also so; thus; then; therefore; well, then
alt, älter, ältest- old
das **Alumi'nium, -s** aluminum
(das) **Ame'rika, -s** America; der **Amerika'ner, -s, -** American; **amerika'nisch** *adj.* American
an *prep.* / *dat. or acc.* at; on; up against
an-bieten, bot an, angeboten to offer
der **andere** *usw.* other; **anders** otherwise; differently
ändern to change
an-fangen (fängt an), fing an, angefangen to begin; der **Anfang, -s, ⸗e** beginning; **anfangs** at first; in the beginning; der **Anfänger, -s, -** beginner
an-gehen, ging an, angegangen to concern
die **Angelegenheit, -en** affair, matter
angenehm pleasant
die **Angst, ⸗e** anxiety; worry; **Angst haben (vor** / *dat.*) to be worried; be scared (of)
an-kommen, kam an, ist angekommen to arrive
die **Ankunft** arrival
an-nehmen (nimmt an), nahm an, angenommen to accept; assume
an-reden to address; speak to; die **Anrede** address; salutation (*in a letter*)

an-rufen, rief an, angerufen to call up, telephone
an-sagen to announce; der **Ansager, -s, -** announcer
an-sammeln to collect
an-schauen to look at
an-schließen, schloß an, angeschlossen (**an** / *acc.*) to join (to); connect (with)
an-sehen (sieht an), sah an, angesehen to look at; **sich** (*dat.*) **an-sehen** to look over; view, inspect
anstatt *prep. / gen.* instead of
die **Anti'qua** Roman type
antworten (*dat.*) to answer (*someone*); (**auf** / *acc.*) reply (*to a question*); die **Antwort, -en** answer
die **Anzeige, -n** notice; advertisement
an-ziehen, zog an, angezogen to put on; dress; **sich** (*acc.*) **an-ziehen** to get dressed
der **Anzug, -(e)s, ⸚e** (man's) suit
an-zünden to light, ignite
der **Apfel, -s, ⸚** apple
der **Apparat', -s, -e** apparatus; appliance
der **Appetit', -s** appetite
der **April', (-s), -e** April
arbeiten to work; die **Arbeit, -en** work; task
der **Arbeitgeber, -s, -** employer
der **Arbeitnehmer, -s, -** employee
der **Architekt', -en, -en** architect
die **Arie, -n** aria
arm, ärmer, ärmst- poor
der **Arm, -(e)s, -e** arm
die **Armbanduhr, -en** wrist watch
die **Armee', -n** army
die **Art, -en** manner; way; type; **auf diese Art** in this way
der **Arti'kel, -s, -** article
der **Arzt, -es, ⸚e** doctor, physician
auch also, too
auf *prep. / dat. or acc.* on, on top of, upon
auf-bauen to build up
auf-fallen (fällt auf), fiel auf, ist aufgefallen (*dat.*) to be striking, strike; attract attention
die **Aufgabe, -n** task; assignment
auf-hören to stop
auf-machen to open
auf-nehmen (nimmt auf), nahm auf, aufgenommen to take up; receive; die **Aufnahme, -n** reception; photograph
auf-passen to pay attention; be careful
auf-regen to excite; die **Aufregung, -en** excitement
auf-reihen to arrange in a row, line up
auf-stehen, stand auf, ist aufgestanden to stand up; arise; rise; get up
auf-stellen to set up
auf-tauchen (s) to emerge; appear
auf-treiben, trieb auf, aufgetrieben to procure; "dig up"
auf-wachen (s) to awake, wake up
auf-wachsen (wächst auf), wuchs auf, ist aufgewachsen to grow up
der **Aufzug, -s, ⸚e** elevator
das **Auge, -s, -n** eye
der **Augenblick, -s, -e** moment
der **August', (-s), -e** August
aus *prep. / dat.* out of, from; *adv.* out; over
der **Ausdruck, -s, ⸚e** expression
der **Ausflug, -s, ⸚e** excursion
aus-führen to carry out, execute; **ausführlich** in detail
der **Ausgang, -s, ⸚e** exit
aus-geben (gibt aus), gab aus, ausgegeben to give out; spend
aus-gehen, ging aus, ist ausgegangen to go out
ausgezeichnet excellent
das **Ausland, -s** foreign country; **im Ausland** abroad
aus-machen to make out; matter; **es macht mir nichts aus** it does not matter to me
die **Ausnahme, -n** exception
aus-packen to unpack
aus-rechnen to figure out
aus-sehen (sieht aus), sah aus, ausgesehen to look, appear
außen outside
der **Außendienst, -(e)s** foreign service
außer *prep. / dat.* outside of; except
außerdem besides; moreover
außerhalb *prep. / gen.* outside of
die **Aussicht, -en** view; prospect; outlook

aus-steigen, stieg aus, ist ausgestiegen to climb out; get out (*of a vehicle*)
die **Auster, -n** oyster
aus-wählen to select; die **Auswahl** selection; choice
aus-ziehen, zog aus, ausgezogen to take off; undress; **sich** (*acc.*) **aus-ziehen** to get undressed; **aus-ziehen** (s) to move out
das **Auto, -s, -s** auto; das **Automobil', -s, -e** automobile
die **Autobahn, -en** superhighway
der **Autobus, -busses, -busse** bus

B

der **Bach, -(e)s ⸚e** brook
baden to swim; bathe; das **Bad, -(e)s, ⸚er** bath
das **Badezimmer, -s, -** bathroom
die **Bahn, -en** course; track; railroad
bald soon; **baldig-** *adj.* early, speedy
der **Balkan, -s** Balkans
der **Balkon', -s, -e** balcony
der **Ball, -(e)s, ⸚e** ball
der **Band, -(e)s, ⸚e** volume
das **Band, -(e)s, ⸚er** ribbon
bang(e) anxious; frightened
die **Bank, ⸚e** bench
die **Bank, -en** bank
der **Bauch, -(e)s, ⸚e** stomach, belly
bauen to build
der **Bauer, -n (-s), -n** peasant
der **Bauernhof, -(e)s, ⸚e** farm
der **Baum, -(e)s, ⸚e** tree
die **Baumwolle** cotton
der **Beam'te** *adj. n.* official; civil servant
beant'worten to answer
sich (*acc.*) **bedan'ken** to say thanks
bedeu'ten to mean, signify; **bedeu'tend** significant; die **Bedeu'tung, -en** meaning
beein'flussen to influence
die **Beere, -n** berry
befrei'en to free
begeg'nen (*dat.*) to meet, encounter
begin'nen, begann, begonnen to begin; der **Beginn', -s** beginning
begrü'ßen to greet
behaup'ten to assert; die **Behaup'tung, -en** assertion
bei *prep. / dat.* beside; at; by; among; **bei mir** with me; at my house
beide both; **die beiden** both; the two
das **Bein, -(e)s, -e** leg
beinahe almost
beisam'men together
das **Beispiel, -s, -e** example; **zum Beispiel (z.B.)** for example (e.g.)
beißen, biß, gebissen to bite
bekannt' well known; **mir** (*dat.*) **bekannt** well known to me
die **Bekannt'schaft, -en** acquaintance
bekom'men, bekam, bekommen to receive; get
beliebt' popular
bellen to bark
bemer'ken to remark; die **Bemer'kung, -en** remark
benüt'zen to use
das **Benzin', -s** gasoline; benzine
bequem' comfortable; convenient
bera'ten (berät), beriet, beraten to advise
bereit' ready; **bereits'** already
der **Berg, -(e)s, -e** mountain
die **Bergbahn, -en** mountain railway
die **Bergwand, ⸚e** face of a mountain; face of a cliff
berich'ten to report; der **Bericht', -(e)s, -e** report
der **Beruf', -(e)s, -e** profession, calling
berühmt' famous; die **Berühmt'heit, -en** famous person
beschlie'ßen, beschloß, beschlossen to decide
beschrei'ben, beschrieb, beschrieben to describe; die **Beschrei'bung, -en** description
besie'gen to conquer; defeat
besit'zen, besaß, besessen to have, possess
der **beson'dere** *usw.* special; **beson'ders** especially
bespre'chen (bespricht), besprach, besprochen to discuss
besser (*see* **gut**) better
bessern to improve
der **beste** *usw.* (*see* **gut**) best

beste'hen, bestand, bestanden to pass (*an examination*); exist; **bestehen (aus** / *dat.*) to consist (of)
bestel'len to order
bestim'men to determine; **bestimmt'** definite
besu'chen to visit; der **Besuch', -e** visit; **auf Besuch** on a visit
betrei'ben, betrieb, betrieben to operate; carry on
das **Bett, -(e)s, -en** bed; **zu Bett** to bed; in bed; **sich** (*acc.*) **betten** to bed oneself
das **Bettuch, -(e)s, ⸚er** (bed)sheet
die **Bevöl'kerung, -en** population
bevor' *sub. conj.* before
bevor'zugt favored
bewah'ren to guard; preserve
bewe'gen to move
bewun'dern to admire; die **Bewun'derung** admiration
bezah'len to pay
bezau'bern to enchant, charm
die **Bibliothek', -en** library
biegen, bog, gebogen to bend; die **Biegung, -en** bend, curve
biegsam flexible
das **Bier, -(e)s, -e** beer
bieten, bot, geboten to offer
das **Bild, -(e)s, -er** picture
bilden to form, shape
das **Bildnis, -nisses, -nisse** image; portrait
billig cheap
binden, band, gebunden to bind, tie
die **Biologie'** biology
die **Birne, -n** pear
bis until
bisher' up to now
bitten, bat, gebeten (um / *acc.*) to ask (for); die **Bitte, -n** request; **bitte!** please! yes, please! *often:* "you are welcome"
bitter bitter
blasen (bläst), blies, geblasen to blow
das **Blatt, -(e)s, ⸚er** leaf; sheet of paper
blau blue
bleiben, blieb, ist geblieben to remain; stay
der **Bleistift, -(e)s, -e** pencil
blicken to glance; der **Blick, -(e)s, -e** glance
blitzen to flash; lighten; der **Blitz, -es, -e** lightning; flash
blond blond
bloß mere
die **Blume, -n** flower
die **Bluse, -n** blouse
das **Blut, -(e)s** blood
der **Boden, -s, ⸚** ground; floor; soil
böse angry; evil
boxen to box; der **Boxer, -s, -** boxer
der **Boxkampf, -(e)s, ⸚e** boxing match
der **Brand, -(e)s, ⸚e** fire, conflagration
brauchen to use; need
die **Brauerei', -en** brewery
braun brown
brav well-behaved; good
brechen (bricht), brach, gebrochen to break
breit broad; wide; die **Breite, -n** breadth; width
brennen, brannte, gebrannt to burn
der **Brief, -(e)s, -e** letter
der **Briefkasten, -s, -** *or* **⸚** mailbox
die **Briefmarke, -n** postage stamp
der **Briefträger, -s, -** mailman
der **Briefwechsel, -s** correspondence
die **Brille, -n** pair of (eye)glasses
bringen, brachte, gebracht to bring
das **Brot, -(e)s, -e** bread; das **Brötchen, -s, -** roll; **das belegte Brötchen** canapé
der **Bruch, -(e)s, ⸚e** break; fracture; fraction
der **Bruder, -s, ⸚** brother
die **Brust, ⸚e** breast; chest
das **Buch, -(e)s, ⸚er** book
der **Buchstabe, -ns, -n** letter (*of the alphabet*)
die **Bühne, -n** stage
der **Bund, -(e)s, ⸚e** league; federation
der **Bundeskanzler, -s, -** Federal Chancellor
bunt many-colored; gay
die **Burg, -en** castle; citadel
der **Bürger, -s, -** townsman; citizen
der **Bürgerkrieg, -(e)s, -e** civil war
der **Bürgermeister, -s, -** mayor
das **Büro', -s, -s** office

der **Busch, -es, ⸚e** bush
die **Butter** butter

C

das **Café, -s, -s** café; coffeehouse
Celsius centigrade
der **Cent, -s, -s** cent
die **Chemie'** chemistry
der **Chor, -(e)s, ⸚e** choir; chorus
der **Christbaum, -(e)s, ⸚e** Christmas tree

D

da *sub. conj.* since; *adv.* there; then
dabei' at the same time; in connection with that
das **Dach, -(e)s, ⸚er** roof
der **Dachshund, -(e)s, -e** dachshund
dafür in return for that
daher thence; therefore
damals at that time
die **Dame, -n** lady
damit with that; **damit'** *sub. conj.* so that, in order that
danach' after that; according to that
danken (*dat.*) to thank; der **Dank, -(e)s** gratitude; thanks; **danke!** thanks! "no, thanks!"; **danke schön!** many thanks! thanks!
dann then
darum therefore
das *def. art.* the; *dem. pron.* (*refers to* **das**-*nouns*) that; it; *rel. pron.* (*refers to* **das**-*nouns*) that; which; who
das **Dasein, -s** existence
daß *sub. conj.* that
das **Datum, -s, Daten** date
dazu' in addition; besides; for that purpose
decken to cover; die **Decke, -n** cover; blanket; ceiling
dein *usw., poss. adj.* "thy"; your
die **Demokratie', -n** democracy; **demokra'tisch** democratic
denken, dachte, gedacht (**an** / *acc.*) to think (of)
denn *adv.* then; *coord. conj.* for
der *def. art.* the; *dem. pron.* (*refers to* **der**-*nouns*) he; that; it; *rel. pron.* (*refers to* **der**-*nouns*) that; which; who
dersel'be *usw.* the same
deshalb therefore
der **Detektiv', -s, -e** detective
deuten (**auf** / *acc.*) to point (to); **deutlich** clear
(das) **Deutsch** German (*language*); **deutsch** *adj.* German; **auf deutsch** in German; der **Deutsche** *adj. n.* German
(das) **Deutschland, -s** Germany
der **Dezem'ber, (-s), -** December
der **Dialekt', -s, -e** dialect
dichten to write; write poetry; der **Dichter, -s, -** poet; (poetical) writer; die **Dichtung, -en** fiction; work of fiction; literature
dick thick; fat
die *def. art.* the; *dem. pron.* (*refers to* **die**-*nouns*) she; that; it; *rel. pron.* (*refers to* **die**-*nouns*) that; which; who
der **Dieb, -(e)s, -e** thief
dienen (*dat.*) to serve; der **Diener, -s, -** servant; der **Dienst, -es, -e** service
der **Dienstag, -(e)s, -e** Tuesday
das **Dienstmädchen, -s, -** servant girl; maid
dieser *usw.* this; the latter
das **Ding, -(e)s, -e** thing
der **Diplomat', -en, -en** diplomat
direkt' direct
der **Dirigent', -en, -en** conductor
die **Diskussion', -en** discussion
doch nonetheless; still; yet
der **Doktor, -s, Dokto'ren** doctor; Dr.
der **Dollar, -s, -s** dollar
der **Dom, -(e)s, -e** cathedral
donnern to thunder; der **Donner, -s** thunder
der **Donnerstag, -(e)s, -e** Thursday
doppelt double
das **Dorf, -(e)s, ⸚er** village
dort there; over there
das **Drama, -s, Dramen** drama; play
draußen outside; out there
drei three; der **dritte** *usw.* third
dreißig thirty
dreizehn thirteen; der **dreizehnte** *usw.* thirteenth
drinnen inside; in there

droben up above; upstairs; up there
drüben over there
drunten down below; downstairs; down there
du *pers. pron.* "thou"; you; **auf du und du** on a familiar basis; very friendly
dumm, dümmer, dümmst– stupid; foolish; die **Dummheit, –en** stupidity; foolishness; stupid act
dunkel dark; die **Dunkelheit** darkness
dünn thin
durch *prep. / acc.* through
durchaus′ completely; thoroughly
durch-fallen (**fällt durch**), **fiel durch, ist durchgefallen** to fall through; flunk
der **Durchgang, –(e)s, ⸚e** passageway; passage
durch-kommen, kam durch, ist durchgekommen to pass through; pass (*an examination*)
durch-machen to experience; go through
dürfen (**darf**), **durfte, gedurft** to be permitted to; may; can
der **Durst, –es** thirst; **Durst haben** to be thirsty; **durstig** thirsty
das **Dutzend, –s, –e** dozen
duzen to address with **"du"**; **sich** (*acc.*) **duzen** to say **"du"** to each other

E

eben *adj.* even; level; *adv.* just; just now; exactly; naturally, to be sure
ebenfalls likewise
echt genuine
die **Ecke, –n** corner; **eckig** angular
edel noble
ehe *sub. conj.* before
ehren to honor; **Sehr geehrter Herr!** Dear Sir! die **Ehre, –n** honor; **ihm zu Ehren** in his honor
das **Ei, –(e)s, –er** egg
die **Eiche, –n** oak tree
der **Eifer, –s** zeal; **eifrig** zealous; eager
eigen own
eigentlich actually
ein *usw., indef. art.* a, an; one
einan′der one another; each other
der **Eindruck, –(e)s, ⸚e** impression
einfach simple
ein-fallen (**fällt ein**), **fiel ein, ist eingefallen** to occur to; **es fällt mir ein** it occurs to me; der **Einfall, –(e)s, ⸚e** idea
der **Einfluß, –flusses, –flüsse** influence
der **Eingang, –(e)s, ⸚e** entrance
die **Einheit, –en** unit; unity; **einheitlich** uniform
einige *usw.* a few; some
ein-kaufen to make purchases; shop
ein-laden (**lädt ein / ladet ein**), **lud ein, eingeladen** to invite; die **Einladung, –en** invitation
einmal once
das **Einmaleins′** multiplication table
ein-nehmen (**nimmt ein**), **nahm ein, eingenommen** to take in; eat
ein-packen to pack; pack up
die **Einrichtung, –en** arrangement
eins one (*in counting*)
einsam lonely; solitary
ein-schlafen (**schläft ein**), **schlief ein, ist eingeschlafen** to fall asleep
die **Einsicht, –en** insight; (*plural*) views
einst formerly; once
ein-stecken to put in (*one's pocket*)
ein-steigen, stieg ein, ist eingestiegen to get in (*a vehicle*)
ein-treffen (**trifft ein**), **traf ein, ist eingetroffen** to arrive
ein-treten (**tritt ein**), **trat ein, ist eingetreten** to enter, walk in; der **Eintritt, –(e)s, –e** entrance; admission
einzeln single; individual; die **Einzelheit, –en** detail
einzig only; sole
das **Eis, –es** ice; **eisig** icy
das **Eisen, –s** iron; **eisern** (of) iron
die **Eisenbahn, –en** railroad
eitel vain; die **Eitelkeit, –en** vanity
die **Elbe** Elbe (*German river*)
elegant′ elegant
die **Elektrizität′** electricity; **elek′trisch** electric; electrical
die **Eltern** (*plural only*) parents
das **Emmental, –(e)s** Valley of the Emme (*in Switzerland*)

empfangen (**empfängt**), **empfing, empfangen** to receive; der **Empfang′**, –(e)s, ⸚e reception
empfin′den, empfand, empfunden to feel
enden to end; das **Ende, –s, –n** end; **zu Ende** at an end; over; die **Endung, –en** ending; **endlich** finally
eng narrow; tight
(das) **England, –s** England; der **Engländer, –s, –** Englishman
(das) **Englisch** English (*language*); **englisch** *adj.* English; **auf englisch** in English
entde′cken to discover; die **Entde′ckung, –en** discovery
entfer′nen to remove; **sich** (*acc.*) **entfernen** to go away; die **Entfer′nung, –en** distance; removal
entge′hen, entging, ist entgangen to escape
enthal′ten (**enthält**), **enthielt, enthalten** to contain
entlang′ *prep. / acc.* along; **die Straße entlang** along the street
entschul′digen to excuse; pardon
entsetz′lich frightful
entste′hen, entstand, ist entstanden to arise; originate
entweder . . . oder either . . . or
entwi′ckeln to develop; die **Entwick′lung, –en** development
die **Epik** epic poetry; **episch** epic
er *pers. pron.* (*refers to* **der**-*nouns*) he; it
die **Erde, –n** earth; soil, ground
erden′ken, erdachte, erdacht devise, invent
das **Erdgeschoß, –schosses** ground floor
das **Ereig′nis, –nisses, –nisse** event; **ereig′nislos** eventless
erfin′den, erfand, erfunden to invent; der **Erfin′der, –s, –** inventor; die **Erfin′dung, –en** invention
der **Erfolg′, –(e)s, –e** success; **erfolg′reich** successful
erfor′schen to explore; investigate; der **Erfor′scher, –s, –** explorer; investigator; die **Erfor′schung, –en** exploration; investigation
ergän′zen to complete, supplement
erge′ben (**ergibt**), **ergab, ergeben** to result; yield; **sich** (*acc.*) **ergeben** to yield; surrender; **Ihr sehr ergebener** *usw.* yours sincerely; das **Ergeb′nis, –nisses, –nisse** result
erhal′ten (**erhält**), **erhielt, erhalten** to obtain; retain; die **Erhal′tung** preservation
erin′nern (**an** / *acc.*) to remind (of); **sich** (*acc.*) **erinnern** (**an** / *acc.*) to remember, recollect; die **Erin′nerung, –en** remembrance
sich (*acc.*) **erkäl′ten** to catch cold
erklä′ren to explain; die **Erklä′rung, –en** explanation
erläu′tern to clarify, comment on; die **Erläu′terung, –en** explanation; comment
erle′ben to experience
ernst earnest, serious
ero′bern to conquer; captivate
erör′tern to discuss
erre′gen to excite; stimulate; die **Erre′gung, –en** excitement; stimulation
erschei′nen, erschien, ist erschienen to appear; appear in print
erst first; not until; der **erste** *usw.* first; der **erstere** *usw.* former
der **Erwach′sene** *adj. n.* adult
erwäh′nen to mention
erwar′ten to expect; await
erzäh′len to relate; tell; die **Erzäh′lung, –en** story; tale; narration
erzie′hen, erzog, erzogen to educate; rear
es *pers. pron.* (*refers to* **das**-*nouns*) it; he; she
der **Esel, –s, –** donkey; jackass
essen (**ißt**), **aß, gegessen** to eat; das **Essen, –s, –** meal; food; **zum Essen** for a meal; with a meal
das **Eßzimmer, –s, –** dining room
etwa *inv.* approximately; about
etwas *inv.* something; somewhat
euer *usw., poss. adj.* your
(das) **Euro′pa, –s** Europe; der **Europä′er, –s, –** European; **europä′isch** *adj.* European
das **Exa′men, –s, Exa′mina** examination
der **Expreß′, –presses, Expreß′züge** express train
der **Expressionist′, –en, –en** expressionist

F

fabelhaft fabulous
die **Fabrik'**, **-en** factory
das **Fach**, -(e)s, **⸚er** compartment; branch; subject (*of study*)
fahren (**fährt**), **fuhr**, **ist gefahren** to drive; ride; go (*by some conveyance*)
die **Fahrkarte**, **-n** ticket
das **Fahrrad**, -(e)s, **⸚er** bicycle
der **Fahrstuhl**, -(e)s, **⸚e** elevator
die **Fahrt**, **-en** ride; drive; trip
der **Falke**, **-n**, **-n** falcon
fallen (**fällt**), **fiel**, **ist gefallen** to fall; der **Fall**, -(e)s, **⸚e** fall; case
falsch false; wrong
die **Fami'lie**, **-n** family
fangen (**fängt**), **fing**, **gefangen** to catch
die **Farbe**, **-n** color; **farbig** colored; colorful
das **Faß**, **Fasses**, **Fässer** barrel
fassen to seize
fast almost
faul lazy
die **Faust**, **⸚e** fist
(der) **Faustball**, -(e)s *game in which a ball is hit over a line with the fist*
der **Februar**, (-s), **-e** February
die **Feder**, **-n** pen; feather
fehlen to be lacking; **es fehlt mir an Zeit** I lack time
der **Fehler**, **-s**, - error; fault; mistake
feiern to celebrate; die **Feier**, **-n** celebration
der **Feiertag**, -(e)s, **-e** holiday
fein fine
der **Feind**, -(e)s, **-e** enemy; **feindlich** hostile; die **Feindschaft**, **-en** enmity; hostility
der **Feinschmecker**, **-s**, - epicure, gourmet
das **Feld**, -(e)s, **-er** field
der **Felsen**, **-s**, - rock; cliff
das **Fenster**, **-s**, - window
die **Ferien** (*plural only*) vacation
fern distant; remote; die **Ferne**, **-n** distance; remoteness
der **Fernseher**, **-s**, - television set
der **Fernsprecher**, **-s**, - telephone
fertig ready; done
fest firm
das **Fest**, -(e)s, **-e** festival; festivities; holiday
das **Festspiel**, -(e)s, **-e** festival; festival play
der **Festtag**, -(e)s, **-e** festival day; holiday
die **Festung**, **-en** fortress
fett fat; greasy
das **Feuer**, **-s**, - fire; **haben Sie Feuer?** do you have a light?
die **Feuerpolizei** fire department
die **Figur'**, **-en** figure
der **Film**, -(e)s, **-e** film; motion picture
finden, **fand**, **gefunden** to find
der **Finger**, **-s**, - finger
fischen to fish; der **Fisch**, **-es**, **-e** fish
die **Flasche**, **-n** bottle
die **Fledermaus**, **⸚e** bat
das **Fleisch**, **-es** meat
fleißig hard-working; industrious
fliegen, **flog**, **ist geflogen** to fly; der **Flieger**, **-s**, - flier
fließen, **floß**, **ist geflossen** to flow; **fließend** fluent(ly), running
die **Flotte**, **-n** fleet
der **Flügel**, **-s**, - wing
der **Flugplatz**, **-es**, **⸚e** airport
das **Flugzeug**, -(e)s, **-e** airplane
der **Fluß**, **Flusses**, **Flüsse** river
folgen (s) (*dat.*) to follow; die **Folge**, **-n** result
die **Form**, **-en** form; shape
forschen to investigate; do research; der **Forscher**, **-s**, - investigator; research scholar; die **Forschung**, **-en** research; investigation
fort forward; forth; away
die **Fortführung**, **-en** continuation
fort-gehen, **ging fort**, **ist fortgegangen** to go away; leave
das **Foto**, **-s**, **-s** photograph
fotografie'ren to photograph; der **Fotograf'**, **-en**, **-en** photographer; die **Fotografie'** photography
fragen to ask; ask a question; die **Frage**, **-n** question
die **Fraktur'** German text type

(das) **Frankreich, -s** France
der **Franzo'se, -n, -n** Frenchman; die **Franzö'sin, -nen** Frenchwoman
(das) **Franzö'sisch** French (*language*); **französisch** *adj.* French; **auf französisch** in French
die **Frau, -en** woman; wife; Mrs.
das **Fräulein, -s, -** young lady; miss; Miss
frei free; unoccupied; **im Freien** in the open; in the open air; **ins Freie** into the open; die **Freiheit, -en** freedom
freilich to be sure
der **Freitag, -(e)s, -e** Friday
fremd strange; foreign; der **Fremde** *adj. n.* stranger; die **Fremde** foreign land; **in der Fremde** abroad; in a foreign land
die **Fremdenindustrie** tourist industry
die **Fremdsprache, -n** foreign language
fressen (frißt), fraß, gefressen to eat; devour (*of animals*)
die **Freude, -n** pleasure; joy
freuen to please; **sich** (*acc.*) **freuen** to be pleased; **sich freuen auf** / *acc.* to look forward to; **sich freuen über** / *acc.* to be pleased about
der **Freund, -(e)s, -e** friend; **freundlich** friendly; die **Freundschaft, -en** friendship
der **Friede(n), -ns** peace; **Frieden schließen** to make peace
frieren, fror, ist gefroren to freeze
frisch fresh
der **Friseur', -s, -e** barber; hairdresser
froh happy; merry; **fröhlich** merry
die **Frucht, ⸚e** fruit; result
früh early; **früher** earlier; former; previous; die **Frühe** early morning
der **Frühling, -s, -e** springtime
das **Frühstück, -(e)s, -e** breakfast; **zum Frühstück** for breakfast
fühlen to feel
führen to lead; guide
füllen to fill
fünf five; der **fünfte** *usw.* fifth
fünfzehn fifteen; der **fünfzehnte** *usw.* fifteenth
fünfzig fifty
für *prep.* / *acc.* for
furchtbar fearful; frightful
der **Fürst, -en, -en** prince; **fürstlich** princely
der **Fuß, -es, ⸚e** foot; **zu Fuß** on foot
(der) **Fußball, -s, ⸚e** soccer; football
der **Fußboden, -s, -** *or* ⸚ floor
der **Fußweg, -(e)s, -e** footpath

G

die **Gabe, -n** gift
die **Gabel, -n** fork
der **Gang, -(e)s, ⸚e** corridor; hallway; gait, walk
die **Gans, ⸚e** goose
ganz whole, entire; "quite"
gar "at all"; very; **gar nicht** not at all; **gar nichts** nothing at all
der **Garten, -s, ⸚** garden
der **Gast, -(e)s, ⸚e** guest
das **Gasthaus, -es, ⸚er** hotel; inn
die **Gebär'de, -n** gesture
das **Gebäu'de, -s, -** building; structure
geben (gibt), gab, gegeben to give; **es gibt** there is; there are
das **Gebiet', -(e)s, -e** territory; field; area
das **Gebir'ge, -s, -** mountains; mountain range
gebo'ren born; née
gebrau'chen to use; **gebräuch'lich** customary; usual; der **Gebrauch', -(e)s, ⸚e** use; custom, usage
gebüh'ren to belong to by right; die **Gebühr', -en** fee
die **Geburt', -en** birth
das **Gedächt'nis, -nisses** memory
der **Gedan'ke, -ns, -n** thought
das **Gedicht', -(e)s, -e** poem
die **Gefahr', -en** danger; **gefähr'lich** dangerous
gefal'len (gefällt), gefiel, gefallen (*dat.*) to please
das **Gefühl', -(e)s, -e** feeling
gegen *prep.* / *acc.* against; toward
die **Gegend, -en** region; neighborhood
der **Gegenstand, -(e)s, ⸚e** object; thing
die **Gegenwart** present, present time

geheim′ secret; das **Geheim′nis, -nisses, -nisse** secret
gehen, ging, ist gegangen to walk; go; proceed; **wie geht es Ihnen?** how are you?
gehö′ren (*dat.*) to belong to
der **Geist, -(e)s, -er** spirit; mind; ghost; **geistig** spiritual; mental; intellectual; **geistreich** witty; ingenious
gelb yellow; **gelblich** yellowish
das **Geld, -(e)s, -er** money
der **Geldschein, -(e)s, -e** bill
die **Gele′genheit, -en** opportunity; **gele′gentlich** occasional; on occasion
der **Gelehr′te** *adj. n.* scholar; learned man
geliebt′ beloved
gelin′gen, gelang, ist gelungen to succeed, be successful; **es gelingt mir** I succeed
gelt (gel)? (*colloquial*) isn't that so?
gelten (gilt), galt, gegolten to be valid; be worth
die **Gemein′de, -n** community; congregation
das **Gemü′se, -s, -** vegetable; vegetables
gemüt′lich cozy; sociable; die **Gemüt′lichkeit** comfort; sociability
genau′ exact
genug′ enough
die **Geographie′** geography; der **Geograph′, -en, -en** geographer
gera′de straight; exactly; just now
das **Gerät′, -(e)s, -e** tool; implement
das **Geräusch′, -es, -e** noise; sound(s)
gerecht′ just; fair
gering′ slight
gern, lieber, am liebsten gladly; (*with verb*) to like to; **er singt gern** he likes to sing; **er tanzt lieber** he prefers to dance; **er zeichnet am liebsten** he likes to draw best of all
der **Gesang′, -(e)s, ⸚e** song; singing
das **Geschäft′, -(e)s, -e** business; store
gesche′hen (geschieht), geschah, ist geschehen to happen; **es geschieht mir recht** it serves me right
das **Geschenk′, -(e)s, -e** present; gift
die **Geschich′te, -n** story; history
der **Geschichts′schreiber, -s, -** historian
das **Geschick′, -(e)s, -e** skill; fate
der **Gesel′le, -n, -n** companion; journeyman
die **Gesell′schaft, -en** society; company
das **Gesetz′, -es** law
das **Gesicht′, -(e)s, -er** face
das **Gespenst′, -(e)s, -er** ghost
das **Gespräch′, -(e)s, -e** conversation
gestern yesterday
gesund′ healthy; well; die **Gesund′heit** health
das **Gewer′be, -s, -** trade; business
gewiß′ certain
gewö′hnen to accustom; **sich** (*acc.*) **gewöhnen** (**an** / *acc.*) to become accustomed to; get used to; **gewöhnt′** *or* **gewohnt′** accustomed; customary; **gewöhn′lich** ordinary; usual; die **Gewohn′heit, -en** custom; habit
das **Giebeldach, -(e)s, ⸚er** gabled roof
gießen, goß, gegossen to pour
der **Gipfel, -s, -** peak
glänzen to gleam; shine; **glänzend** brilliant; splendid
das **Glas, -es, ⸚er** glass
glauben to believe; **ich glaube es** (*acc. with things*) I believe it; **ich glaube ihm** (*dat. with persons*) I believe him; der **Glaube, -ns** belief; faith
gleich equal; like; right away
gleichfalls likewise
gleichgültig indifferent; unconcerned
der **Gletscher, -s, -** glacier
die **Glocke, -n** bell
das **Glück, -(e)s** happiness; fortune; luck; **glücklich** happy; fortunate
der **Glückwunsch, -es, ⸚e** congratulation; "good wishes"
gnädig gracious
das **Gold, -(e)s** gold
der **Gott, -(e)s, ⸚er** God; god; **göttlich** divine
der **Grad, -(e)s, -e** degree
das **Gramm, -(e)s, -e** gram
die **Gramma′tik, -en** grammar
das **Grammophon′, -s, -e** phonograph
das **Gras, -es, ⸚er** grass
grau gray
die **Grenze, -n** border; limit

der **Grenzpfahl, -(e)s, ⸚e** border post; boundary post
der **Grieche, -n, -n** Greek
groß, größer, größt- large; great; tall; **im großen und ganzen** on the whole; in general; die **Größe, -n** size; magnitude; important person
die **Großeltern** (*plural only*) grandparents
die **Großmutter, ⸚** grandmother
sich (*acc.*) **groß-tun, tat sich groß, sich großgetan** to boast; act important
der **Großvater, -s, ⸚** grandfather
grün green
der **Grund, -(e)s, ⸚e** ground; reason; foundation
der **Grundbesitz, -es** property; real estate
gründen to found
die **Grundschule, -n** elementary school
die **Gruppe, -n** group
grüßen to greet; der **Gruß, -es, ⸚e** greeting; **grüß Gott!** (*Bavarian*) hello! good-by!
der **Gummi, -s** rubber
gut, besser, best- good; die **Güte** goodness
das **Gymna'sium, -s, Gymna'sien** "Gymnasium"; secondary school

H

das **Haar, -(e)s, -e** hair
haben (hat), hatte, gehabt to have
der **Habicht, -s, -e** hawk
der **Hafen, -s, ⸚** harbor; haven
halb half; **halb zwei Uhr** *usw.* half past one o'clock, etc.
die **Hälfte, -n** half
die **Halle, -n** hall; auditorium
der **Hals, -es, ⸚e** neck
halten (hält), hielt, gehalten to hold; stop; **halten für** / *acc.* to take for; **halten von** / *dat.* to think of
die **Hand, ⸚e** hand; **bei der Hand** at hand
(der) **Handball, -(e)s, ⸚e** handball
der **Handel, -s** trade; transaction; commerce
der **Handkoffer, -s, -** suitcase
der **Handschuh, -(e)s, -e** glove
die **Handtasche, -n** handbag; pocketbook
hängen, hing, gehangen to hang
hart hard; die **Härte** hardness

hassen to hate; der **Haß, Hasses** hate; hatred; **häßlich** ugly
das **Haupt, -(e)s, ⸚er** head; chief
die **Hauptsache, -n** main thing; **hauptsächlich** mainly; chiefly
die **Hauptstadt, ⸚e** capital city
das **Haus, -es, ⸚er** house; **zu Hause (zuhause)** at home; **nach Hause** (toward) home
der **Haushalt, -(e)s, -e** household
heben, hob, gehoben to lift, raise
das **Heer, -(e)s, -e** army
das **Heft, -(e)s, -e** notebook
heilig holy, saintly
das **Heim, -(e)s, -e** home
heiraten to marry
heiß hot
heißen, hieß, geheißen to be called; **wie heißen Sie?** what is your name? **das heißt (d.h.)** that is (i.e.)
der *or.* das **Hektoliter, -s, -** hectoliter
helfen (hilft), half, geholfen (*dat.*) to help
hell bright
das **Hemd, -(e)s, -en** shirt
her *shows direction toward*
der **Herbst, -(e)s, -e** autumn, fall
der **Herr, -n, -en** (gentle)man; Lord; Mr.
her-richten to fix up
herrlich splendid, glorious
her-stellen to manufacture; produce; die **Herstellung** production; manufacture
herü'ber over, to this side
herum' around
hervor'-gehen, ging hervor, ist hervorgegangen come (forth), stem from, be a scion of
das **Herz, -ens, -en** heart; **herzlich** hearty; cordial
der **Herzog, -s, ⸚e** duke
heute today; **heute früh** this morning; **heutzutage** nowadays
hier here; **hierzulande** in this country
die **Hilfe, -n** help
hilfreich helpful
der **Himmel, -s, -** heaven; sky; **am Himmel** in the sky
die **Himmelsrichtung, -en** point of the compass

hin *shows direction away;* **hin und her** back and forth; to and fro
hinaus′ out
hinein′ in
hinten in back
hinter *prep. / dat. or acc.* behind; in back of
hinü′ber over there, across
hinun′ter down
hinzu′ in addition
die **Hitze** heat
hoch (hoh– *with endings*), **höher, höchst–** high; **höchst** very; highly; die **Höhe, –n** height
die **Hochachtung** respect; **hochachtungsvoll** respectfully
das **Hochhaus, –es, ⸚er** skyscraper
die **Hochschule, –n** university
der **Hof, –(e)s, ⸚e** yard; court; farm
hoffen to hope; die **Hoffnung, –en** hope; **hoffentlich** I hope; it is to be hoped
höflich polite
der **Höhepunkt, –(e)s, –e** high point; climax
hohl hollow; concave
das **Hohlmaß, –es, –e** measure of capacity; dry measure
holen to go and get; fetch
das **Holz, –es, ⸚er** wood
hören to hear
der **Horizont′, –s, –e** horizon
die **Hose, –n** pair of pants
das **Hotel′, –s, –s** hotel
hübsch pretty
die **Hüfte, –n** hip
der **Hügel, –s, –** hill
der **Hund, –(e)s, –e** dog
hundert hundred
der **Hunger, –s** hunger; **Hunger haben** to be hungry; **hungrig** hungry
der **Hut, –(e)s, ⸚e** hat
die **Hypothe′se, –n** hypothesis

I

ich *pers. pron.* I
das **Ideal′, –s, –e** ideal
der **Idealis′mus** idealism
die **Idee′, –n** idea
ihr *pers. pron.* "ye"; you; **ihr** *usw., poss. adj.* (*refers to* **die**-*nouns or plural nouns*) her; its; their; **Ihr** *usw., poss. adj.* your
illustrie′ren to illustrate
immer always
der **Impressionist′, –en, –en** impressionist
in *prep. / dat. or acc.* in; into
indem′ *sub. conj.* as; while; by
individuell′ individual
die **Industrie′, –n** industry
innen within
inner inner; interior
das **Instrument′, –s, –e** instrument
interessie′ren to interest; **sich** (*acc.*) **interessieren für** (*acc.*) to be interested in; **interessant′** interesting; das **Interes′se, –s, –n** interest
international′ international
das **Interview, –s, –s** interview
inzwi′schen in the meantime
irgend any; some
irgendein any
irgendwann any time; sometime
irgendwie in any way; in some way
irgendwo anywhere; somewhere
(das) **Ita′lien, –s** Italy; der **Italie′ner, –s, –** Italian
(das) **Italie′nisch** Italian (*language*); **italienisch** *adj.* Italian; **auf italienisch** in Italian

J

ja yes; indeed; certainly
jagen to hunt; chase; der **Jäger, –s, –** hunter; die **Jagd, –en** hunt; chase
das **Jahr, –(e)s, –e** year; **jahrelang** for years; **jährlich** annual
die **Jahreszahl, –en** year (*date*)
die **Jahreszeit, –en** season of the year
das **Jahrhun′dert, –s, –e** century
der **Januar, (–s), –e** January
je ever; **je . . . je** (**desto**) the . . . the
jedenfalls in any case; at any rate
jeder *usw.* each; every
jemand, –(e)s someone
jener *usw.* that; the former
jetzt now

der **Journalist'**, **-en**, **-en** journalist
die **Jugend** youth
der **Juli**, (**-s**), **-s** July
jung, jünger, jüngst- young
der **Junge, -n, -n** boy
der **Junggeselle, -n, -n** bachelor
der **Juni**, (**-s**), **-s** June

K

der **Kaffee** (**Kaffee'**), **-s, -s** coffee
der **Kaiser, -s,** - emperor; kaiser
kalt, kälter, kältest- cold; die **Kälte** cold; coldness
die **Kamera, -s** camera
der **Kamerad', -en, -en** comrade; die **Kamerad'schaft, -en** comradeship; comrades
kämmen to comb; der **Kamm, -(e)s, ⸚e** comb
kämpfen to fight; der **Kampf, -(e)s, ⸚e** fight; struggle
der **Kanzler, -s,** - chancellor
die **Kapel'le, -n** chapel; small orchestra
die **Karte, -n** card; map; ticket
die **Kartof'fel, -n** potato
der **Käse, -s,** - cheese
die **Kasta'nie, -n** chestnut; der **Kasta'nienbaum, -(e)s, ⸚e** chestnut tree
der **Kasten, -s,** - *or* ⸚ chest; box
die **Katze, -n** cat
kaufen to buy; der **Kauf, -(e)s, ⸚e** purchase; der **Käufer, -s,** - buyer
kaum hardly
der **Kaviar, -s, -e** caviar
kein *usw.* no; not a; not any
der **Keller, -s,** - cellar
der **Kellner, -s,** - waiter
kennen, kannte, gekannt to know; be acquainted with
der **Kerl, -(e)s, -e** fellow
die **Kerze, -n** candle
die **Kette, -n** chain
das **Kilogramm', -s, -e** kilogram; das **Kilo, -s, -(s)** kilogram
das *or* der **Kilome'ter, -s,** - kilometer
das **Kind, -(e)s, -er** child
das **Kinn, -(e)s, -e** chin
das **Kino, -s, -s** cinema; moving picture theater
die **Kirche, -n** church; **in der Kirche** in church; at church; **in die Kirche** to church
die **Kirsche, -n** cherry
die **Kiste, -n** box
klar clear; die **Klarheit** clarity
die **Klasse, -n** class (*as a group*); grade (*of school*)
das **Klassenzimmer, -s,** - classroom
die **Klassik** classicism; **klassisch** classic; classical
das **Kleid, -(e)s, -er** dress; die **Kleider** (*plural*) clothes; die **Kleidung** clothing
klein little; small
das **Kleingeld, -(e)s** change; coins
das **Klima, -s, Klima'te** climate
klingeln to ring; die **Klingel, -n** (little) bell
klingen, klang, geklungen to sound
klug, klüger, klügst- wise; smart
der **Knabe, -n, -n** lad; boy
knipsen to snap a picture
kochen to cook; der **Koch, -(e)s, ⸚e** cook
der **Koffer, -s,** - trunk; suitcase
die **Kohle, -n** coal
komisch comic; funny; odd
kommen, kam, ist gekommen to come
komplizie'ren to complicate
der **Komponist', -en, -en** composer
der **König, -s, -e** king
können (**kann**), **konnte, gekonnt** to be able; can; **er kann Deutsch** he knows German
die **Konser've, -n** preserve; (*plural*) canned goods
der **Kontinent', -s, -e** continent
konzentrie'ren to concentrate
das **Konzert', -s, -e** concert; concerto; **im Konzert** at the concert; **ins Konzert** to the concert
der **Kopf, -(e)s, ⸚e** head
der **Korb, -(e)s, ⸚e** basket
der **Körper, -s,** - body; **körperlich** physical; bodily
der **Kosa'kenchor, -(e)s** Cossack chorus
kosten to cost; taste

das **Kostüm'**, **-s**, **-e** costume; woman's suit
die **Kraft**, **⸚e** strength; energy
der **Kragen**, **-s**, **-** collar
krank, kränker, kränkst- sick, ill; die **Krankheit**, **-en** illness; disease
die **Krawat'te**, **-n** tie; cravat
die **Kreide**, **-n** chalk
der **Kreis**, **-es**, **-e** circle
kreuzen to cross; das **Kreuz**, **-es**, **-e** cross; die **Kreuzung**, **-en** crossing
der **Krieg**, **-(e)s**, **-e** war
die **Kritik'**, **-en** critique; critical analysis; criticism
die **Krone**, **-n** crown
krumm, krümmer, krümmst- crooked; die **Krümmung**, **-en** twist; curve
die **Küche**, **-n** kitchen
der **Kuchen**, **-s**, **-** cake
die **Kuh**, **⸚e** cow
kühl cool; die **Kühle** coolness
der **Kühlschrank**, **-(e)s**, **⸚e** icebox
die **Kultur'**, **-en** culture; civilization
die **Kunst**, **⸚e** art; der **Künstler**, **-s**, **-** artist
das **Kupfer**, **-s** copper
kurz, kürzer, kürzest- short; **zu kurz kommen** to get the short end; die **Kürze** shortness; brevity
die **Kusi'ne**, **-n** (*female*) cousin

L

lächeln to smile
lachen to laugh
der **Laden**, **-s**, **⸚** store; shop
die **Lage**, **-n** situation; location
das **Land**, **-(e)s**, **⸚er** land; country; **auf dem Lande** in the country; **aufs Land** to the country
landen to land
die **Landkarte**, **-n** map
die **Landschaft**, **-en** landscape
lang, länger, längst- long; **eine Stunde lang** for an hour; **stundenlang** for hours; die **Länge**, **-n** length
langsam slow
sich (*acc.*) **langweilen** to be bored
der **Lärm**, **-(e)s** noise
lassen (läßt), ließ, gelassen to let; allow; have (*something done*)
die **Last**, **-en** weight; burden
(das) **Latei'nisch** (**Latein'**) Latin (*language*); **latei'nisch** *adj.* Latin
laufen (läuft), lief, ist gelaufen to run
laut loud
läuten to ring
lauter pure; nothing but
der **Lautsprecher**, **-s**, **-** loud-speaker
der **Lautwechsel**, **-s** sound change
leben to live, be alive; **leben Sie wohl!** (**lebe wohl!**) farewell! das **Leben**, **-s**, **-** life; **leben'dig** lively; alive
leer empty
legen to lay; put, place; **sich** (*acc.*) **legen** to lie down; subside
das **Lehrbuch**, **-(e)s**, **⸚er** textbook
lehren to teach; die **Lehre**, **-n** teaching; theory; apprenticeship; der **Lehrer**, **-s**, **-** teacher; der **Lehrling**, **-s**, **-e** apprentice
leicht easy; light
leiden, litt, gelitten to suffer; das **Leid**, **-(e)s** suffering; **es tut mir leid** I am sorry
leider unfortunately
leise soft; gentle; low
leisten to achieve; accomplish; **sich** (*dat.*) **leisten** to afford; die **Leistung**, **-en** achievement, accomplishment
der **Leitartikel**, **-s**, **-** editorial
leiten to lead
lernen to learn
lesen (liest), las, gelesen to read
der **letzte** *usw.* last; der **letztere** *usw.* latter
die **Leute** (*plural only*) people
das **Licht**, **-(e)s**, **-er** light
die **Lichtseite**, **-n** bright side
lieben to love; **lieb** dear; **lieblich** charming; lovely; gracious; die **Liebe**, **-n** love; der **Liebling**, **-s**, **-e** favorite; darling
das **Lied**, **-(e)s**, **-er** song
liegen, lag, gelegen to lie; be situated
der **Lift**, **-(e)s**, **-e** elevator
die **Linde**, **-n** linden tree; der **Lindenbaum**, **-(e)s**, **⸚e** linden tree
die **Linie**, **-n** line

der **linke** *usw.* left; **links** to the left, on the left
die **Lippe, –n** lip
das *or* der **Liter, –s, –** liter
die **Literatur′, –en** literature; **litera′risch** literary
loben to praise; das **Lob, –(e)s** praise
das **Loch, –(e)s, ⸚er** hole
der **Löffel, –s, –** spoon
logisch logical
lohnen to reward; **es lohnt sich** (*acc.*) it pays, it is rewarding; der **Lohn, –(e)s, ⸚e** pay
die **Lokomoti′ve, –n** locomotive
los loose; **was ist los?** what's wrong? what's up?
der **Löwe, –n, –n** lion
die **Lücke, –n** gap
die **Luft, ⸚e** air
die **Luftpost** air mail; **mit Luftpost** by air mail
das **Luftschloß, –schlosses, –schlösser** castle in the air
die **Luftwaffe, –n** air force
die **Lust, ⸚e** pleasure; desire; longing; **Lust haben** to feel like; want to; **lustig** gay; merry
der **Luxus, –** luxury
die **Lyrik** lyric poetry; **lyrisch** lyrical; poetical

M

machen to make; do
die **Macht, ⸚e** power; might
das **Mädchen, –s, –** girl
die **Mahlzeit, –en** meal; mealtime
der **Mai, (–es), –e** May
das **Mal, –(e)s, –e** mark; time; **zum ersten Mal** for the first time; **zwei mal zwei** two times two; **mal ('mal) = einmal**
malen to paint; der **Maler, –s, –** painter; die **Malerei′, –en** painting
man one; people; "they"
mancher *usw.* many a, (*plural*) some; many; **manch ein** *usw.* many a
manchmal sometimes
der **Mann, –(e)s, ⸚er** man; husband
der **Mantel, –s, ⸚** coat; topcoat; overcoat
die **Mappe, –n** briefcase; folder
das **Märchen, –s, –** fairy tale
die **Mark, –** mark (*unit of German currency, at present 24¢*)
der **März, (–es), –e** March
das **Maß, –es, –e** measure; measurement
die **Masse, –n** mass; great amount *or* number of
die **Mathematik′** mathematics
die **Matrat′ze, –n** mattress
der **Matro′se, –n, –n** sailor
die **Maus, ⸚e** mouse
das **Meer, –(e)s, –e** ocean; sea
mehr more (*see* **viel**)
mehrere *usw.* several
mein *usw., poss. adj.* my
meinen to believe; suggest; mean; die **Meinung, –en** opinion
meist, meistens mostly; usually; die **meisten** *usw.* most (*see* **viel**)
der **Meister, –s, –** master
die **Menge, –n** quantity; amount; **eine Menge** a lot, a great deal
der **Mensch, –en, –en** human being; man; die **Menschlichkeit** humanity; humanitarianism
merken to notice; note; **sich** (*dat.*) **merken** to note; remember, bear in mind
messen (mißt), maß, gemessen to measure
das **Messer, –s, –** knife
das **Metall′, –s, –e** metal
das *or* der **Meter, –s, –** meter
die **Milch** milk
mild mild
die **Milliar′de, –n** billion
die **Million′, –en** million
der **Millionär′, –s, –e** millionaire
die **Minu′te, –n** minute; **minu′tenlang** for minutes
mischen to mix
mißglü′cken (s) to go wrong; miscarry; **es mißglückt mir** I fail
mit *prep. / dat.* with
mit-bringen, brachte mit, mitgebracht to bring along
miteinan′der with each other

mit-gehen, ging mit, ist mitgegangen to go along
das **Mitglied, -(e)s, -er** member
mit-kommen, kam mit, ist mitgekommen to come along
der **Mitmensch, -en, -en** fellow man
mit-nehmen (nimmt mit), nahm mit, mitgenommen to take along
der **Mittag, -(e)s, -e** noon
das **Mittagessen, -s, -** noon meal
die **Mitte** middle
das **Mittelmeer, -(e)s** Mediterranean Sea
die **Mittelschule, -n** secondary school
der **Mittwoch, -(e)s, -e** Wednesday
modern' modern
mögen (mag), mochte, gemocht to like to, care to; may
möglich possible; die **Möglichkeit, -en** possibility
der **Monarch', -en, -en** monarch; die **Monarchie', -n** monarchy
der **Monat, -s, -e** month; **monatlich** monthly; **monatelang** for months
der **Mönch, -(e)s, -e** monk
der **Mond, -(e)s, -e** moon
der **Montag, -(e)s, -e** Monday
der **Morgen, -s, -** morning; **morgens, am Morgen** in the morning; **morgen** tomorrow; **morgen früh** tomorrow morning
der **Motor', -s, -en** motor
das **Motor'rad, -(e)s, ⸗er** motorcycle
der **Motor'roller, -s, -** motor scooter
müde tired
(das) **München, -s** Munich
der **Mund, -(e)s, ⸗er** mouth
das **Muse'um, -s, Muse'en** museum
die **Musik'** music; der **Musiker, -s, -** musician; **musika'lisch** musical; **musizie'ren** to make music
müssen (muß), mußte, gemußt to have to; must
der **Mut, -(e)s** courage; **mutig** courageous
die **Mutter, ⸗** mother

N

nach *prep. / dat.* after; according to
der **Nachbar, -s, -n** neighbor
nachdem' *sub. conj.* after
nach-gehen, ging nach, ist nachgegangen to be slow (*of watches*)
nachher afterwards; later
der **Nachmittag, -(e)s, -e** afternoon
die **Nachricht, -en** news
die **Nachspeise, -n** dessert
die **Nacht, ⸗e** night; **nachts** at night
der **Nachtwächter, -s, -** night watchman
das **Nachwort, -(e)s, -e** postscript
nah, näher, nächst- close, near; die **Nähe** nearness; vicinity; **in der Nähe** near (by); **nahezu** almost
die **Nahrungsmittel** (*plural*) food; groceries
der **Name(n), -ns, -n** name
nämlich namely; that is; "you see"
die **Nase, -n** nose
naß wet; damp; die **Nässe** dampness; wetness
die **Nation', -en** nation; **national'** national
die **Natur', -en** nature; **natür'lich** natural; of course
die **Natur'wissenschaft, -en** natural science; der **Natur'wissenschaftler, -s, -** (natural) scientist
neben *prep. / dat. or acc.* beside
der **Neffe, -n, -n** nephew
nehmen (nimmt), nahm, genommen to take
der **Neid, -(e)s** envy
nein no
nennen, nannte, genannt to name; call
nett nice
neu new; **neuer** newer; recent; modern; die **Neuheit, -en** newness; novelty
neugierig curious
(das) **Neujahr** New Year; **(ein) glückliches Neujahr!** Happy New Year!
nicht not; **nicht wahr? (nicht?)** isn't that so? (*anticipates a "yes" answer*)
die **Nichte, -n** niece
nichts nothing
nie never; **nie und nimmer** absolutely never
nieder *adv.* down; *adj.* low
nieder-legen to lay down
nieder-schreiben, schrieb nieder, niedergeschrieben to write down

niedrig low
niemand, –(e)s nobody, no one
nimmermehr nevermore
nirgends nowhere
noch still, yet; up to now; **noch ein** one more, another; **noch nicht** not yet
der **Norden, –s** north; **nördlich** northern; to the north; northerly
die **Nordsee** North Sea
die **Not, ⸗e** need; necessity; emergency; **in der Not** in need; in an emergency; **nötig** necessary; **nötig haben** to need
die **Notiz', –en** note; notice
die **Novel'le, –n** "Novelle"; "novelette"
der **Novem'ber, (–s), –** November
die **Null, –en** zero; cipher
die **Nummer, –n** number
nun well; now; **nun also** well then
nur only
die **Nuß, Nüsse** nut
nützen (**nutzen**) (*dat.*) to be useful (to); der **Nutzen, –s** use; usefulness; **nützlich** useful

O

ob *sub. conj.* whether; if
die **O-Beine** (*plural only*) bowlegs
oben on top; upstairs; up
der **obere** *usw.* upper
der **Oberkellner, –s, –** head waiter; **Herr Ober!** waiter!
obgleich' *sub. conj.* although
obschon' *sub. conj.* although
das **Obst, –es** fruit
obwohl' *sub. conj.* although
oder *coord. conj.* or
der **Ofen, –s, ⸗** stove
offen open
öffentlich public
der **Offizier', –s, –e** army officer
öffnen to open
oft often
ohne *prep. / acc.* without
das **Ohr, –(e)s, –en** ear
der **Okto'ber, (–s), –** October
das **Öl, –(e)s, –e** oil
der **Onkel, –s, –** uncle
die **Oper, –n** opera; **in der Oper** in the opera; at the opera; **in die Oper** to the opera
die **Oran'ge, –n** orange
das **Orches'ter, –s, –** orchestra
die **Ordnung** order; **in Ordnung** in order; arranged
der **Ort, –(e)s, –e** *or* **⸗er** place; spot; town
der **Osten, –s** east; **östlich** eastern; to the east; easterly
(das) **Ostern** *or* (die) **Ostern** (*pl.*) Easter; **fröhliche Ostern!** Happy Easter!
(das) **Österreich, –s** Austria; der **Österreicher, –s, –** Austrian; **österreichisch** *adj.* Austrian
die **Ostsee** Baltic Sea
der **Ozean, –s, –e** ocean

P

das **Paar, –(e)s, –e** pair; couple; **ein Paar** a pair; **ein paar** a few; a couple
packen to pack; seize; take hold of
der **Palast', –es, ⸗e** palace
das **Panora'ma, –s, –men** panorama
das **Papier', –s, –e** paper
der **Park, –(e)s, –s** (**Parke**) park
das **Parlament', –s, –e** parliament
der **Paß, Passes, Pässe** pass; passport
der **Passagier', –s, –e** passenger
die **Perio'de, –n** period (*of time*); **perio'disch** periodical
die **Person', –en** person; character (*in a play*); **persön'lich** personally; die **Persön'lichkeit, –en** personality
der **Pfad, –(e)s, –e** path
die **Pfanne, –n** pan
der **Pfeffer, –s** pepper
die **Pfeife, –n** pipe; whistle
der **Pfennig, –s, –e** pfennig; penny
das **Pferd, –(e)s, –e** horse
(das) **Pfingsten** *or* (die) **Pfingsten** (*pl.*) Whitsuntide
die **Pflanze, –n** plant
die **Pflicht, –en** duty
das **Pfund, –(e)s, –e** pound (*500 grams*)
die **Phantasie', –n** fantasy; imagination
der **Philolo'ge, –n, –n** philologist

die **Philosophie′, -n** philosophy; der **Philosoph′, -en, -en** philosopher; **philoso′phisch** philosophical
die **Physik′** physics; der **Physiker, -s, -** physicist
die **Pille, -n** pill
der **Plan, -(e)s, ⸚e** plan
der **Planet′, -en, -en** planet
die **Platte, -n** platter; phonograph record
der **Platz, -es, ⸚e** place; room; public square
plötzlich sudden(ly)
die **Politik′** politics; **poli′tisch** political
die **Polizei′** police; der **Polizist′, -en, -en** policeman
die **Post** mail
das **Postamt, -(e)s, ⸚er** post office
die **Postkarte, -n** post card
praktisch practical
der **Präsident′, -en, -en** president
der **Preis, -es, -e** price; prize
die **Produktion′** production
der **Profes′sor, -s, Professo′ren** professor
das **Programm′, -s, -e** program
die **Propagan′da** publicity; propaganda
das **Prozent′, -(e)s, -e** per cent
prüfen to test; examine; die **Prüfung, -en** test; examination
das **Pult, -(e)s, -e** desk; lectern
die **Pumpe, -n** pump
der **Punkt, -(e)s, -e** point; dot; period; **punkt 6 Uhr** 6 o'clock sharp; **pünktlich** punctual

Q

die **Qualität′, -en** quality
die **Quantität′, -en** quantity
das **Quartett′, -(e)s, -e** quartet
die **Quelle, -n** spring; source
quer diagonal

R

die **Rache** vengeance
das **Rad, -(e)s, ⸚er** wheel; bicycle; **radfahren (fährt Rad), fuhr Rad, ist radgefahren** to bicycle
das (der) **Radio, -s, -s** radio; **im Radio** on the radio
die **Rake′te, -n** rocket
raten (rät), riet, geraten to advise; guess; der **Rat, -(e)s** advice
das **Rathaus, -es, ⸚er** city hall
der **Räuber, -s, -** robber
rauchen to smoke; der **Rauch, -(e)s** smoke
rauh raw; rough
der **Raum, -(e)s, ⸚e** room; space
rechnen to calculate; figure; die **Rechnung, -en** calculation; bill
das **Recht, -(e)s, -e** right; law; **recht** right; proper; **recht haben** to be right; **es ist mir recht** it suits me; **recht gut** quite ("right") good; **rechts** to the right; on the right
der **Rechtsanwalt, -s, ⸚e** attorney; lawyer
reden to talk; give a speech; die **Rede, -n** speech; talk
die **Regel, -n** rule
regelmäßig regular
der **Regen, -s, -** rain
der **Regenmantel, -s, ⸚** raincoat
der **Regenschirm, -(e)s, -e** umbrella
regie′ren to rule; reign; die **Regie′rung, -en** government
regnen to rain
reich (an / *dat.*) rich (in); **reichlich** abundant; plentiful
das **Reich, -(e)s, -e** empire; realm; Reich; **das Deutsche Reich** the German Empire
reichen to reach; hand; be sufficient
der **Reichstag, -(e)s** Reichstag
reif ripe
die **Reifeprüfung, -en** "maturity examination"; end examination (*of the "Gymnasium"*)
die **Reihe, -n** row; series; **der Reihe nach** one after the other; **ich bin an der Reihe** it is my turn; **ich komme an die Reihe** my turn is coming up
rein clean; **reinlich** clean(ly); neat
reisen (s) to travel; die **Reise, -n** trip; der **Reisende** *adj. n.* traveler
der **Reisepaß, -passes, -pässe** passport
der **Reiseplan, -(e)s, ⸚e** travel plan; itinerary

reiten, ritt, ist geritten to ride (*on an animal*); **reiten, ritt, geritten** to ride (*an animal*)
die **Rekla'me, -n** advertisement; advertising
der **Rekla'meansager, -s, -** commercial announcer
die **Religion', -en** religion; **religiös'** religious
rennen, rannte, ist gerannt to run
der **Repräsentant', -en, -en** representative
die **Republik', -en** republic
das **Restaurant', -s, -s** restaurant
retten to rescue; save
die **Revolution', -en** revolution
der **Rhein, -(e)s** Rhine
richtig correct; right
riechen, roch, gerochen to smell
der **Riese, -n, -n** giant; **riesig** giant; huge
der **Ring, -(e)s, -e** ring
der **Ritter, -s, -** knight
der **Rock, -(e)s, ⸚e** skirt; coat
der **Roggen, -s** rye
die **Rolle, -n** role; roll
der **Roman', -s, -e** novel
die **Rose, -n** rose
rot red; die **Röte** redness; **rötlich** reddish
der **Rücken, -s, -** back
die **Rückreise** return trip
der **Rucksack, -(e)s, ⸚e** knapsack
rufen, rief, gerufen to call; shout; der **Ruf, -(e)s, -e** shout; call; reputation
ruhen to rest; die **Ruhe** rest; peace; quiet; **ruhelos** without rest; restless; **ruhig** calm; quiet; "without worrying"
der **Ruhm, -(e)s** fame
die **Rui'ne, -n** ruin
rund round
der **Rundfunk, -(e)s** radio; broadcast
der **Russe, -n, -n** Russian; die **Russin, -nen** Russian woman
(das) **Russisch** Russian (*language*); **russisch** *adj.* Russian; **auf russisch** in Russian
(das) **Rußland, -s** Russia

S

der **Saal, -(e)s, Säle** hall
die **Sache, -n** thing; affair
sagen to say
die **Sahne** cream
der **Salat', -s, -e** salad; **der grüne Salat** lettuce
das **Salz, -es, -e** salt
das **Salzkammergut, -s** *area in northwestern Austria*
sammeln to collect
der **Samstag, -(e)s, -e** Saturday
die **Sanda'le, -n** sandal
der **Sänger, -s, -** singer
der **Satz, -es, ⸚e** sentence
sauber clean; die **Sauberkeit** cleanliness
sauber-machen to clean
sauer sour
der **Sauerstoff, -(e)s** oxygen
das **Schach, -(e)s** chess
schaden (*dat.*) to damage; harm; der **Schaden, -s, ⸚** damage; **schade!** too bad! **schädlich** harmful
das **Schaf, -(e)s, -e** sheep
der **Schaffner, -s, -** conductor
der **Schall, -(e)s, -e** *or* **⸚e** sound
die **Schallplatte, -n** phonograph record
scharf, schärfer, schärfst- sharp
der **Schatten, -s, -** shadow; shade
die **Schattenseite, -n** dark side
der **Schatz, -es, ⸚e** treasure; sweetheart
schauen to look
das **Schaufenster, -s, -** show window
das **Schauspiel, -(e)s, -e** play; drama
scheinen, schien, geschienen to shine; seem; der **Schein, -(e)s** appearance
schenken to give; present; das **Geschenk', -(e)s, -e** gift; present
die **Schere, -n** (pair of) scissors
die **Scheune, -n** barn
schicken to send; **es schickt sich** it is fitting
das **Schicksal, -s, -e** fate; lot
schießen, schoß, geschossen to shoot
das **Schiff, -(e)s, -e** ship
das **Schild, -(e)s, -er** sign
der **Schinken, -s, -** ham
der **Schirm, -(e)s, -e** umbrella; shield
die **Schlacht, -en** battle
schlafen (schläft), schlief, geschlafen to sleep; der **Schlaf, -(e)s** sleep; slumber
das **Schlafzimmer, -s, -** bedroom

schlagen (schlägt), schlug, geschlagen to hit; strike; der **Schlag, -(e)s, ⸗e** blow; stroke
die **Schlange, -n** serpent; snake; **Schlange stehen** to stand in line
schlank slim; slender
schlecht bad; poor; no good
schließen, schloß, geschlossen to close; **schließlich** finally
schlimm bad; evil
das **Schloß, Schlosses, Schlösser** castle; lock
der **Schluß, Schlusses, Schlüsse** conclusion; end; **zum Schluß** finally; in conclusion; **Schluß damit!** that's all!
das **Schlußwort, -(e)s, -e** final passage, conclusion
die **Schlußzeile, -n** final line
schmackhaft tasty
schmal thin; narrow
schmecken to taste
schmerzen to pain; hurt; der **Schmerz, -es, -en** pain
schmieden to forge; der **Schmied, -(e)s, -e** smith
schmücken to decorate, adorn
der **Schmutz, -es** dirt; **schmutzig** dirty
der **Schnee, -s** snow
schneiden, schnitt, geschnitten to cut; der **Schneider, -s, -** tailor
schneien to snow
schnell fast; quick
schon already
schön beautiful; fine; die **Schönheit, -en** beauty
der **Schoß, -es, ⸗e** lap
schreiben, schrieb, geschrieben to write
schreien, schrie, geschrie(e)n to scream; shout
schreiten, schritt, ist geschritten to stride; step
die **Schrift, -en** writing; written work; publication
der **Schritt, -(e)s, -e** step; stride; pace
der **Schuh, -(e)s, -e** shoe
der **Schuhmacher, -s, -** shoemaker
schulden (*dat. of person*) to owe (*to someone*); die **Schuld, -en** debt; fault; **ich bin schuld daran** I am to blame for it; **schuldig** guilty
die **Schule, -n** school; **in der Schule** in school; at school; **in die Schule** to school
der **Schüler, -s, -** schoolboy; pupil
die **Schulter, -n** shoulder
das **Schulzimmer, -s, -** schoolroom
der **Schutzmann, -(e)s, ⸗er** *or* **Schutzleute** policeman
schwach, schwächer, schwächst- weak
der **Schwanz, -es, ⸗e** tail
schwarz, schwärzer, schwärzest- black
schweigen, schwieg, geschwiegen to be silent
das **Schwein, -(e)s, -e** pig
die **Schweiz** Switzerland; der **Schweizer, -s, -** Swiss (*national*)
schwer difficult; heavy
die **Schwester, -n** sister
schwierig difficult; die **Schwierigkeit, -en** difficulty
schwimmen, schwamm, ist geschwommen to swim
schwungvoll with a flourish
(das) **Schwyzer-Dütsch** Swiss German
sechs six; der **sechste** *usw.* sixth
sechzehn sixteen; der **sechzehnte** *usw.* sixteenth
sechzig sixty
der **See, -s, -n** lake
die **See, -n** sea
segeln to sail
sehen (sieht), sah, gesehen to see
sehr very
die **Seife, -n** soap
sein *usw., poss. adj.* (*refers to* **der**-*nouns or* **das**-*nouns*); his; its
sein (ist), war, ist gewesen to be
seit *prep. / dat.* since; **seit einem Jahr** for a year; for the past year; **seit** *sub. conj.* = **seitdem**
seitdem (seitdem′) *sub. conj.* since; since the time that; *adv.* since then
die **Seite, -n** side; page
seitwärts sideward
der **Sekretär′, -s, -e** secretary
der **Sekt, -(e)s, -e** champagne
die **Sekun′de, -n** second

selber (self); **ich selber** *usw.* I myself, *etc.*
selbst (self); **ich selbst** *usw.* I myself, *etc.;* **selbst ich** *usw.* even I, *etc.*
selbständig independent
selten seldom; rare
das **Semes'ter, –s, –** semester
senden, sandte (sendete), gesandt (gesendet) to send; der **Sender, –s, –** sender; transmitter
der **Septem'ber, (–s), –** September
setzen to set; put down; **sich** (*acc.*) **setzen** to sit down; seat oneself
sicher sure; secure; certain; **sichern** to secure
die **Sicht** sight
sichtbar visible
sie *pers. pron.* (*refers to* **die**-*nouns or plural nouns*) she; it; they; **Sie** *pers. pron.* you
sieben seven; der **sieb(en)te** *usw.* seventh
siebzehn seventeen; der **siebzehnte** *usw.* seventeenth
siebzig seventy
siegen to be victorious; win; der **Sieg, –(e)s, –e** victory; der **Sieger, –s, –** victor; winner
das **Silber, –s** silver
der **Silves'terabend, –s, –e** New Year's Eve
singen, sang, gesungen to sing
sinken, sank, ist gesunken to sink
der **Sinn, –(e)s, –e** sense; meaning; **im Sinn(e)** in mind
die **Sitte, –n** custom; habit; usage
sitzen, saß, gesessen to sit; der **Sitz, –es, –e** seat
so thus; so; then (*in conditions*); **so (alt) wie** as (old) as
sobald' *sub. conj.* as soon as
die **Socke, –n** sock
sofort' at once; immediately
sogar' even
sogenannt so-called
sogleich' at once; immediately
der **Sohn, –(e)s, ⸚e** son
solan'g(e) *sub. conj.* as long as; **so lang(e)** *adv.* so long; that long
solcher *usw.* such a; such; **solch ein** *usw.* such a
der **Soldat', –en, –en** soldier
sollen (soll), sollte, gesollt to be supposed to; should; ought to
der **Sommer, –s, –** summer
sondern *coord. conj.* but; but on the contrary
der **Sonnabend, –s, –e** Saturday
die **Sonne, –n** sun; **sonnig** sunny
der **Sonntag, –(e)s, –e** Sunday
sonst otherwise
(das) **Spanien, –s** Spain
der **Spanier, –s, –** Spaniard
(das) **Spanisch** Spanish (*language*); **spanisch** *adj.* Spanish; **auf spanisch** in Spanish
sparen to save; spare
die **Sparkasse, –n** savings bank
der **Spaß, –es, ⸚e** joke; **viel Spaß!** have fun!
spät late
spazie'ren-gehen, ging spazieren, ist spazierengegangen to go for a walk; stroll; der **Spazier'gang, –(e)s, ⸚e** stroll; walk
die **Speise, –n** food
die **Speisekarte, –n** menu; bill of fare
der **Spiegel, –s, –** mirror
das **Spiegelei, –(e)s, –er** fried egg
spielen to play; das **Spiel, –(e)s, –e** game
spitz pointed; die **Spitze, –n** point; peak
der **Sport, –(e)s, –e** sport
die **Sprache, –n** speech; language
sprechen (spricht), sprach, gesprochen to speak
das **Sprichwort, –(e)s, ⸚er** proverb; saying
springen, sprang, ist gesprungen to jump; leap
der **Staat, –(e)s, –en** state (*in a political sense*)
die **Staatskunst** statesmanship; politics; government
der **Staatsmann, –(e)s, ⸚er** statesman
die **Stadt, ⸚e** city; **in der Stadt** in the city; down town; **in die Stadt** to the city; down town; der **Städter, –s, –** city dweller
der **Stahl, –(e)s** steel
der **Stall, –(e)s, ⸚e** stall; stable
der **Stamm, –(e)s, ⸚e** trunk; stem; tribe
der **Stand, –(e)s, ⸚e** class; position

der **Ständer, -s, -** stand
stark, stärker, stärkst- strong; **stärken** to strengthen
starten to start
die **Station', -en** station
stecken to stick; put; be
stehen, stand, gestanden to stand
stehen-bleiben, blieb stehen, ist stehengeblieben to stop; stand still
steigen, stieg, ist gestiegen to climb
der **Stein, -(e)s, -e** stone
stellen to put; place; **eine Frage stellen** to put a question; die **Stelle, -n** place; position; die **Stellung, -en** position
sterben (stirbt), starb, ist gestorben to die
der **Stern, -(e)s, -e** star
sternenhell bright with stars
stets always; continuously
still quiet; still
die **Stimme, -n** voice
die **Stimmung, -en** mood
der **Stock, -(e)s, ⸚e** floor; story; cane
das **Stockwerk, -(e)s, -e** floor; story
der **Stoff, -(e)s, -e** material; matter
stolz (auf / *acc.*) proud (of)
stören to disturb
strafen to punish; die **Strafe, -n** punishment
stramm rousing, strapping
die **Straße, -n** street; **ich wohne in dieser Straße** I live on this street
die **Straßenbahn, -en** streetcar
die **Stratosphä're** stratosphere
strecken to stretch; **sich** (*acc.*) **strecken (nach** / *dat.*) to stretch (for); reach (for)
streiten, stritt, gestritten to fight; quarrel; der **Streit, -(e)s, -e** quarrel; fight
die **Streitfrage, -n** controversial question
der **Strich, -(e)s, -e** short line; dash
der **Strom, -(e)s, ⸚e** stream
der **Strumpf, -(e)s, ⸚e** stocking
das **Stück, -(e)s, -e** piece
studie'ren to study; der **Student', -en, -en** student; das **Studium, -s, Studien** study
der **Stuhl, -(e)s, ⸚e** chair
die **Stunde, -n** hour; class hour; lesson; **stundenlang** for hours; **stündlich** hourly
der **Stundenplan, -(e)s, ⸚e** schedule
der **Sturm, -(e)s, ⸚e** storm
die **Stütze, -n** support
suchen to look for; search
der **Süden, -s** south; **südlich** southern; to the south; southerly
die **Suppe, -n** soup
süß sweet
das **System', -s, -e** system

T

der **Tabak (Tabak'), -s, -e** tobacco
tadeln to blame; reproach; der **Tadel, -s** blame; reprimand
die **Tafel, -n** board; blackboard; table
der **Tag, -(e)s, -e** day; **tagelang** for days; **täglich** daily
das **Tagebuch, -(e)s, ⸚er** diary
das **Tal, -(e)s, ⸚er** valley
die **Tante, -n** aunt
tanzen to dance; der **Tanz, -es, ⸚e** dance
tapfer brave
die **Tasche, -n** pocket; handbag
die **Taschenuhr, -en** pocket watch
die **Tasse, -n** cup
die **Tat, -en** deed; act; **tätig** active
tatsächlich actual; real
tauchen to dive; dip; duck
tausend thousand
das **Taxi, -s, -s** taxi
die **Technik, -en** technology; technique; industry; **technisch** technical; technological
der **Tee, -s, -s** tea
teilen to divide; part; share; **geteilt durch** / *acc.* divided by; der **Teil, -(e)s, -e** part; **zum Teil** in part; **teilbar** divisible; **teilweise** partially
das **Telefon', -s, -e** telephone
das **Telegramm', -s, -e** telegram
der **Teller, -s, -** plate
die **Temperatur', -en** temperature
das **Tennis, -** tennis
teuer expensive; dear
der **Text, -(e)s, -e** text
das **Thea'ter, -s, -** theater; **im Theater** in the theater; at the theater; **ins Theater** to the theater
das **Thema, -s, Themen** theme

tief deep; die **Tiefe, –n** depth
das **Tier, –(e)s, –e** animal
der **Tiergarten, –s, ⸗** zoo
der **Tiger, –s, –** tiger
die **Tinte, –n** ink
der **Tisch, –es, –e** table
die **Tochter, ⸗** daughter
der **Tod, –(e)s, –e** death
todmüde dead tired
die **Toleranz′** tolerance
toll foolish; absurd; crazy
der **Ton, –(e)s, ⸗e** tone; sound
die **Torte, –n** many-layered cake
tot dead
der **Tourist′, –en, –en** tourist
die **Tradition′, –en** tradition
tragen (trägt), trug, getragen to carry; bear; wear
träumen to dream; der **Traum, –(e)s, ⸗e** dream
traurig sad
treffen (trifft), traf, getroffen to hit the mark; hit; meet; **eine Wahl treffen** to make a choice
treiben, trieb, getrieben to drive; engage in
trennen to separate; part; **sich** (*acc.*) **trennen** to part
die **Treppe, –n** step; stair(way)
treten (tritt), trat, ist getreten to step; walk
trinken, trank, getrunken to drink
das **Trinkgeld, –(e)s, –er** tip; gratuity
das **Trio, –s, –s** trio
trocken dry
trotz *prep. / gen. or dat.* despite; **trotzdem** in spite of that; nonetheless
das **Tuch, –(e)s, –e** (*types of cloth*) *and* **⸗er** (*pieces of cloth*) cloth
tun, tat, getan to do
der **Tunnel, –s, –** *or* **–s** tunnel
die **Tür, –en** door
der **Turm, –(e)s, ⸗e** tower; steeple; turret
turnen to do gymnastics

U

üben to practice; die **Übung, –en** exercise; practice
über *prep. / dat. or acc.* over; across; about
überall′ everywhere
der **Übergang, –(e)s, ⸗e** transition
überhaupt′ at all
übermorgen day after tomorrow
überneh′men (übernimmt), übernahm, übernommen to take over
überra′schen to surprise; die **Überra′schung, –en** surprise
überset′zen to translate; die **Überset′zung, –en** translation
übrig remaining; left over; **im übrigen** besides
das **Ufer, –s, –** bank (*of a river*)
die **Uhr, –en** watch; clock; **wieviel Uhr ist es?** what time is it? **um 6 Uhr** at 6 o'clock
um *prep. / acc.* at; around; about; *adv.* up; over; **um . . . zu** in order to
umfas′sen to encompass; include
um so mehr (umsomehr) . . . als the more so . . . since
unangenehm unpleasant
unbedeckt uncovered
unbekannt unknown
unbequem uncomfortable
unbestimmt indefinite
und so weiter (usw.) and so on (etc.)
undeutlich unclear; not clear
unecht not genuine
unend′lich endless; infinite
unerwartet unexpected
ungefähr approximately; about
ungefährlich not dangerous
ungewiß uncertain
das **Unglück, –(e)s** misfortune; unhappiness; accident; **unglücklich** unhappy; unfortunate
uninteressant uninteresting
die **Universität′, –en** university
unmöglich impossible
unnütz useless
unpünktlich not punctual
unreif not ripe; immature; green
unruhig restless
unsicher uncertain; unsure
unten down below; downstairs
unter *prep. / dat. or acc.* under
der **Untergang, –(e)s** decline; fall
unter-gehen, ging unter, ist untergegangen to decline; go down; set

unterhal'ten (unterhält), unterhielt, unterhalten to entertain; **sich** (*acc.*) **unterhalten** to be entertained; enjoy oneself; converse; die **Unterhal'tung, -en** entertainment; conversation

unterneh'men (unternimmt), unternahm, unternommen to undertake; die **Unterneh'mung, -en** undertaking; enterprise

unterschei'den, unterschied, unterschieden to distinguish; der **Unterschied, -(e)s, -e** difference; distinction

unter-tauchen (s) to dip under; dive under; disappear

unzufrieden discontented; unsatisfied; unhappy

urteilen to judge; das **Urteil, -s, -e** judgment; opinion

V

das **Vakuum, -s, -s** *or* **Vakua** vacuum

der **Vater, -s, ⸚** father

verab'reden to agree upon; **sich** (*acc.*) **verabreden** to make a date; make an appointment; die **Verab'redung, -en** date; appointment

das **Verb, -s, -en** verb

verbin'den, verband, verbunden to connect; combine; die **Verbin'dung, -en** connection; tie

verbrei'ten to spread widely; broadcast; **verbreitet** widespread

verbrin'gen, verbrachte, verbracht to spend (*time*)

verdie'nen to earn; deserve; der **Verdienst', -(e)s, -e** merit; gain

der **Verein', -s, -e** club

die **Verei'nigten Staaten** (*plural*) United States

verfal'len (verfällt), verfiel, ist verfallen to decay; expire

verfol'gen to trace; pursue; persecute

die **Vergan'genheit** past; past tense

verge'ben (vergibt), vergab, vergeben (*dat. of persons*) to forgive

verge'hen, verging, ist vergangen to pass (*of time*)

verges'sen (vergißt), vergaß, vergessen to forget

das **Vergnü'gen, -s, -** pleasure; **viel Vergnügen!** enjoy yourself! **zum Vergnügen** for pleasure; **vergnügt'** pleased; gay; enjoyable

verhext' bewitched

verkau'fen to sell; der **Verkauf', -(e)s, ⸚e** sale; der **Verkäu'fer, -s, -** seller; salesman

der **Verkehr', -s** traffic

verlan'gen to demand

verlas'sen (verläßt), verließ, verlassen to leave; desert

verliebt' in love

verlie'ren, verlor, verloren to lose

die **Vernunft'** reason; **vernünf'tig** reasonable

der **Vers, -es, -e** verse

versal'zen to oversalt

sich (*acc.*) **versam'meln** to gather together

versäu'men to miss

verschie'den different; various

verschwin'den, verschwand, ist verschwunden to disappear

verspre'chen (verspricht), versprach, versprochen to promise; **sich** (*acc.*) **versprechen** to make a slip of the tongue

das **Verständ'nis, -nisses** understanding

verste'cken to hide; conceal

verste'hen, verstand, verstanden to understand

versu'chen to try; attempt; der **Versuch', -(e)s, -e** attempt; experiment

vertraut' intimate

verwandt' related; der **Verwand'te** *adj. n.* relative; die **Verwandt'schaft, -en** relationship; relatives

verzei'hen, verzieh, verziehen (*dat. of persons*) to forgive

der **Vetter, -s, -n** (*male*) cousin

das **Vieh, -(e)s** cattle

viel, mehr, meist- much; many

vielleicht' perhaps

vielmehr' rather

vier four; der **vierte** *usw.* fourth

das **Viertel, -s, -** quarter

vierzehn fourteen; der **vierzehnte** *usw.* fourteenth

vierzig forty

der **Vogel, -s, ⸚** bird

das **Volk, -(e)s, ⸚er** people; folk

der **Völkerbund, –(e)s** League of Nations
die **Volksschule, –n** elementary school; public school
voll full
vollen'den to complete
von *prep. / dat.* by; of; from
vor *prep. / dat. or acc.* before; in front of; ago; **vor einer Stunde** an hour ago
vor-bereiten to prepare
der **Vorfahr, –en, –en** ancestor
vor-führen to bring forward; produce
vor-gehen, ging vor, ist vorgegangen to proceed; go ahead; **die Uhr geht vor** the clock is fast
vorgestern day before yesterday
vor-haben to intend to do; "have on"
vorher previously
vorig– previous
vor-kommen, kam vor, ist vorgekommen to happen; occur
die **Vorlesung, –en** lecture
der **Vormittag, –s, –e** forenoon
vorn(e) in front
der **Vorrat, –(e)s, ⸚e** supply
vor-schlagen (schlägt vor), schlug vor, vorgeschlagen to suggest; der **Vorschlag, –(e)s, ⸚e** suggestion
die **Vorsicht** caution; **vorsichtig** cautious
vor-spielen to play (*for an audience*)
das **Vorurteil, –s, –e** prejudice
vor-ziehen, zog vor, vorgezogen to prefer
vorzüg'lich excellent

W

wachen to be awake
wachsen (wächst), wuchs, ist gewachsen to grow
die **Waffe, –n** weapon
der **Wagen, –s, –** car; wagon
wählen to choose; elect; die **Wahl, –en** choice; election
wahr true; **nicht wahr?** isn't that true? (*requests confirmation*)
während *prep. / gen.* while
wahrschein'lich probable
der **Wald, –(e)s, ⸚er** woods; forest
der **Walzer, –s, –** waltz
die **Wand, ⸚e** wall
wandern (s) to wander; stroll; die **Wanderung, –en** wandering; hike
die **Wandtafel, –n** blackboard
wann? when?
die **Ware, –n** goods; wares
das **Warenhaus, –es, ⸚er** department store
warm, wärmer, wärmst– warm; die **Wärme** warmth
warten (auf / *acc.*) to wait (for)
der **Wartesaal, –(e)s, –säle** waiting room
warum'? why?
was? *interr. pron.* what? *rel. pron.* that which; what; whatever
'was = etwas
was für what sort of
waschen (wäscht), wusch, gewaschen to wash
das **Wasser, –s** water
der **Wasserfall, –(e)s, ⸚e** waterfall
der **Wasserstoff, –(e)s** hydrogen
wechseln to change
wecken to waken
weder . . . noch neither . . . nor
weg away
der **Weg, –(e)s, –e** path; way
wegen *prep. / gen.* on account of
weh-tun (tut weh), tat weh, wehgetan to hurt; pain; **es tut mir weh** it hurts me
weich soft
weiden to graze; die **Weide, –n** pasture
(das) **Weihnachten** *or* (die) **Weihnachten** (*plural, but requires sing. verb*) Christmas; **fröhliche Weihnachten!** Merry Christmas!
weil *sub. conj.* because
der **Wein, –(e)s, –e** wine
weinen to cry; weep
weise wise
die **Weise, –n** way; manner; **auf diese Weise** in this way
weiß white
weit far; distant; **bei weitem** by far; die **Weite** distance
weiter further; farther
weiter-arbeiten to go on working; continue working

weiter-fahren (fährt weiter), fuhr weiter, ist weitergefahren to drive on; ride on

weiter-fragen to go on asking questions

weiterhin further; furthermore

weiter-hören to go on listening

weiter-sprechen (spricht weiter), sprach weiter, weitergesprochen to go on speaking

welcher *usw., interr. adj.* which; what; *interr. pron.* who? which? *rel. pron.* who; which; that

die **Welt, –en** world

weltberühmt world famous

der **Weltkrieg, –(e)s, –e** world war

wenden, wandte (wendete), gewandt (gewendet) to turn; **sich** (*acc.*) **wenden** (**an** / *acc.*) to turn (to); apply to

wenig little; few; **weniger** less; minus; **wenigstens** at least

wenn *sub. conj.* when; if; whenever

wer? *interr. pron.* who? *rel. pron.* he who; whoever

werden (wird), wurde, ist geworden to become, "get," "turn"

werfen (wirft), warf, geworfen to throw

das **Werk, –(e)s, –e** work; factory; plant

der **Wert, –(e)s, –e** value; **wert** worth; worthy

das **Wesen, –s, –** being; nature; essence

die **Weste, –n** vest

der **Westen, –s** west; **westlich** western; to the west; westerly

das **Wetter, –s** weather

wichtig important

wie? how? *sub. conj.* as; when; **so . . . wie** as . . . as

wieder again

wiederho'len to repeat; **die Wiederho'lung, –en** repetition; review

wieder-sehen (sieht wieder), sah wieder, wiedergesehen to see again; **auf Wiedersehen!** good-by! au revoir!

die **Wiege, –n** cradle

wiegen, wog, gewogen to weigh

das **Wiegenlied, –(e)s, –er** lullaby

(das) **Wien, –s** Vienna

die **Wiese, –n** meadow

wild wild

wildfremd utterly strange

der **Wind, –(e)s, –e** wind

der **Winter, –s, –** winter

wir *pers. pron.* we

wirklich real; die **Wirklichkeit** reality

der **Wirt, –(e)s, –e** innkeeper; host

das **Wirtshaus, –es, ¨er** inn

wissen (weiß), wußte, gewußt to know (*a fact*)

die **Wissenschaft, –en** science; branch of knowledge

wo? where?

die **Woche, –n** week; **wochenlang** for weeks; **wöchentlich** weekly

woher'? from where?

wohin'? (to) where?

wohl well; indeed

wohlhabend well off; prosperous

wohnen to live; dwell; reside; die **Wohnung, –en** residence

das **Wohnzimmer, –s, –** living room

die **Wolke, –n** cloud

der **Wolkenkratzer, –s, –** skyscraper

die **Wolle** wool

wollen (will), wollte, gewollt to want to; wish to; intend to

das **Wort, –(e)s, –e** (*connected*) word; das **Wort, –(e)s, ¨er** word (*not connected in sense*)

wortreich voluble

der **Wortschatz, –es** vocabulary; stock of words

wunderbar wonderful

sich (*acc.*) **wundern (über** / *acc.*) to be surprised (at)

wünschen to wish

die **Wurst, ¨e** sausage

Z

zahlen to pay

zählen to count; die **Zahl, –en** number

zahm tame

der **Zahn, –(e)s, ¨e** tooth

die **Zauberflöte** Magic Flute (*opera by Mozart*)

der **Zaun, –(e)s, ¨e** fence

zehn ten; der **zehnte** *usw.* tenth
das **Zeichen, -s, -** sign
zeichnen to draw; die **Zeichnung, -en** drawing; sketch
zeigen to show
die **Zeile, -n** line
die **Zeit, -en** time; **zeitlos** timeless
der **Zeitgenosse, -n, -n** contemporary
die **Zeitschrift, -en** periodical; magazine
die **Zeitung, -en** newspaper
das **Zeitwort, -(e)s, ⸗er** verb
zerbre'chen (zerbricht), zerbrach, zerbrochen to break to pieces; smash
zerstö'ren to destroy; die **Zerstö'rung, -en** destruction
ziehen, zog, gezogen to draw; pull; **ziehen, zog, ist gezogen** to go; proceed
das **Ziel, -(e)s, -e** goal
die **Zigaret'te, -n** cigarette
die **Zigar're, -n** cigar
das **Zimmer, -s, -** room
das **Zitat', -(e)s, -e** quotation
der **Zoll, -(e)s, ⸗e** customs
zornig angry
zu *prep. / dat.* to; toward; *adv.* too
der **Zucker, -s** sugar
zuerst' at first
der **Zufall, -(e)s, ⸗e** chance
zufrie'den content; satisfied; die **Zufrie'denheit** contentment; satisfaction
der **Zug, -(e)s, ⸗e** train
zugleich' at the same time
zuhau's(e) at home
zu-hören to listen; der **Zuhörer, -s, -** listener; (*in plural*) audience
die **Zukunft** future; future tense
zuletzt' lastly; last
zu-machen to close
zumal' especially; especially since
zumeist' usually; mostly
die **Zunge, -n** tongue
zurecht'-machen to get ready; prepare; arrange
(das) **Zürich, -s** Zurich
zurück' back
zurück'-bringen, brachte zurück, zurückgebracht to bring back; return
zurück'-fahren (fährt zurück), fuhr zurück, ist zurückgefahren to drive back; ride back
zurück'-gehen, ging zurück, ist zurückgegangen to go back; return
zurück'-kehren (s) to return
zurück'-kommen, kam zurück, ist zurückgekommen to come back; return
zurück'-lassen (läßt zurück), ließ zurück, zurückgelassen to leave behind
zurück'-nehmen (nimmt zurück), nahm zurück, zurückgenommen to take back
zu-rufen, rief zu, zugerufen to call out (to)
zusam'men together
zusam'men-bringen, brachte zusammen, zusammengebracht to bring together
zusam'men-kommen, kam zusammen, ist zusammengekommen to come together
zusam'men-laufen (läuft zusammen), lief zusammen, ist zusammengelaufen to run together
zusam'men-legen to lay together; put together
zutiefst' very deeply; most deeply
zwanzig twenty; der **zwanzigste** *usw.* twentieth
zwar to be sure
zwei two; der **zweite** *usw.* second
der **Zweifel, -s, -** doubt; **zweifellos** doubtless
der **Zweig, -(e)s, -e** twig; branch
zwischen *prep. / dat. or acc.* between
zwölf twelve; der **zwölfte** *usw.* twelfth

ENGLISH-GERMAN VOCABULARY

This English-German Vocabulary is specifically designed for use with the English-to-German translation exercises.

A

a, an ein *usw.*
able: be able können (kann), konnte, gekonnt
about von *prep. / dat.;* über *prep. / acc.;* (*approximately*) ungefähr
accustomed: become accustomed to sich (*acc.*) gewöh'nen (an / *acc.*)
ad, advertisement die Anzeige, –n
address die Adres'se, –n
afford sich (*dat.*) leisten
after nach *prep. / dat.;* nachdem' *sub. conj.*
after all doch; ja
afternoon der Nachmittag, –s, –e; **this afternoon** heute nachmittag
against gegen *prep. / acc.;* (*leaning against*) an *prep. / dat. or acc.*
air die Luft, ⸚e
all all *usw.;* **not at all** gar nicht
allowed: be allowed to dürfen (darf), durfte, gedurft
almost beinahe; fast
along entlang' *prep. / acc.* (*follows its object*)
aloud laut
Alps die Alpen (*plural*)
already schon; bereits'
also auch
although obgleich' *sub. conj.*
aluminum das Alumi'nium, –s
always immer
amazed: be amazed sich (*acc.*) wundern
America (das) Ame'rika, –s; **American** der Amerika'ner, –s, –; *adj.* amerika'nisch
and und *coord. conj.;* **and so on (etc.)** und so weiter (usw.)
animal das Tier, –(e)s, –e
another (*in addition*) noch ein *usw.*
answer (*a person*) antworten (*dat.*); (*a letter*) beant'worten (*acc.*); (*a question*) antworten (auf / *acc.*); *noun* die Antwort, –en
anything at all irgend etwas; irgendwas
apartment die Wohnung, –en
apple der Apfel, –s, ⸚
area die Gegend, –en
arithmetic das Rechnen, –s
arm der Arm, –s, –e
around um *prep. / acc.*
arrive an-kommen, kam an, ist angekommen
as . . . as so . . . wie
as if, as though als ob *sub. conj.;* als wenn *sub. conj.*
ask (*a question*) fragen; eine Frage stellen
asleep: fall asleep ein-schlafen (schläft ein), schlief ein, ist eingeschlafen
assignment die Aufgabe, –n
assume an-nehmen (nimmt an), nahm an, angenommen
at (*a body of water*) an *prep. / dat.* (*in this sense*); **at (two o'clock,** *etc.*) um (zwei Uhr *usw.*) *prep. / acc.*
at once sofort'; gleich
attention: pay attention auf-passen
August der August', (–s), –e
aunt die Tante, –n
Austria (das) Österreich, –s
author der Verfas'ser, –s, –
auto das Auto, –s, –s; **automobile** das Automobil', –s, –e
autumn der Herbst, –es, –e

B

bag (*suitcase*) der Handkoffer, –s, –
be sein (ist), war, ist gewesen; **there is,**

there are es gibt; **that is (i.e.)** das heißt (d.h.); **how are you?** wie geht es Ihnen?
beautiful schön
because weil *sub. conj.;* **because of** wegen *prep. / gen.*
become werden (wird), wurde, ist geworden; **become of** werden aus *prep. / dat.*
bed das Bett, –(e)s, –en
bedroom das Schlafzimmer, –s, –
before vor *prep. / dat. or acc.*
begin an-fangen (fängt an), fing an, angefangen; begin'nen, begann, begonnen
believe glauben; **I believe it** ich glaube es (*acc. with things*); **I believe him** ich glaube ihm (*dat. with persons*)
bell die Glocke, –n
belong to gehö'ren (*dat.*)
bicycle das Fahrrad, –(e)s, ⸚er; das Rad, –(e)s, ⸚er; **bicycle-riding** das Radfahren, –s
bill der Geldschein, –s, –e
black schwarz
blackboard die Wandtafel, –n; die Tafel, –n
blond blond
blow blasen (bläst), blies, geblasen
blue blau
body der Körper, –s, –
boil kochen
book das Buch, –(e)s, ⸚er
box der Kasten, –s, – *or* ⸚
boy der Junge, –n, –n
bread das Brot, –(e)s, –e
breakfast das Frühstück, –s, –e
bring bringen, brachte, gebracht; **bring along** mit-bringen, brachte mit, mitgebracht
brother der Bruder, –s, ⸚
brown braun
build bauen
building das Gebäu'de, –s, –
but aber *coord. conj.;* **but (on the contrary)** sondern *coord. conj.*
buy kaufen
by von *prep. / dat.;* **by auto,** *etc.* mit dem Auto *usw.* (*prep. / dat.*); **by the pound,** *etc.* pfundweise *usw.*

C

call up an-rufen, rief an, angerufen
camera die Kamera, –s; der Fotoapparat, –s, –e
can, be able können (kann), konnte, gekonnt
car der Wagen, –s, –
castle das Schloß, Schlosses, Schlösser
cat die Katze, –n
catch fangen (fängt), fing, gefangen
celebrate feiern
certain bestimmt'; gewiß'
chair der Stuhl, –(e)s, ⸚e
chalk die Kreide, –n
change wechseln; **change** (*money*) das Kleingeld, –(e)s
child das Kind, –(e)s, –er
Christmas (das) Weihnachten *or* (die) Weihnachten (*plural, but requires sing. verb*)
circle der Kreis, –es, –e
citizen der Staatsbürger, –s, –
city die Stadt, ⸚e
city hall das Rathaus, –es, ⸚er
claim behaup'ten
classroom das Klassenzimmer, –s, –
clear klar; deutlich
close zu-machen; schließen, schloß, geschlossen
cloud die Wolke, –n
club der Verein', –s, –e
coat der Mantel, –s, ⸚
coffee der Kaffee (Kaffee'), –s, –s
cold kalt, kälter, kältest–
color die Farbe, –n
come kommen, kam, ist gekommen; **come back** zurück'-kommen, kam zurück, ist zurückgekommen
comfortable bequem'
concert das Konzert', –s, –e; **to the (a) concert** ins Konzert
corner die Ecke, –n
correct richtig
cotton die Baumwolle
count zählen
country das Land, –(e)s, ⸚er; **in the country** auf dem Land(e); **to the country** auf das (aufs) Land

courage der Mut, –(e)s
cow die Kuh, ⸗e
cozy gemüt'lich
cream die Sahne
cup die Tasse, –n

D

dance tanzen; *noun* der Tanz, –es, ⸗e
dangerous gefähr'lich
Danube die Donau
day der Tag, –(e)s, –e; **all day** den ganzen Tag; **what day (of the month)?** der wievielte?
dear lieb
December der Dezem'ber, (–s), –
degree der Grad, –(e)s, –e
democracy die Demokratie', –n
describe beschrei'ben, beschrieb, beschrieben
desk der Schreibtisch, –es, –e; der Tisch, –es, –e
develop sich (*acc.*) entwi'ckeln
die sterben (stirbt), starb, ist gestorben
difference der Unterschied, –(e)s, –e
different verschie'den
difficult schwer
diligent fleißig
discover entde'cken; **discoverer** der Entde'cker, –s, –
divide teilen; **divided by** geteilt durch / *acc.*
do machen; tun (tut), tat, getan
doctor der Doktor, –s, Dokto'ren; **medical doctor** der Arzt, –es, ⸗e
dog der Hund, –(e)s, –e
door die Tür, –en
down hinun'ter
drama das Drama, –s, Dramen
draw zeichnen
dress an-ziehen, zog an, angezogen; **get dressed** sich (*acc.*) an-ziehen; *noun* das Kleid, –(e)s, –er
drink trinken, trank, getrunken
drive fahren (fährt), fuhr, ist gefahren
drop fallen lassen (läßt fallen), ließ fallen, fallen lassen
during während *prep.* / *gen.*

E

early früh
earn verdie'nen
earth die Erde, –n
east der Osten, –s
easy leicht
eat essen (ißt), aß, gegessen; fressen (frißt), fraß, gefressen (*of animals*)
editorial der Leitartikel, –s, –
egg das Ei, –(e)s, –er
eight acht; **eighth** der achte *usw.*
either . . . or entweder . . . oder
elementary school die Grundschule, –n
eleven elf
else sonst
emperor der Kaiser, –s, –
empire das Reich, –(e)s, –e
ending die Endung, –en
England (das) England, –s; **English** (*language*) (das) Englisch
enjoy oneself sich (*acc.*) unterhal'ten (unterhält sich), unterhielt sich, sich unterhalten
enough genug'
Europe (das) Euro'pa, –s
even sogar'
evening der Abend, –s, –e; **all evening** den ganzen Abend; **in the evening** am Abend; abends
ever (*always*) immer
every jeder *usw.*
everywhere überall
exact genau'
examination die Prüfung, –en
example das Beispiel, –s, –e; **for example (e.g.)** zum Beispiel (z.B.)
excuse entschul'digen
exercise die Übung, –en
expensive teuer
explain erklä'ren

F

factory die Fabrik', –en
fail (*an examination*) durch-fallen (fällt durch), fiel durch, ist durchgefallen
fairy tale das Märchen, –s, –
family die Fami'lie, –n

famous berühmt′
farm der Bauernhof, –(e)s, ⸚e; der Hof, –(e)s, ⸚e
fat dick
father der Vater, –s, ⸚
fault die Schuld
feeling das Gefühl′, –s, –e
fellow der Kerl, –(e)s, –e
few wenige *usw.;* **a few** einige *usw.*
fifty fünfzig
fight kämpfen
film der Film, –(e)s, –e
finally endlich; schließlich
find finden, fand, gefunden
fine fein; schön; **I am fine** es geht mir gut
finger der Finger, –s, –
first erst; **at first** zuerst′; erst
five fünf
flow fließen, floß, ist geflossen
flower die Blume, –n
fly fliegen, flog, ist geflogen
folk das Volk, –(e)s, ⸚er
folk song das Volkslied, –(e)s, –er
follow folgen (s) (*dat.*)
foot der Fuß, –es, ⸚e
football (der) Fußball, –(e)s; amerikanischer Fußball
for für *prep. / acc.;* **for days,** *etc.* tagelang *usw.;* **for** *coord.conj.* denn *coord. conj.*
forget verges′sen (vergißt), vergaß, vergessen
fork die Gabel, –n
form bilden
forty vierzig
four vier; **fourth** der vierte *usw.;* **fourth** (*fraction*) das Viertel, –s, –
fourteen vierzehn
French (*language*) (das) Franzö′sisch
fresh frisch
friend der Freund, –(e)s, –e
from von *prep. / dat.*
front: in front of vor *prep. / dat. or acc.*
fruit das Obst, –es

G

game das Spiel, –(e)s, –e
garden der Garten, –s, ⸚
German (*language*) (das) Deutsch; *adj.* deutsch; **in German** auf deutsch
Germany (das) Deutschland, –s
get (*become*) werden (wird), wurde, ist geworden
get (*receive*) erhal′ten (erhält), erhielt, erhalten; bekom′men, bekam, bekommen
get to know kennen-lernen
girl das Mädchen, –s, –
give geben (gibt), gab, gegeben
glass das Glas, –es, ⸚er
glove der Handschuh, –(e)s, –e
go gehen, ging, ist gegangen; **go back** zurück′-gehen, ging zurück, ist zurückgegangen; **it goes without saying** es versteht sich
goal das Ziel, –(e)s, –e
gold das Gold, –(e)s
good gut, besser, best–
good-by! auf Wiedersehen!
goose die Gans, ⸚e
grass das Gras, –es, ⸚er
great groß, größer, größt–
green grün
grow wachsen (wächst), wuchs, ist gewachsen; **grow up** auf-wachsen (wächst auf), wuchs auf, ist aufgewachsen
guess raten (rät), riet, geraten
guest der Gast, –(e)s, ⸚e

H

hair das Haar, –(e)s, –e
hairdresser der Friseur′, –s, –e
hand die Hand, ⸚e
happiness das Glück, –(e)s
hard (*difficult*) schwer
hat der Hut, –(e)s, ⸚e
hate hassen
have haben (hat), hatte, gehabt; **have to** müssen (muß), mußte, gemußt
he er
hear hören
hello! guten Morgen! *usw.;* grüß Gott!
her *poss. adj.* ihr *usw.*
here hier
high hoch (hoh– *with endings*), höher, höchst–
hike wandern

his *poss. adj.* sein *usw.*
holiday der Feiertag, -(e)s, -e
home das Heim, -(e)s, -e; (**toward**) **home** nach Hause; **at home** zu Hause
homework die Hausaufgabe, -n
hope hoffen
horse das Pferd, -(e)s, -e
hour die Stunde, -n; **for hours** stundenlang
how? wie? **how many?** wieviel? wie viele? *usw.;* **how are you?** wie geht es Ihnen? wie geht's?
hundred hundert
hungry: be hungry Hunger haben

I

if wenn *sub. conj.*
important wichtig
in in *prep. / dat. or acc.;* **in the morning,** *etc.* am Morgen *usw.*
intelligent klug, klüger, klügst-
intend wollen (will), wollte, gewollt
interested: be interested in sich (*acc.*) interessie'ren für / *acc.*
interesting interessant'
invent erfin'den, erfand, erfunden; **inventor** der Erfin'der, -s, -
invite ein-laden (ladet ein *or* lädt ein), lud ein, eingeladen
iron das Eisen, -s
Italy (das) Ita'lien, -s; **Italian** (*language*) (das) Italie'nisch
its *poss. adj.* sein *usw.;* ihr *usw.*

J

July der Juli, (-s), -s
jump springen, sprang, ist gesprungen
just (*only*) nur; (*exactly*) genau'; **just now** eben; gera'de

K

keep still schweigen, schwieg, geschwiegen
kilogram das Kilogramm, -s, -e; das Kilo, -s, -(s)
king der König, -s, -e
kitchen die Küche, -n
knife das Messer, -s, -
know (*facts*) wissen (weiß), wußte, gewußt; (*be familiar with*) kennen, kannte, gekannt; **get to know** kennen-lernen; **well-known** bekannt'

L

lake der See, -s, -n
language die Sprache, -n
large groß, größer, größt-
last der letzte *usw.*
late spät
latter dieser *usw.*
leaf das Blatt, -(e)s, ⸚er
learn lernen
least: at least wenigstens
leave (*a person or place*) verlas'sen (verläßt), verließ, verlassen; (*on a trip*) ab-reisen (s)
lecture die Vorlesung, -en
letter der Brief, -(e)s, -e
lie liegen, lag, gelegen
light hell
lighten (*flash*) blitzen
like mögen (mag), mochte, gemocht; **like to draw,** *etc.* gern zeichnen *usw.*
line der Strich, -(e)s, -e
listen hören; zu-hören
literature die Literatur', -en; die Dichtung, -en
little klein
live leben; (*dwell*) wohnen
living room das Wohnzimmer, -s, -
long lang, länger, längst-; **no longer** nicht mehr
look aus-sehen (sieht aus), sah aus, ausgesehen
look forward to sich (*acc.*) freuen auf / *acc.*
lot: a lot of viel
loud laut
love lieben
low nieder; niedrig

M

magazine die Zeitschrift, -en
man der Mann, -(e)s, ⸚er

many viele *usw.*
many-colored bunt
map die Landkarte, –n; die Karte, –n
master der Herr, –n, –en
may (*be permitted to*) dürfen (darf), durfte, gedurft
meadow die Wiese, –n
meat das Fleisch, –es
meet (*become acquainted with*) kennen-lernen
member das Mitglied, –(e)s, –er
mental geistig
metal das Metall′, –s, –e
minute die Minu′te, –n
mirror der Spiegel, –s, –
miss versäu′men
modern modern′
money das Geld, –(e)s, –er
month der Monat, –s, –e
more mehr; **one more** noch ein *usw.*
morning der Morgen, –s, –; **all morning** den ganzen Morgen; **this morning** heute morgen; **good morning!** guten Morgen!
most das meiste *usw.;* **mostly** meist; meistens
mother die Mutter, ¨
motor der Motor (Motor′), –s, Moto′ren
motor scooter der Motorroller, –s, –
mountain der Berg, –(e)s, –e
mouse die Maus, ¨e
mouth der Mund, –(e)s, ¨er
Munich (das) München, –s
music die Musik′
must müssen (muß), mußte, gemußt
my *poss. adj.* mein *usw.*

N

name der Name, –ns, –n; **be named** heißen, hieß, geheißen
narrow eng
natural natür′lich
need brauchen
never nie
new neu
news die Nachricht, –en
next der nächste *usw.*
nice nett; schön
night die Nacht, ¨e; **the whole night, all night** die ganze Nacht; **last night** gestern abend
nine neun
no nein; **no, not a, not any, none** kein *usw.*
noon meal das Mittagessen, –s, –
north der Norden, –s
nose die Nase, –n
not nicht; **not a, not any, no** kein *usw.;* **not at all** gar nicht
notebook (*paper covered*) das Heft, –(e)s, –e
nothing nichts; **nothing at all** gar nichts
novel der Roman′, –s, –e; **„Novelle," short novel** die Novel′le, –n
November der Novem′ber, (–s), –
now jetzt; nun
number die Zahl, –en

O

occasion die Gele′genheit, –en
occur (*to one*) ein-fallen (fällt ein), fiel ein, ist eingefallen
o'clock Uhr
October der Okto′ber, (–s), –
of von *prep. / dat.*
of course natür′lich
often oft
old alt, älter, ältest–
on, on top of auf *prep. / dat. or acc.;* (*at; against*) an *prep. / dat. or acc.*
once einst; einmal; **at once** gleich; sogleich′; sofort′
one ein *usw.*
only nur
open öffnen; auf-machen
opera die Oper, –n
opinion die Meinung, –en; **in my opinion** meiner Meinung nach
otherwise sonst
our *poss. adj.* unser *usw.*
outside, out there draußen
over (*past*) vorbei′; **class is over** die Stunde ist aus
own besit′zen, besaß, besessen
own *adj.* eigen

P

pack packen
pair das Paar, –(e)s, –e
palace der Palast′, –es, ⸚e
paper das Papier′, –s, –e; (*newspaper*) die Zeitung, –en; **Sunday paper** die Sonntagszeitung, –en
parents die Eltern (*plural only*)
part der Teil, –(e)s, –e; **part of the body** der Körperteil, –(e)s, –e
pass (*an examination*) beste′hen, bestand, bestanden
passport der Paß, Passes, Pässe
past (**two o'clock,** *etc.*) nach (zwei Uhr *usw.*)
pay bezah′len; (*be rewarding*) sich lohnen; **it pays** es lohnt sich
pay attention auf-passen
peace der Friede(n), –ns; **make peace** (den) Frieden schließen
peak der Gipfel, –s, –
pear die Birne, –n
peasant der Bauer, –s, –n
pen die Feder, –n
pencil der Bleistift, –(e)s, –e
people die Leute (*plural*); (*folk*) das Volk, –(e)s, ⸚er; (*human being*) der Mensch, –en, –en
perhaps vielleicht′
permitted: be permitted to dürfen (darf), durfte, gedurft
person die Person′, –en; **personal** persön′lich
photo das Foto, –s, –s; die Aufnahme, –n
physical körperlich
pick up (*fetch*) ab-holen
picture das Bild, –(e)s, –er; (*photo*) das Foto, –s, –s; die Aufnahme, –n; **take a picture** eine Aufnahme machen
piece das Stück, –(e)s, –e
pig das Schwein, –(e)s, –e
plan der Plan, –(e)s, ⸚e
plane das Flugzeug, –s, –e
plate der Teller, –s, –
play spielen
pleasant angenehm
please! bitte!
pocket die Tasche, –n
poem das Gedicht′, –s, –e
poet der Dichter, –s, –
political poli′tisch
poor arm, ärmer, ärmst–
popular beliebt′
position (*job*) die Stellung, –en
possible möglich
post card die Postkarte, –n
potato die Kartof′fel, –n
pound das Pfund, –(e)s, –e
practice üben; **"practice makes perfect"** „Übung macht den Meister"
prefer vor-ziehen, zog vor, vorgezogen; lieber haben
president der Präsident′, –en, –en
pretty hübsch
price der Preis, –es, –e
professor der Profes′sor, –s, Professo′ren
program das Programm′, –s, –e
promise verspre′chen (verspricht), versprach, versprochen
proud (of) stolz (auf / *acc.*)
proverb das Sprichwort, –(e)s, ⸚er
pupil der Schüler, –s, –
put stellen
put on an-ziehen, zog an, angezogen

Q

queen die Königin, –nen
question die Frage, –n
quiet still; ruhig
quite ganz; recht

R

radio reception der Radioempfang, –s
rain regnen; *noun* der Regen, –s, –
read lesen (liest), las, gelesen; **go on reading** weiter-lesen (liest weiter), las weiter, weitergelesen
real wirklich
receive bekom′men, bekam, bekommen; erhal′ten (erhält), erhielt, erhalten; empfan′gen (empfängt), empfing, empfangen
record die Schallplatte, –n
red rot

related verwandt′
religious religiös′
remaining übrig
remember sich (*acc.*) erin′nern (an / *acc.*)
repeat wiederho′len
republic die Republik′, –en
restaurant das Restaurant′, –s, –s
return (*come back*) zurück′-kehren (s)
rich reich
right (*correct*) richtig; **to the right** rechts
right away sofort′; gleich; sogleich′
ring läuten
river der Fluß, Flusses, Flüsse
room das Zimmer, –s, –
rubber der Gummi, –s, –s
ruin die Rui′ne, –n
rule regie′ren
run laufen (läuft), lief, ist gelaufen

S

Saturday der Samstag, –s, –e
save sparen
say sagen
scholar, research scholar der Forscher, –s, –
school die Schule, –n; **in school** in der Schule; **to school** in die Schule
school child der Schüler, –s, –
season die Jahreszeit, –en
see sehen (sieht), sah, gesehen
sell verkau′fen
semester das Semes′ter, –s, –
sentence der Satz, –es, ⸚e
set setzen
seven sieben; **seventh** der siebte *usw.*
seventeen siebzehn
she sie
shine scheinen, schien, geschienen
ship das Schiff, –(e)s, –e
shoe der Schuh, –(e)s, –e
shop ein-kaufen; *noun* der Laden, –s, ⸚
short kurz, kürzer, kürzest–
show zeigen
sick krank, kränker, kränkst–
silver das Silber, –s
similar ähnlich
since da *sub. conj.*
sing singen, sang, gesungen
single einzig, ein und derselbe *usw.*, einzeln
sister die Schwester, –n
sit sitzen, saß, gesessen; **sit down** sich (*acc.*) setzen
six sechs
sky der Himmel, –s, –
sleep schlafen (schläft), schlief, geschlafen
slow langsam
smile lächeln
snow der Schnee, –s
so so; also; (*accordingly*) also
soft (*low*) leise
some etwas; (*a few*) einige *usw.*
somebody jemand; **somebody else** jemand anders
song das Lied, –(e)s, –er
soon bald; **as soon as** sobald′ (als) *sub. conj.;* **see you soon!** auf baldiges Wiedersehen!
sorry: be sorry leid tun (tut leid) tat leid, leid getan; **I am sorry** es tut mir leid
sort: what sort of (a) was für (ein *usw.*)
soup die Suppe, –n
south der Süden, –s
speak sprechen (spricht), sprach, gesprochen
spend (*money*) aus-geben (gibt aus), gab aus, ausgegeben; (*time*) verbrin′gen, verbrachte, verbracht
spoon der Löffel, –s, –
sport der Sport, –(e)s, –e
spring der Frühling, –s, –e
stage die Bühne, –n
stamp die Briefmarke, –n
stand stehen, stand, gestanden
stay bleiben, blieb, ist geblieben
steel der Stahl, –(e)s, –e *or* ⸚e
still (*yet*) noch; **keep still** schweigen, schwieg, geschwiegen
stop auf-hören
store das Geschäft′, –s, –e; der Laden, –s, ⸚
street die Straße, –n
streetcar die Straßenbahn, –en
strike: be striking auf-fallen (fällt auf), fiel auf, ist aufgefallen (*dat.*)
strong stark, stärker, stärkst–
student der Student′, –en, –en
study lernen; (*of students*) studie′ren

stupid dumm, dümmer, dümmst–
subject (*of study*) das Fach, –(e)s, ⸚er
succeed gelin'gen, gelang, ist gelungen; **I succeed** es gelingt mir
success der Erfolg', –s, –e
such solcher *usw.*
suffer leiden, litt, gelitten
suggest vor-schlagen (schlägt vor), schlug vor, vorgeschlagen
suit (*man's*) der Anzug, –s, ⸚e; (*woman's*) das Kostüm', –s, –e
summer der Sommer, –s, –
sun die Sonne, –n
Sunday der Sonntag, –s, –e
supper das Abendessen, –s, –
supposed: be supposed to sollen (soll), sollte, gesollt
sure: to be sure freilich; zwar
swim schwimmen, schwamm, ist geschwommen
Switzerland die Schweiz

T

table der Tisch, –es, –e
take nehmen (nimmt), nahm, genommen; **take along** mit-nehmen (nimmt mit), nahm mit, mitgenommen; **take a picture** eine Aufnahme machen; **take a walk** spazie'ren-gehen, ging spazieren, ist spazierengegangen
talk reden; sprechen (spricht), sprach, gesprochen
taste (good) (gut) schmecken
teach lehren; **teacher** der Lehrer, –s, –; **German teacher** der Deutschlehrer, –s, –
telephone das Telefon', –s, –e; der Fernsprecher, –s, –
tell sagen; erzäh'len
ten zehn
than als
thank danken (*dat.*); **thank you! thanks!** danke schön! danke!
that daß *sub. conj.;* **that, that there** das, das da, das dort; **that is (i.e.)** das heißt (d.h.)
their *poss. adj.* ihr *usw.*
then dann; denn; da; so
there da; dort
therefore deshalb; daher; darum
think denken, dachte, gedacht; (*believe*) glauben; meinen
thirteen dreizehn
thirty dreißig
this dieser *usw.*
three drei
thunder donnern
ticket die Karte, –n; (*of admission*) die Eintrittskarte, –n
tie (*necktie*) die Krawat'te, –n
time die Zeit, –en; **a long time, for a long time** lange; **what time is it?** wieviel Uhr ist es? **times** (*in arithmetic*) mal
tired müde
to zu *prep. / dat.;* **up to** bis; **ten to one (o'clock)** zehn vor eins
today heute
together zusam'men
tomorrow morgen
tonight heute abend
too zu; (*also*) auch
traffic der Verkehr', –s
translate überset'zen; **translation** die Überset'zung, –en
traveler der Reisende *adj. n.*
tree der Baum, –(e)s, ⸚e
true wahr
turn (*become*) werden (wird), wurde, ist geworden
turn: it is my turn ich bin an der (*dat.*) Reihe
twelve zwölf; **twelfth** der zwölfte *usw.*
twenty zwanzig
two zwei; **the two** die beiden

U

uncle der Onkel, –s, –
understand verste'hen, verstand, verstanden
United States die Verei'nigten Staaten (*plural*)
until bis
up auf
usual gewöhn'lich

V

vacation die Ferien (*plural*)
vegetable das Gemü'se, -s, -
very sehr; **very much** (*usually*) sehr
Vienna (das) Wien
village das Dorf, -(e)s, ⸚er
visit besu'chen
vote die Stimme, -n

W

wait (for) warten (auf / *acc.*)
waiter! Herr Ober!
walk, take a walk spazie'ren-gehen, ging spazieren, ist spazierengegangen; einen Spazier'gang machen
wall die Wand, ⸚e
want to wollen (will), wollte, gewollt
war der Krieg, -(e)s, -e
warm warm, wärmer, wärmst-
watch die Uhr, -en
water das Wasser, -s
we wir
wear tragen (trägt), trug, getragen
weather das Wetter, -s
week die Woche, -n
well gut; wohl
well-behaved brav
well-known bekannt'
west der Westen, -s
what? was? (*which?*) welcher? *usw.*
when, whenever wenn *sub. conj.*
where? wo?
whether ob *sub. conj.*
which? welcher? *usw.*
while während *sub. conj.*
white weiß
Whitsuntide (das) Pfingsten *or* (die) Pfingsten (*plural*)
who? wer? *usw.*
why? warum'?
wind der Wind, -(e)s, -e
window das Fenster, -s, -
wine der Wein, -(e)s, -e
winter der Winter, -s, -
with mit *prep. / dat.*
without ohne *prep. / acc.*
woman die Frau, -en
woods der Wald, -(e)s, ⸚er
word (*not connected in sense*) das Wort, -(e)s, ⸚er; (*connected*) das Wort, -(e)s, -e
work arbeiten
work (*of art, etc.*) das Werk, -(e)s, -e
world die Welt, -en
wrist watch die Armbanduhr, -en
write schreiben, schrieb, geschrieben

Y

year das Jahr, -(e)s, -e
yes ja
yesterday gestern; **yesterday morning** gestern früh
yet (*still*) noch; (*nonetheless*) doch
you Sie; du; ihr; **your** *poss. adj.* Ihr *usw.;* dein *usw.;* euer *usw.*
young jung, jünger; jüngst-

Index

References are to page numbers.

aber : sondern 34
Accent 11, 12, 56; *see also* Stress
Accusative: forms 45, 46, 69, 76–77, 99; for the direct object 46; with prepositions 75, 148, 182; for time expressions 177; for dates 274
Active: and passive 317–319
Address: familiar 249–251, 382; polite 26, 35, 46, 56, 69, 87, 382
Addressing people, common ways of 247; *see also* Greeting formulas
Adjective: absence of endings, significance of 46, 275; adjective : adverb 46, 169; as a noun 126, 276; comparison 167–168; descriptive, preceded 122–123, 133, 157, 168, 182; descriptive, unpreceded 77, 99, 133, 157, 168; **dieser-**adjectives 76, 99; **ein-**adjectives 87–88, 99, 123, 181; endings 76–77, 88, 99, 123, 133, 157, 180–182, 381; formed from city names 126; formed from infinitives 274–275; limiting 77; perfect participle as 275; possessive adjectives 87, 123; standing alone 46; surveys of the 180, 381
Adverb: adjective or adverb 46, 275; comparison 167–169; order of adverbs 47
Agent in the passive construction 318–319
"Agent"-nouns 156
Agreement of nouns and pronouns 25
alle as a limiting adjective 77
Alphabet, the German 18–19
als in comparisons 169
als wenn, als ob 310
an with time expressions 149, 177
Animals 86
Antiqua (Roman type) 18–19
Arithmetic, simple 192
Article: accusative forms 45, 46; and noun 24; contraction with prepositions 136, 149; dative forms 133; definite 24, 38; genitive forms 157; indefinite 24, 39; nominative forms 25; of compound nouns 55; plural 38; surveys of forms of 99, 100, 182, 378–380
Auxiliaries: *see* **haben, sein, werden,** Modal auxiliaries

Back vowels 6, 14
be- as a prefix 224–225
Body, parts of the 23, 44

Capitalization 17, 26, 87, 126, 276
Cases: *see* Accusative, Dative, Genitive, Nominative; *see also* Adjective, Article, Nouns, etc.
Center vowels 6, 14
ch, sound of 8, 15
-chen, diminutive ending 44
Climate and weather 166
Clothing, articles of 166–167
Cognates 259–260, 294, 329
Colors 24, 235
Command: familiar 250–251; in indirect discourse 309–310; perfect participle as 202; polite 56
Comparison of adjectives and adverbs 167–169
Compass, points of 235–236
Compound nouns 55, 65
Compound words 145, 342
Conclusion: of conditional sentence 295–299; isolated 298
Conditional sentence 295–299
Conditional tenses: forms 287–288; in contrary-to-fact conditions 295–299; in indirect discourse 308–309
Conjugation of the verb 365–374
Conjunctions: in general 192; coordinating 195; subordinating 193–195
Consonant combinations 10
Consonants, survey of 7–11, 15
Contraction of article with preposition 136, 149
Correspondence: *see* Letter writing

da(r) + preposition: as substitute for personal pronoun 149; in anticipation of subordinate clause 194
das-nouns: as basic noun forms 24–25; adjectival 126, 276; diminutives always 44; infinitives used as 276; in **-nis** 329; no accusative forms with 45; *see also* Article, Declension, Nouns, Plural
Dates 274
Dative: as case of the indirect object 135; of adjective and pronoun 133; of nouns 134; prepositions with 135–136, 182; prepositions with dative and accusative 148; uses of 135, 182; verbs with 135
Days, names of 75
Decimal point: comma used as 274
Declension: of adjectives 381; of nouns 378–380; of pronouns 382
Definite article: in general 24; plural of 38; *see also* Article
Dependent clause: position of

Dependent clause (*cont.*)
verb in 193, 208, 228–229, 263, 298; separable verbs in 193; with relative pronoun 240; *see also:* Dependent word order, Verbs
Dependent word order: after relative pronoun 240; in indirect discourse 309; in subordinate clauses 193, 208, 228, 263, 298; in **wenn**-clauses 298
der, das, die, emphatic use of 88
der-nouns: as basic noun forms 24–25; accusative forms of 46; adjectival 126, 276; formed from irregular verbs 213–214; *see also* Article, Declension, Nouns, Plural
derselbe, etc. 203
Descriptive adjective: *see* Adjective
die-nouns: as basic noun forms 24–25; adjectival 126, 276; derived from irregular verbs 214; no accusative forms with 45; in **–e** 316; in **–heit** or **–keit** 305; in **–in** 55, 57; in **–schaft** 328; in **–ung** 156; *see also* Article, Declension, Nouns, Plural
dieser : jener 305
dieser-adjective: *see* Adjective
Diminutives 44
Diphthongs 6–7, 15
Direct object 46; *see also* Accusative
Divisions of time: *see* Time
Double infinitive 208
du-forms 248–251; *see also* Address, Command, Verbs, Personal pronouns
durch to indicate agent in passive 317–318
dürfen: *see* Modal auxiliaries

–e as an ending 7, 134
Eating and drinking 167, 178, 191–192
ein: *see* Article, Adjective (**ein-**), Declension
Einmaleins 192
ent– as a prefix 11, 225
er– as a prefix 11, 225
–er as ending of adjectives for names of cities 126; as ending of "agent"-nouns 156; as ending of comparative of adjective and adverb 168
es introducing a sentence 319
es gibt 121, 144
Exclamation point 17, 56
Expression, verbs of 305

fahren: meanings 131
Familiar address: *see* Address
Family, members of 75
Feeling, expressions of 85
fehlen: meanings 270
Final position: *see* Position
Finite verb: position in future tense 228; *see also* Dependent clause, Dependent word order
Food 167, 178, 191–192
Foreign words 12, 271
Fractions 274
Fraktur (German type) 18–19
Front vowels 5, 13, 14
Future conditional: forms 287, 288; in conclusion of contrary-to-fact conditions 295, 298; in indirect discourse 308
Future perfect conditional: forms 288; in conclusion of contrary-to-fact conditions 295, 298; in indirect discourse 309
Future perfect subjunctive: forms 288; in indirect discourse 309
Future perfect tense 228–229
Future subjunctive: forms 287; in indirect discourse 308
Future tense: forms and usage 228–229, 366–374; in indirect discourse 308

ge– as a prefix 11, 225; with perfect participle 205
gehen: meanings 131–132
gelt (gel')? 34
gelten: meanings 270
Genitive: forms in general 157; of personal pronouns 158; of preceded adjectives 157–158; with prepositions 158, 183; uses 158
gern 45, 165
Glottal stop 11, 17
Grammar, terms for 110
Greek, German words from 271
Greeting formulas 54, 247; *see also* Letter writing

haben: past tense 115; perfect participle 203; phrases with 155; present tense 46; subjunctive 287; survey of forms 365–366
heißen, phrases with 24
–heit, die-nouns in 305
hin and **her** 145
Holidays 281
how long and *how long ago* 177
Hybrids: listing of 225; past subjunctive 287; past tense 114, 179; principal parts 225, 377

If-clauses: contrary-to-fact 295–299; isolated 298
Imperative: *see* Command
in with time expressions 149, 177
–in, die-nouns ending in 55, 57
Indefinite article: basic forms 24; negative form of 26; no plural 39; *see also* Adjective (**ein–**), Article
Indirect discourse: subjunctive of 308; synopsis of forms 308–309
Indirect object: dative for 135; in passive construction 317–318
Indirect question 241
Infinitive: as noun 276; double 208; form of 35, 101; of separable verbs 56, 229; **lassen** + infinitive 330; position of 56, 208, 263; **sein** + **zu** + infinitive 330; **sich lassen** + infinitive 330; transformed into adjective 274–275; with or without **zu** 229

Inseparable prefixes: meanings of 224–225; perfect participle of verbs with 205; stress on verbs with 11; verbs with 262
Internal vowel change: in comparative and superlative of adjectives and adverbs 168; in nouns 38, 69, 100; in verbs 68, 101, 111–115, 205, 225, 287; umlaut 19
Interrogative pronouns 23, 241, 382
"Inverted" word order: *see* Word order, Position
Invitation 224
irgend . . . 190
Irregular verbs: and regular verbs 111; past tense 114; principal parts 203–204, 375–378; with **sein** in the perfect tenses 214–215
Irregularities: in comparison of adjectives 168; in present tense of verbs 68

jeder, etc.: *see* Adjective (**dieser–,** limiting)
jener, etc.: *see* Adjective (**dieser–,** limiting); **jener : dieser** 305

kein 26; plural 39; *see also* Adjective (**ein–**)
–keit, die-nouns in 305
kennen : wissen 76; *see also* Hybrids
können: *see* Modal auxiliaries

l, sound of 9, 16
Language and speech 3
Languages and nations 178
lassen: meanings and uses 224, 330
Latin, German words from 271
lehren : lernen : studieren 34
–lein, diminutive ending 44
Letter writing 121; beginnings and endings 247–248; model for German letter 269–270
liegen : legen 144
Limiting adjective: *see* Adjective

Location 33
Locomotion, means of 131
Long vowels: *see* Vowels

man 54, 329–330, 344
mancher, etc.: *see* Adjective (limiting)
Map of Germany 36–37
Materials 282
Meals 85, 191
Measurements 341
Metals 282
Modal auxiliaries: "double" infinitive with 208; in the past tense 122, 179; in the present tense 68, 101; meanings 122; past perfect subjunctive 299; perfect participle 205; subjunctive 287, 299; survey of forms 374; with passive infinitive 319; with phrase showing motion 122
mögen: *see* Modal auxiliaries
Money, German 341
Months, names of 75–76
müssen: *see* Modal auxiliaries

–n as dative ending of nouns 134
Nations and languages 178
Negation 26, 35
nein : nicht : kein 26
nicht: and **kein** 26; position of 35
nicht wahr? 34
Nominative: forms 25, 46; survey of 99
"Normal" word order: *see* Word order
Nouns: adjectives as 126, 276; "agent"-nouns 156; basic forms 24; compound 55, 65; dative 134; declension 378–380; genitive 157; nominative 25; plurals 38, 47, 57, 69, 77–78, 100; with special features 77; *see also* **das-**nouns, **der-**nouns, **die-**nouns, Plural
Numerals: cardinal 23, 44, 65, 156; fractions 274; ordinal 274; in dates 274; *see also* Arithmetic, **Einmaleins**

Object: accusative forms for the direct 46; dative forms for the indirect 135; in passive construction 317–318
Ordinals: *see* Numerals

"Participial construction" 275
Participle: *see* Perfect participle, Adjective formed from infinitive
Parts of body 23, 44
Passive: and active 317–318; agent in 318–319; forms of verb in 318, 344, 372–373; construction with **es** as the subject 319; "substitutes" for 329–330, 344–345
Past perfect subjunctive 287, 295–299, 308, 365–373
Past perfect tense 204–205, 216, 261, 365–373
Past subjunctive: forms 286, 342, 365–374; list of forms for common irregular verbs 375–378; in contrary-to-fact conditions 295–299; in indirect discourse 308–309
Past tense: forms 111, 114, 115, 122, 260, 365–374; how to translate 115, 209; past or present perfect? 208–209; pattern of 179, 260–262; *see also* Verbs
Perfect participle: as adjective 275; as command 202; forms 205; position 208; used with **sein** 319
Perfect tenses: position of verb in 208; the pattern of the 204–205; usage 208–209; with **sein** as auxiliary 214–216; summary of 260–262
Personal pronouns: accusative forms 46, 69, 251; agreement of nouns and 25; and their possessive adjectives 87, 251; dative forms 134, 251; declension 382; familiar forms 251; in the possessive function 158; nominative forms 25, 248; not used with prepositions 149; survey of forms

Personal pronouns (*cont.*) 382; reflexive pronoun **sich** 69
Persons, pronouns referring to 25
Phoneme 3, 13
Photography 294
Pitch 12–13
"places to go" 155
Plural: of articles 38–39; of nouns 38, 47, 57, 69, 77; survey of noun plurals 100; *see also* Nouns
Points of compass 235–236
Polite address 26
Polite command 56
Polite requests, subjunctive in 299
Politics, government, state 110, 259, 305
Position: elements in final 263; elements in initial 262–263; in questions 35; of adverbs 46–47; of finite verb 228; of infinitive 56, 228–229; of **nicht** 35; of perfect participle 208; of separable prefixes in present tense 56, 101; of separable prefixes in subordinate clauses 193; of **Sie** in polite command 56; of subject 35, 193; of verb in conclusion following main clause 298; of verb in future 228–229; of verb in indirect question 241; of verb in indirect discourse 309; of verb in perfect tenses 208; of verb in subordinate clause 193, 263; of verb in **wenn**-clauses 298; of verb when **wenn** is omitted 299; *see also* Word order, Dependent word order, Tongue position
Possession, genitive for function of 158
Possessive adjectives: case endings 88, 123; forms and function 87, 251
Possessive pronouns: possessive adjectives used as 88, 181
Preceded adjective: *see* Adjective
Prefixes: *see* Inseparable prefixes, Separable prefixes
Prepositions: cases with 182; contraction with article 136, 149; **da**(**r**) + prepositions 149; not used with personal pronouns 149; with accusative 46, 75; with dative 135–136; with dative or accusative 148; with genitive 158; with relative pronoun 240; with time expressions 149, 177; **wo**(**r**) + prepositions 149
Present participle: *see* Adjective formed from infinitive
Present perfect subjunctive: forms 287–288; in indirect discourse 308
Present perfect tense: forms 204–205, 216, 261, 365–373; with **haben** 204; with **sein** 216
Present subjunctive: forms 286; in indirect discourse 308–309; other uses 310
Present tense: irregular forms 68; modal auxiliaries in 68; of **haben** 46; of **sein** 25–26; of verb in general 34–35; of verbs with separable prefixes 56; pattern of 101; survey of forms 260, 365–374; *see also* Present subjunctive
Principal parts of irregular verbs 203, 375–378
Pronouns: declension 382; **der, das, die** used as 88; *see also* Interrogative pronouns, Personal pronouns, Possessive pronouns, Relative pronouns
Pronunciation: exercises for 13–17, 26–27, 39, 47, 57, 70, 78, 88–89; of consonants 7–11; of vowels and diphthongs 4–7; and spelling 3–4
Punctuation: differences between German and English 17–18; exclamation point in commands 56; period and comma as used with numerals 274
Quality and quantity 33
Question: in indirect discourse 309; word order in 35
Question words 23, 76; *see also* Interrogative pronouns
Quotation marks 18

r, the German 9, 16
Radio 316
Recipes, use of subjunctive forms in 310
Reflexive pronoun **sich** 69, 134
Regular verbs: and irregular verbs 111; basic pattern 260–262; past tense 114, 179; perfect participle 205; present tense 34–35, 101; with **sein** in perfect tenses 214
Relative pronouns: declension 382; dependent word order after 240; forms 237; function 236; **wer, was** as 240; with prepositions 240; survey of forms 382
Relatives: *see* Family

–schaft, die-nouns in 328
School 97; German schools 95
Seasons 166
sein: as auxiliary in perfect tenses 215–216; in future perfect 228; familiar forms 249–251; past tense 115; perfect participle with 319; polite command form 56; present tense 25–26, 101; survey of forms 366–369; **sein** + **zu** + infinitive 330
selber 178
Separable prefixes: basic pattern of verbs with 55, 260–262; infinitive with **zu** in verbs with 229; meanings of some 236, 248; past tense of verbs with 114, 179; perfect participle of verbs with 205; position 193, 263; position of infinitive of verbs with 56; present tense of verbs with 56, 101
Separable verbs: *see* Separable prefixes

Sibilants 9
sich: *see* Reflexive pronoun
Sie: used for polite address 26; position in polite command 56; *see also* Personal pronouns
sollen in commands in indirect discourse 309; *see also* Modal auxiliaries
Speech and language 3
Spelling 17–19; of vowels 5–7; of consonants 7–11; and pronunciation 3–4
Sprechübungen: *see* Pronunciation exercises
State, government, politics 110, 259, 305
Stress, levels and patterns of 12–13
"Strong" verbs 108, 111; *see also* Irregular verbs, Verbs
Subject: nominative as case for 25; position of 35, 262
Subjunctive: forms 283–288; in **als wenn** (**als ob**) clauses 310; in contrary-to-fact conditions 295–299; in indirect discourse 308–309; in isolated *if*-clauses and conclusions 298; in polite requests 299; in prescriptions, recipes, etc. 310; in suggestions and wishes 310; in some traditional formulas 310; past subjunctive of common irregular verbs 375–378; special use of past perfect subjunctive of modal auxiliary 299; terminology of 288; survey of forms 342–343; survey of uses 343–344; *see also* Conjugation, Verbs
Subordinate clause: *see* Dependent clause
Subordinating conjunctions: *see* Conjunctions
"Substitutes" for the passive 329–330, 344–345
Superlative: **am-**form of 169; case endings of adjectives in 168; forms of adjective and adverb 167; use of 168; *see also* Comparison
Syllabication 18

Tense: *see* Past tense, Past perfect tense, Perfect tenses, Present perfect tense, Present tense, Future perfect tense, Future tense
there is, there are . . . 144
Time: divisions of 85; expressions 44; *how long* and *how long ago* 177; *how often* 65; telling time 65, 155; "time when" 149, 177
Titles: *see* Addressing people
Tongue position 4–5
Traffic 132
Translation exercises 355–364
"Transposed" word order 263
Traveling 235
tun: past tense 115; present tense 54; principal parts 203, 378; subjunctive 286

um with time expressions 65, 177
um . . . zu 230
Umlaut: *see* Internal vowel change
–ung, die-nouns in 156

ver– as a prefix 11, 225
Verbs: a few basic 54; basic patterns 260–262; conjugation 365–374; ending in **–ieren** 205; familiar forms 249–251; **hin** and **her** with 145; of expression 305; past tense 110–115, 122, 179; position 208, 228; position in dependent clause 193, 240–241, 309; position when **wenn** is omitted 299; present tense 34–35, 68, 101; with dative 135; with **sein** in perfect tenses (list) 214–215; *see also* Dependent clause, Dependent word order, Future tense, **haben,** Hybrids, Infinitive, Irregular verbs, Modal auxiliaries, Passive, Past tense, Perfect participle, Perfect tenses, Present tense, **sein,** Subjunctive, **tun, werden**
viele, etc., as an adjective 77
Village and city 282–283
"Voice" as a grammatical term 317
Voice levels 12–13
Voicing, loss of, with some consonants 10
von: contraction with article 136; to indicate agent in passive 317–318; used instead of genitive of personal pronoun 158; *see also* Prepositions
Vowel change: *see* Internal vowel change
Vowels: in contrast groups 13–14; in general 4–6, 13–15; spelling of long and short 18; *see also* Back vowels, Center vowels, Front vowels

wann : als : wenn 194
was: as a relative pronoun 240; declension 382; *see also* Interrogative pronoun, Question words
was für ein, etc. 76
"Weak" verbs 111; *see also* Regular verbs, Verbs
Weather and climate 166
Weights and measures 341
welcher, etc.: as a limiting adjective 77; as a relative pronoun 237; declension of 382
wem, wen: *see* **wer**
wenn, omission of 194, 299, 310
wenn-clauses 298
wer: as a relative pronoun 240; declension of 48, 133, 157, 382; *see also* Interrogative pronouns, Question words
werden: as auxiliary for future tense 228; as auxiliary for passive 318, 344, 372–374; past tense 115, 179; present tense 64, 68, 101; principal parts 214, 378; survey of forms 368–369
wessen: *see* **wer**
wie 169; *see also* Question words
wie oft? 65

wissen: forms 374; or **kennen** 76
wo? and **wohin?** 145, 148
wo(r) + preposition: as substitute for personal pronoun 149; as substitute for interrogative pronoun 149; as substitute for relative pronoun 240
wollen: *see* Modal auxiliaries
Word accent 11–12
Word order: in general 262–263; in participial constructions 275; in questions 35; "inverted" 262; "normal" 262; "polar" in participial constructions 275; to determine function 45; "transposed" 263; *see also* Dependent clauses, Dependent word order, Position
Work and pay 328
Writing German 17

zer– as a prefix 11, 225
zu: with the infinitive 229; with a separable verb 229; contraction with **dem** and **der** 136; infinitive with or without 229; *see* **um . . . zu**

List of Photographs

FRANKFURT AM MAIN: ESCHENHEIM TOWER 28
Screen Traveler, from Gendreau
MUNICH: KARLS GATE 29
Three Lions
BONN: BEETHOVEN HOUSE 29
Courtesy German Tourist Information Office
ROTHENBURG OB DER TAUBER 29
Philip Gendreau
AACHEN: INSTITUTE OF TECHNOLOGY 48
Courtesy German Tourist Information Office
BONN: MÜNSTER SCHOOL CLASSROOM 49
Courtesy German Tourist Information Office
STUTTGART: KÖNIGIN CHARLOTTE SCHOOL CLASSROOM 49
Monkmeyer Press Photo Service (photo by Hays)
LIVING ROOM SCENES IN GERMAN HOMES 58–59
Dr. Wolff & Tritschler OHG
WIESBADEN: THE LARGEST CUCKOO CLOCK IN THE WORLD 66
Courtesy German Tourist Information Office
HEILBRONN: ASTRONOMICAL CLOCK 67
Courtesy German Tourist Information Office
SCHWARZWALD: CLOCKMAKER AND WOOD CARVER 67
Courtesy German Tourist Information Office
HEINERSBRÜCK: GIRLS IN NATIVE COSTUMES 80
From the volume *Deutschland — Mitteldeutschland und der Osten wie er war*, published by Umschau Verlag, Frankfurt am Main (photo by Hans Retzlaff)
UPPER BAVARIA: CHURCHGOERS IN WERDENFELS COSTUMES 80
Courtesy German Tourist Information Office
PORTRAIT OF A RETIRED HUNTER OF OBERAMMERGAU 81
Three Lions
WESTPHALIAN CHILDREN 81
From the volume *Nordrhein — Westfalen*, published by Umschau Verlag, Frankfurt am Main (photo by Ruth Hallensleben)
MÜNCHEN-GLADBACH: PUBLIC PARK 90
Courtesy German Tourist Information Office
STEIERMARK, AUSTRIA: VIEW OF THE GESÄUSE 91
Courtesy Austrian State Tourist Department
SALZBURG, AUSTRIA: MOUNTAIN CLIMBING IN THE REGION OF THE GROSS-VENEDIGER 91
Courtesy Austrian State Tourist Department
UNIVERSITY OF MUNICH 102
Fritz Witzig
STUDENT RECREATION BUILDING IN FRANKFURT AM MAIN 102
Courtesy German Tourist Information Office
UNIVERSITY TOWN OF HEIDELBERG 103
Philip Gendreau
BAVARIAN HOUSE DECORATED WITH SCENES FROM LITTLE RED RIDING HOOD 112
Monkmeyer Press Photo Service
FIRESIDE SCENE IN A WESTPHALIAN FARMHOUSE 112
From the volume *Nordrhein — Westfalen*, published by Umschau Verlag, Frankfurt am Main (photo by Rudolf Lichtenberg)
BAVARIA: NEUSCHWANSTEIN CASTLE 113
From the volume *So schön ist Bayern*, published by Umschau Verlag, Frankfurt am Main (photo by Arnold)
NECKARGEMÜND: STREET SCENE 124
Monkmeyer Press Photo Service (photo by Kennedy)
BONN: OLD TIMBERED HOUSE 125
Three Lions
FRANKFURT AM MAIN: ADMINISTRATION BUILDING OF THE GERMAN RAILROAD SYSTEM 125
Courtesy German Tourist Information Office
FRANKFURT AM MAIN: NEW APARTMENT HOUSES 125
Courtesy German Tourist Information Office
FRANKFURT AM MAIN: STREET SCENE 138
Philip Gendreau
FRANKFURT AM MAIN: BUSINESS STREET 138
Ewing Galloway
BICYCLISTS ON A MAIN THOROUGHFARE 139
Screen Traveler, from Gendreau
BERLIN: KURFÜRSTENDAMM 139
Courtesy German Tourist Information Office
ALPINE CLIMBERS 146
H. Armstrong Roberts
UPPER BAVARIA: THE KÖNIGSSEE 147
Courtesy German Tourist Information Office
BAVARIA: ALPS NEAR GARMISCH 147
H. Armstrong Roberts
FRANZ SCHUBERT 160
Landesbildstelle Württemberg
JOHANNES BRAHMS 160
Landesbildstelle Württemberg
CONCERT AT SCHLOSS CHARLOTTENBURG 161
Courtesy German Tourist Information Office
IN A GERMAN BEER GARDEN 170
Monkmeyer Press Photo Service (photo by Nelson)
LITTLE CHURCH IN RAMSAU, NEAR BERCHTESGADEN 171
From the volume *So schön ist Bayern*, published by Umschau Verlag, Frankfurt am Main (photo by H. Müller-Brunke)
SUNDAY HIKERS 171
Courtesy Austrian State Tourist Department
HERBIG-HARHAUS LACQUER FACTORY IN COLOGNE 184
Ewing Galloway
EXPERIMENT IN PHYSICS AT THE UNIVERSITY OF MAINZ 184
From *Das Buch vom neuen Mainz*, published by the Mainz City Administration
JENA GLASS FACTORY IN MAINZ 185
From *Das Buch vom neuen Mainz*, published by the Mainz City Administration
STEEL CASTING IN THE RUHR DISTRICT 185
From the volume *Nordrhein — Westfalen*, published by Umschau Verlag, Frankfurt am Main (photo by E. Angenendt)
BAVARIAN BUTCHER SHOP 196
Three Lions (photo by Boury)
A GERMAN LUNCH 196
Courtesy German Tourist Information Office
"IT TASTES GOOD!" 196
From the volume *Nordrhein — Westfalen*, published by Umschau Verlag, Frankfurt am Main (photo by E. Angenendt)
CONFECTIONERY STAND AT A MUNICH FAIR 197
Courtesy German Tourist Information Office
WOMAN SELLING PRETZELS 197
Monkmeyer Press Photo Service (photo by Schwarz)
FRANKFURT AM MAIN: CAFÉ RUMPELMAYER 206
Courtesy German Tourist Information Office
MACHINE SHOP IN A HOSIERY FACTORY 207
From the volume *Deutschland — Mitteldeutschland und der Osten wie er war*, published by Umschau Verlag, Frankfurt am Main (photo by Dr. Wolff & Tritschler)
CHANGE OF SHIFTS AT AN ESSEN COAL MINE 207
From the volume *Nordrhein — Westfalen*, published by Umschau Verlag, Frankfurt am Main (photo by Tita Binz)
A LUFTHANSA AIRPLANE 218
Courtesy German Tourist Information Office
STUTTGART: RESTAURANT IN THE OBSERVATION TOWER 218
Courtesy German Tourist Information Office

PEASANT BOY 219
H. Armstrong Roberts
ELECTRIC TRAIN IN THE SWISS ALPS 219
H. Armstrong Roberts
BAVARIAN DANCERS 226
From the volume *So schön ist Bayern,* published by Umschau Verlag, Frankfurt am Main (photo by E. Groth-Schmachtenberger)
MUNICH: BEAUX-ARTS BALL 226
Courtesy German Tourist Information Office
FOLK DANCING AT KREUZECK, BAVARIA 227
Wide World Photos
SALZBURG 238
Courtesy Austrian State Tourist Department
HIGHWAY IN THE VICINITY OF SALZBURG 239
Courtesy Austrian State Tourist Department
SALZBURG: MOZART'S BIRTHPLACE 239
Courtesy Austrian State Tourist Department
THE SIX-YEAR-OLD MOZART IN SCHÖNBRUNN 239
Courtesy Austrian State Tourist Department
IN THE WOODS OF THE ROMINTER HEIDE 252
From the volume *Deutschland — Mitteldeutschland und der Osten wie er war,* published by Umschau Verlag, Frankfurt am Main (photo by J. Franz)
SINGING IN THE STREETS OF MUNICH 253
Henri-Quartier-Bresson-Magnum-Photos
ROTHENBURG OB DER TAUBER: OLD COURTYARD 264
Wide World Photos
THE RUINED CASTLE OF LIEBENSTEIN 265
Courtesy German Tourist Information Office
CASTLE ON THE RHINE 265
Screen Traveler, from Gendreau
FRIEDRICH SCHILLER 272
Landesbildstelle Württemberg
MARBACH/NECKAR: SCHILLER'S BIRTHPLACE 272
Monkmeyer Press Photo Service
JOHANN WOLFGANG VON GOETHE 273
Landesbildstelle Württemberg
FRANKFURT AM MAIN: LIBRARY IN THE GOETHE HOUSE 273
Courtesy German Tourist Information Office
REIT IM WINKEL, BAVARIA: WINTER SCENE 284
Courtesy German Tourist Information Office
PARTENKIRCHEN: FLORIANSBRUNNEN 284
Courtesy German Tourist Information Office
CHILD AND CHRISTMAS CANDLE 284
Courtesy German Tourist Information Office
NUREMBERG: CHRISTMAS MARKET 285
Courtesy German Tourist Information Office
BERCHTESGADEN: JENNER CABLE CAR 296
Courtesy German Tourist Information Office
STUTTGART: SCENE AT THE MAIN RAILWAY STATION 297
Courtesy German Tourist Information Office
WUPPERTAL: SUSPENSION RAILWAY 297
Courtesy German Tourist Information Office
FRANKFURT AM MAIN: NARROW GAUGE TROLLEYS 297
Standard Oil Co.
THE MATTERHORN, SWITZERLAND 306
H. Armstrong Roberts
LUCERNE, SWITZERLAND 307
H. Armstrong Roberts
ZURICH: STREET SCENE 307
Standard Oil Co.
BAYREUTH FESTIVAL BUILDING 322
Monkmeyer Press Photo Service
RICHARD WAGNER 323
Monkmeyer Press Photo Service
"LOHENGRIN," SCENE FROM ACT III 323
Courtesy German Tourist Information Office
VIENNA: OPERNRING WITH OPERA HOUSE 323
Screen Traveler, from Gendreau
MUNICH: MARIENPLATZ 332
Hans Reiter
COLOGNE CATHEDRAL 333
Monkmeyer Press Photo Service
THE RHINE AND VINEYARDS OF ASSMANNSHAUSEN 333
Ewing Galloway
LUDWIG VAN BEETHOVEN 346
Landesbildstelle Württemberg
JOHANN SEBASTIAN BACH 346
Brown's Famous Pictures
JOSEPH HAYDN 346
Brown's Famous Pictures
MAINZ: GUTENBERG MONUMENT 347
Ludwig Richter-Photo
HANS HOLBEIN, *The Banker* 347
ALBRECHT DÜRER, *Johannes und Petrus* 347
FRIEDRICH WILHELM VON STEUBEN 348
The Pennsylvania Academy of Fine Arts
THOMAS MANN 348
Photo by Korsh of Ottawa
CARL SCHURZ 348
Carl Schurz Foundation
ROBERT KOCH 349
WILHELM KONRAD ROENTGEN 349
Wide World Photos
ALBERT EINSTEIN 349
Keystone